한눈에 보는 내분비학

Clinical Endocrinology and Diabetes AN ILLUSTRATED COLOUR TEXT

저자

Shern L. Chew BSc MD FRCP
Professor of Endocrine Medicine/Consultant Physician
Department of Endocrinology, St Bartholomew's and Royal
London School of Medicine, London, UK

David Leslie MD FRCP
Professor of Diabetes and Autoimmunity/Consultant Physician,
Department of Diabetes and Metabolism, St Bartholomew's and
Royal London School of Medicine, London, UK

역자

경희의대 내분비내과 김영설
경희의대 내분비내과 이윤정

한눈에 보는 내분비학

Clnical Endocrinology and Diabetes AN ILLUSTRATED COLOUR TEXT

첫째판 1쇄 인쇄 | 2011년 11월 15일
첫째판 1쇄 발행 | 2011년 11월 20일

지 은 이	Shern L. Chew, David Leslie
옮 긴 이	김영설, 이윤정
발 행 인	장주연
편집 · 표지	김혜경
발 행 처	군자출판사
등 록	제 4-139호(1991. 6. 24)

본 사	(110-717) 서울특별시 종로구 인의동 112-1 동원회관 BD 6층
	Tel. (02) 762-9194/5 Fax. (02) 764-0209
대 구 지 점	Tel. (053) 428-2748 Fax. (053) 428-2749
광 주 지 점	Tel. (062) 228-0252 Fax. (062) 228-0251
부 산 지 점	Tel. (051) 893-8989 Fax. (051) 893-8986

This edition of **Dermatology-An Illustrated Colour Text** by Shern Chew and David leslie is
published by arrangement with Elsevier Limited.

Copyright © 2006 by Elsevier Limited.
Original Edition ISBN : 978-0-443-07303-8
Translated Edition ISBN : 978-89-6278-507-4
Publication Date in Korea : 2011.11.20
Translation Copyright © 2011 by Elsevier Korea LLC

Translated by KoonJa Publishing Inc.
Printed in Korea

English Language Edition copyright © 2006 by Elsevier Limited.
본 서는 Elsevier Korea LLC와의 계약에 의해 군자출판사에서 발행합니다.
본 서의 내용 일부 혹은 전부를 무단으로 복제하는 것은 법으로 금지되어 있습니다.
www.koonja.co.kr

* 파본은 교환하여 드립니다.
* 검인은 저자와의 합의로 생략합니다.

ISBN 978-89-6278-507-4

정가 23,000원

머릿글

역서를 내면서

"갑상선이 만져지면 정상보다 2배 커진 것이고, 눈으로 보이면 3배까지 커진 것이다."
"갈색세포종을 기억하는 10% 법칙이 있다."
"당뇨병 환자의 임상 검사는 3의 법칙을 따른다."

잔 글씨가 빽빽하고 페이지가 많아 두터운 내과학 책에서는 결코 읽을 수 없는 이런 내용은 내분비학 지식의 습득이나 실제 임상 진료에 바로 이용하기에 도움이 된다. 이 책에는 이런 내용이 도처에 숨겨져 있다. 내분비학 공부가 부담스럽다고 하는 사람에게 중요한 내용을 빠짐없이 쉽고 재미있게 설명한 이 책을 권한다. 이 책을 통독하고 나면 내분비질환의 어려운 문제 해결에 자신이 붙을 수 있을 것이다.

이 책은 영국의 Churchiull Livingstone 출판사에서 시도한 혁신적인 임상 교과서인 "Illustrated Colour Text" 시리즈에서 "임상 내분비 및 당뇨병"을 번역한 것이다. 이 시리즈의 특징은, 명료한 그림과 사진에 중점을 두었으며, 특히 모든 페이지를 컬러로 인쇄하여 임상 진료에 도움을 주려고 노력하였다. 또한 설명하려는 주제를 두 페이지에 간결하게 요약하여 중요한 요점을 강조하고 있다. 이런 특징으로 내분비학을 학습하기 시작하는 학생에서부터 내과 전공의에게 내분비학의 개념을 쉽게 습득하도록 해 줄 것이며, 쉽지 않다고 알려진 내분비학 시험에 좋은 대책이 될 것이다. 또한 일차 진료의와 내분비학을 전공하지 않은 다른 과 전문의가 자주 만나게 되는 복잡한 내분비 환자의 해결에 많은 도움이 될 것이다. 아울러 내분비학을 전공하려고 하거나 내분비학을 가르치려는 전문가에게도 내분비학을 이렇게 배울 수 있다는 좋은 시사가 될 것이다. 이 책이 널리 읽혀져 내분비학의 학습에 도움이 되고, 우리나라의 내분비학의 발전에 공헌하기를 기대한다.

내분비학을 정말 재미있게 공부할 수 있다는 것을 실감하였으며, 흥미있는 책의 번역에 참여하게 해 주신 군자출판사에게 깊은 감사를 드린다.

2011. 11
김영설, 이윤정

차례

내분비학

서론

정의: 호르몬과 피드백

내분비학은 호르몬 작용과 피드백에 의한 조절이라는 두 가지 기본 원리에 바탕을 두고 있다. 호르몬은 조직과 내분비선에서 분비되는 화학 매개체이며 혈관으로 직접 분비된다 (호르몬은 '자극하다' 라는 그리스어 hormao 에서 유래하였다). 호르몬은 혈관을 따라 순환하며 많은 조직에 작용한다. 호르몬의 기본 개념은 항이뇨 호르몬(vasopressin)처럼 신경 말단에서 분비되는 호르몬에서 확장된 것이다.

어떤 호르몬은 분비된 조직에 작용하는 방분비(paracrine) 기능이 있으며, 다른 호르몬은 분비된 세포에 작용하는 자가분비(autocrine) 기능을 가지고 있다. 피드백 고리는 그것을 분비하는 조직에 작용하여 분비와 합성을 조절한다.

호르몬 종류

호르몬에는 세 종류가 있으며, 스테로이드, 타이로신(아미노산) 유도체인 갑상선 호르몬과 카테콜라민, 단백질 등이다(그림 1). 스테로이드와 갑상선 호르몬은 지용성이며 세포막을 통과하여 세포질이나 핵 내 수용체와 결합한다(그림 2). 이들은 혈액과 같은 수용액에 용해된 상태를 유지하기 위해 운반체와 결합해야 한다. 반면 단백질 호르몬과 카테콜라민은 수용성이며 세포막을 통과할 수 없다. 이들은 세포막 수용체와 결합하여 세포막을 통과하고 핵 내에 2차 전달체를 통해

작용한다(그림 3). 많은 단백질 호르몬은 혈액 내에 단백질과 결합하여 순환하며, 결합 단백질이 호르몬의 수용체 결합을 조절한다. 호르몬은 한 조직에서 여러 방법으로 작용하고 세포 내 전달 체계를 변화시키며 핵 내에서 유전자의 발현을 활성하거나 억제한다.

호르몬 조절

혈장 내 호르몬 농도는 피드백 및 다른 인자에 의해 엄격하게 조절된다. 많은 호르몬은 일중변동(circadian rhythm)을 가지고 있다. 예를 들어 코르티솔은 이른 아침에 농

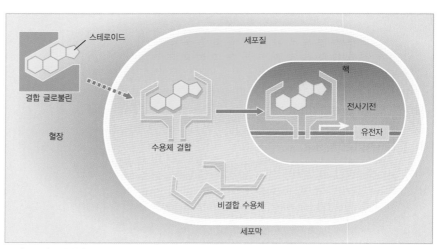

그림 2. **세포내 수용체를 통한 지용성 호르몬 전달 체계.** 코르티솔의 예

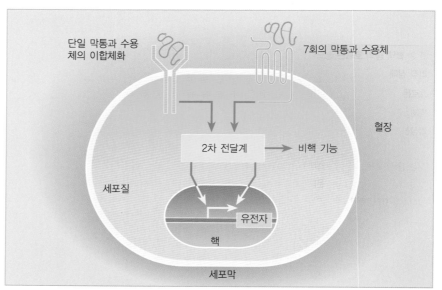

그림 3. **세포막 수용체를 통한 단백 호르몬의 작용**

4개의 탄소고리를 가진 스테로이드

티록신

시스테인 결합과 당화분지(CHO)를 가진 펩티드 호르몬

아드레날린(에피네프린)

그림 1. **호르몬 종류**

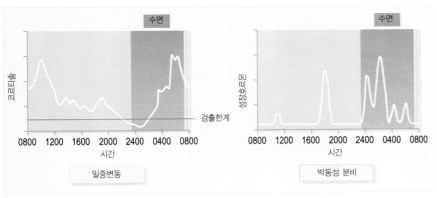

그림 4. **코르티솔과 성장 호르몬의 24시간 분비 패턴 비교**

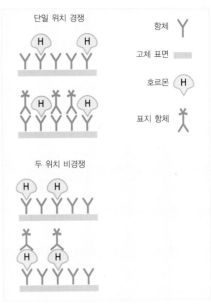

그림 5. **면역분석법의 일반 원칙**

도가 가장 높으며 자정에 농도가 가장 낮다 (그림 4). 다른 호르몬은 박동성으로 분비되는데, 예를 들어 성장 호르몬은 밤에 박동성으로 분비되며 낮에는 거의 분비되지 않는다 (그림 4). 혈액 내 호르몬 농도를 결정하는 주요 인자는 내분비선의 저장소에서 분비되는 비율이다. 호르몬은 세포내 저장소에서 신속한 자극에 의해 분비되어 일정 수준이 유지된다. 새로운 호르몬의 합성 속도도 효과적으로 조절된다. 그리고 분해율이 혈액 내 호르몬 농도에 영향을 미친다. 호르몬은 대부분 간이나 신장에서 대사되지만 일부는 말초 세포나 혈장에서 분해된다(표 1). 대부분의 혈중 호르몬 농도는 질병, 스트레스, 약제의 영향을 받는다(표 2). 따라서 혈장 호르몬 농도의 해석은 혈액 채취가 이루어진 환경의 영향을 받는다. 일반적으로 호르몬의 정상 범위는 스트레스가 없는 건강한 성인에서 아침 9시에 채혈한 결과이다.

호르몬 측정

호르몬은 대부분 혈청이나 혈장에서 면역분석법으로 측정한다. 이 분석에서는 호르몬에 대해 만들어진 특이 항체를 이용한다. 이 특이 항체를 고체 표면에 화학적으로 결합시킨다(주로 플라스틱 튜브 바닥에 코팅한다). 혈청이나 혈장을 항체로 코팅된 고체 표면에 넣으면 특정 결합이 일어난다. 그리고, 호르몬 농도를 단일 위치 경쟁 분석이나 두 위치 비경쟁 분석 중에서 한가지 방법으로 측정한다(그림 5). 단일 위치 경쟁 분석은 결합되지 않은 항체 위치 수를 정량화하는 것이다. 이것은 스테로이드 호르몬과 같은 작은 분자 측정에 사용된다. 두 위치 비경쟁 분석은 결합된 호르몬의 또 다른 부위에 대한 특이 항체를 사용하는 것이고, 펩티드 호르몬과 같은 큰 분자의 분석에 사용된다. 정확한 정량화는 호르몬 농도를 알고 있는 여러 개의 표준 샘플로 표준 곡선을 그려 환자 표본의 신호를 읽어 분석한다. 면역분석법의 단점은:

■ 일부 항체는 특이성이 없음.
■ 특이 항체에 대해 환자 샘플의 인자형 (idiotype) 항체의 영향을 받음.
■ 환자 샘플 속의 다른 단백질이나 화학 물질이 분석에 간섭함.

검사 결과가 임상 상황과 일치 하지 않으면 다른 면역분석법으로 재검사해야 한다.

표 1. **호르몬의 주요 대사 기관**	
호르몬	기관
프로락틴	신장
스테로이드	신장과 간
갑상선호르몬	세포내 대사
카테콜라민	혈장

표 2. **혈액 중의 호르몬 농도에 영향을 주는 비생리적 상태**	
호르몬	상태
억제	
갑상선호르몬	병적 상태, 벤조디아제핀 약제
성선 자극호르몬	스테로이드, 체중감소, 운동
부신피질 자극호르몬	코르티코스테로이드
자극	
부신피질 자극호르몬	급성 병적 상태
프로락틴	신체적, 정신적 스트레스, 항구토제(도파민 수용체 길항제)

호르몬

– 호르몬은 화학 매개체이다.
– 지용성 호르몬은 세포 안으로 분산된다.
– 수용성 호르몬은 세포 표면의 수용체에 결합한다.
– 호르몬은 내분비, 방분비, 자가 분비 기능을 가지고 있다.
– 피드백 조절은 호르몬의 농도 조절에 중요하다

갑상선: 기본 개념

해부

정상 갑상선은 방패 모양이며 왼쪽과 오른쪽 엽으로 구성된다(그림 1). 양 엽은 갑상선 연골에서부터 여섯번째 기관고리까지 분포한다. 양엽은 협부에서 연결되며 두번째에서 네번째 기관고리를 가로 지른다. 윤상연골은 쉽게 찾을 수 있는 경계 지표이며 그 아래로 기관 고리가 계속된다.

갑상선 조직은 여포로 구성되며, 이는 한 층의 상피 세포로 이루어져 내부에는 콜로이드가 들어있다(그림 2). 부여포세포(C cell)가 여포 사이에 놓여 있다. 갑상선은 태생 12주에 발생한다.

정상 갑상선은 보이지 않으며 쉽게 만져지지 않는다. 갑상선종(goiter)이 만져지면 갑상선이 2배로 커진 것이다. 갑상선종이 보이면 정상보다 3배까지 커진 것이다. 갑상선의 외형은 임상 진단에 중요하다. 경추 후만증

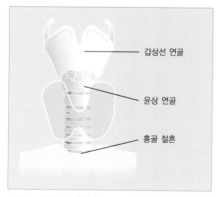

그림 1. **정상 갑상선의 겉모습.** 갑상선 양엽과 협부를 노란색으로 표시했다. 갑상선, 윤상연골, 흉골 절흔이 표시되어 있다. 윤상연골과 기관고리는 갑상선 연골 아래에 위치한다.

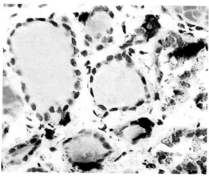

그림 2. **갑상선 조직 소견.** 4개의 갑상선 여포와 여포 사이 공간에 부여포세포(짙은 갈색으로 염색)가 보이고 있다.

으로 기관이 만져지지 않으면 갑상선은 흉골 뒤에 위치한다.

갑상선 호르몬 합성

갑상선은 티록신(T4)과 트리요드사이로닌(T3)을 생산한다. 이들은 아미노산 타이로신과 요드로부터 만들어진다. 요드가 능동 수송에 의해 갑상선 상피 세포에 포착된다. 그리고 티로글로불린이 갑상선 단백질의 타이로신 잔기에 결합된다. 이 단백질은 콜로이드를 만들어 여포로 분비된다(그림 3). 이후 효소 작용으로 티로글로불린에서 T4, T3를 만들어 분비한다. 정상 갑상선 호르몬은 대부분 T4(약 80 μg/day)와 소량의 T3(10 μg/day)를 분비한다. 갑상선은 또한 부여포세포에서 칼시토닌을 분비한다.

갑상선 호르몬의 생리학

갑상선 호르몬의 분비와 합성을 조절하는 주된 자극은 뇌하수체에서 분비되는 갑상선 자극호르몬(TSH)이다(그림 4). TSH는 갑상선 표면의 수용체를 통해 작용한다. TSH는 시상하부와 뇌하수체 수준에서 혈중 갑상선 호르몬 농도에 의한 음성 피드백으로 조절된다. 또한, 여러 갑상선질환 이외의 신체 상태에 의해 갑상선 기능을 변화시키기도 한다.

- 신체 스트레스
- 임신
- 약제(표 1)
- 식품(요드나 플라본 함유 식품)

고농도의 황체 형성호르몬(LH)과 인형 융모성 고나도트로핀(HCG)은 TSH 수용체도 자극하여 갑상선 호르몬 농도를 증가시킨다. T4는 혈중에 갑상선 결합 글로불린(TBG)과 결합한 상태로 존재하며 말초 조직에서 T3로 전환된다. 갑상선 호르몬은 세포막을 통과하고 핵내 수용체에 결합하여 유전자 발현을

그림 3. **정상 갑상선 조직 소견.** 여포안에 분홍색으로 염색된 균일한 물질이 콜로이드이다.

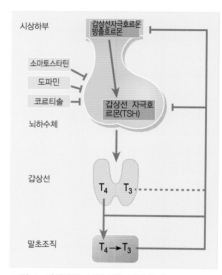

그림 4. **시상하부-뇌하수체-갑상선 축**

조절한다. 갑상선 호르몬의 생리적 기능은:

- 세포 분화
- 태아 발생
- 소아 성장
- 정신 기능
- 대사 과정 자극
- 조직의 산소 소모 증가

갑상선 검사

혈중 TSH와 유리 T4의 동시 측정은 갑상선 기능 평가에 믿을 수 있고 편리한 방법이다(표 2). 혈중 TSH만 측정하면 뇌하수체 질환에 의한 2차성 갑상선 기능저하증에서 TSH 농도가 정상일 수 있어 진단에 혼동을 줄 수 있다. 총 T4 측정은 유리 T4와 TBG 결합 호르몬을 모두 포함하므로 TBG 농도에 영향을 받는다. 에스트로겐과 같은 일부 약제는 TBG 농도를 증가시켜 유리 T4가 정

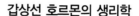

표 1. 갑상선 기능에 영향을 주는 약제	
약제	영향
아미오다론	요드 증가, 갑상선염 유발
당질 코르티코이드	TSH 억제
에스트로겐	갑상선 결합 글로불린 증가
벤조디아제핀	TSH 억제

표 1. 갑상선 기능 검사	
기능 검사	측정 항목
갑상선 호르몬	TSH, 유리 T_4, 총 T_4, 유리/총 T_3, 성호르몬 결합 글로불린, 티로글로불린, 갑상선 자가항체
방사선 검사	흉부 방사선, 흉곽 방사선, 갑상선 초음파
핵의학	테크네슘 동위원소, 요드 동위원소
갑상선 조직검사	세침검사, 갑상선 절제 조직

상이어도 총 T_4가 증가할 수 있다. 성호르몬 결합 글로불린(SHBG)은 갑상선 호르몬의 작용으로 간에서 합성되며 갑상선 호르몬의 조직에 대한 작용을 반영한다. 혈중 티로글로불린은 분화된 갑상선 조직의 양을 반영하는 지표이며, 갑상선 암의 수술 후 추적 관찰 시 유용하다. 갑상선 기능검사에 갑상선 페록시다아제(thyroid peroxidase), 마이크로솜(microsome), 티로글로불린에 대한 항체 검사가 포함되며, 이들은 일반인에서 비교적 흔히 검출된다. 방사선 검사, 동위 원소 검사, 조직 검사는 갑상선종 평가에 유용하다.

갑상선과 내분비 자가면역

자가면역은 갑상선 질환의 병인에 중요하다. 갑상선의 림프구 침윤(그림 1, p 10)과 갑상선 페록시다아제, 티로글로불린, 갑상선 자극호르몬 수용체 등에 대한 항체가 자가면역의 병태생리에 특징이다. 영국인의 약 5%는 혈액에서 항갑상선 항체가 발견된다. 자가면역은 조직 특이성과 조직 비특이성으로 나눌 수 있다. 자가면역성 갑상선 질환을 가진 사람은 다른 자가면역 질환이 발생될 위험이 높으며, 특히 동반되는 조직 특이 질환은:

■ 비타민 B12 결핍에 의한 악성빈혈(위장벽 세포와 내인자에 대한 자가항체)
■ 애디슨 병(부신 자가항체)
■ 일차성 부갑상선 기능저하증

자가면역 반응의 결과는 갑상선의 섬유화와 위축, 호르몬 생산의 비가역적 파괴로 나타난다.

요드 결핍

요드 결핍은 전 세계에서 가장 흔한 갑상선 질환의 원인이다. 바다에서 멀리 떨어진 내륙 지역이나 고산 지대에는 토양에 요드가 적다. 세계 인구의 30%에서 요드 결핍이 있

을 것으로 추정된다. 요드 결핍의 임상 양상은:

■ 갑상선 기능 이상
■ 지역 갑상선종(endemic goiter)
■ 지역 크레틴병
■ 주산기 사망
■ 유아 사망
■ 불임

가장 흔한 소견은 혈중 요드 농도 저하에 반응하여 갑상선 조직이 과증식되어 발생한 갑상선종이다. 중증 요드 결핍의 임상 양상은 정신 지체, 심한 갑상선 기능저하증(점액 부종 크레틴병), 청력 손실과 보행 장애 같은 신경학적 이상(신경 크레티닌병)이다. 약 4000만명의 요드 결핍에 의한 정신 지체가 있으며, 1000만 명 이상이 지역 크레티닌병을 가지고 있다.

요드 섭취는 24시간 소변 요드 배설로 측정할 수 있다. 요드 결핍의 치료는 식이에서 요드 섭취의 증가이다. 해산물에는 요드 함량이 높다. 영국에서는 동물 사료에 요드를

추가하여 낙농 제품, 육류, 달걀에서 충분한 요드를 섭취할 수 있다. 요드 결핍 지역에서는 요드화 나트륨을 첨가한 소금이 도움이 된다. 한편 요드가 풍부한 지역에서 과도한 요드 섭취(예를 들어 해초)는 갑상선 중독증을 일으킬 수 있다.

갑상선 진찰

갑상선의 기본적 평가에 포함되는 진찰에는:

■ 손
■ 눈
■ 목
■ 피부
■ 맥박 및 심장

손에서 떨림, 손톱 변화, 곤봉 모양의 변화, 발한, 체온 등을 확인한다. 눈에서 부종, 안구 돌출을 본다. 피부에서 발진, 종아리의 점액 부종(myxedema)을 확인한다(그림 5, p 9). 목 진찰은 환자를 의자에 앉히고, 다음 순서로 진행한다:

■ 갑상선종을 관찰한다.
■ 윤상연골과 흉골 절흔을 확인한다.
■ 기관 치우침을 가볍게 촉진한다.
■ 기관 위와 흉쇄유돌근 아래에서 갑상선종을 촉진한다.
■ 앞, 뒤 삼각에서 경부 림프절을 촉진한다.
■ 갑상선종을 만지며 침을 삼키도록 말하여 (필요시 물을 준다) 움직임을 확인한다.
■ 갑상선종을 청진한다.

갑상선

– 갑상선은 기관 고리 앞에 있다.
– 뇌하수체의 TSH는 갑상선 호르몬의 생산/분비를 자극한다.
– T_4와 T_3는 요드화된 타이로신에서 생성된다.
– 갑상선은 주로(80%) T_4를 생산한다.
– 갑상선은 하루 80 μg의 T_4을 생산한다.
– 대부분의 T_3는 말초에서 T_4로부터 형성된다.
– 갑상선 호르몬은 모든 조직과 대사 경로에 영향을 준다.

갑상선 증식: 갑상선종과 암

정의

갑상선종은 비대된 갑상선이다(갑상선은 그리스어 '방패'에서 나온 용어이다).
해부학적 소견은 4 페이지에 있다.

원인

갑상선종을 일으키는 원인은:
- 결절성 증식증
- 그레이브스병
- 하시모토 갑상선염
- 요드 결핍
- 갑상선 종양
- 갑상선종 유발물질(goitrogen)
- 방사선 노출
- 축적 질환(아밀로이드증)

서구에서 갑상선 종대의 흔한 원인은 결절성 증식증과 자가면역 질환이다. 결절성 갑상선 질환은 갑상선 결체조직의 손상과 반흔 형성이 여포세포의 국소 증식과 혼합되어 발생한다. 임상 증상이 없는 갑상선 결절은 40세 이상에서 매우 흔하다. 그레이브스병에서는 갑상선 자극 면역 글로불린이 존재하여 갑상선 여포의 미만성 증식을 일으킨다. 하시모토 갑상선염에서는 림프구 침윤에 의해 갑상선 종대가 일어난다. 요드 결핍은 전 세계에서 가장 흔한 갑상선종의 원인이며, 적어도 6억 5000만명에서 요드 결핍에 의한 갑상선종이 있다.

증상 및 징후

결절성 갑상선종
결절성 갑상선종에서 나타나는 증상은:
- 목 덩어리의 점진적 증식
- 갑상선 중독증의 잠행성 발생

- 삼킴 곤란
- 기침
- 갑작스런 갑상선 크기 증가
- 갑작스런 목 통증
- 후두 천명
- 쉰 목소리(드물며, 암을 의심)

결절성 갑상선종은 결절 수의 점진적 증가에 따라 서서히 발생된다. 대부분의 결절은 단단하며 삼킬 때 움직임이 있고 압통이 없다(그림 1). 갑상선 기능항진증의 증상을 나타내는 환자도 있다. 그러나 그레이브스병에 의한 갑상선 기능항진증과 달리 갑상선 호르몬 증가는 점진적이다. 흉부 방사선 촬영에서 기관이 편위되어 갑상선종이 우연히 발견되는 경우가 흔하다(그림 2). 드물게 갑자기 증상이 나타나는 경우는 변성된 결절이나 낭종 내로 출혈이 일어난 것이다. 급성 증상이 있으면 기도 증상을 일으킬 위험이 있으므로 응급 처치가 필요하다. 단일 결절이 있을 때 갑상선암이 아닌지 우려하게 된다. 특히 큰 결절이나, 여러 개의 결절에서 갑상선의 대부분을 차지하는 결절은 약 10 %가 암의 위험이 있다.

자가면역성 갑상선 질환

자가면역 갑상선종 환자에서 갑상선 중독증(그레이브스병) 또는 갑상선 기능저하증(하시모토 갑상선염)의 증상과 징후를 나타낼 수 있다. 증상은 대부분 급성으로 시작되며, 갑상선종이 진찰시 우연히 발견될 수 있다. 그러나 일부 자가면역성 갑상선 질환 환자에서 갑상선 기능은 정상이다. 갑상선 종대는 대부분 미만성이며, 단단하고 대칭적이다. 그러나 심하고 오래된 그레이브스병에서 갑상선 비대는 불규칙한 증식, 변성, 이상 증식으로 결절을 만들 수 있다. 따라서 갑상선 결절에서 그레이브스병 진단을 배제할 수 없다. 그레이브스병에 의한 갑상선 중독증은 혈관 잡음을 들을 수 있다. 기관 편위는 드물고, 목 조직 압박에 의한 증상과 징후도 드물다.

갑상선 검사

혈중 TSH와 유리 T_4 측정은 필수적이다. 그리고 TSH가 억제된 사람에서는 반드시 T_3를 검사해야 한다. 흉부와 흉곽 방사선 촬영에서 흉골 뒤쪽으로 갑상선의 확장이나 기관 편위 또는 협착을 확인할 수 있다. 방사선 촬영에서 석회화 확인도 가능하다. 갑상선 유두암과 수질암 등에서 갑상선 석회화가 나타날 수 있으나, 석회화의 가장 흔한 원인은 과거의 출혈이다.

갑상선 초음파는 갑상선 결절 확인에 가장 좋은 방법이다. 초음파는 결절의 정확한 크기, 숫자, 낭종의 존재에 대한 정보를 준다. 특히, 크거나 두드러진 결절도 확인할 수 있다. 초음파는 작은 결절(1 cm 이하)의 추적 관찰에도 유용하다. 컴퓨터 단층 촬영은 갑상선 종이 크거나 흉골 뒤 갑상선종 평가에 도움이 된다(그림 3).

테크네슘(Technetium) 갑상선 스캔(그림 4)은 냉결절(악성 가능성 높음)과 열결절(방사선 요드 치료 가능)의 구별에 유용하다. 두드러지거나, 냉결절 또는 딱딱한 결절에서 갑상선 세침 검사를 경험있는 의사가 시행하면 80%에서 진단 정보를 준다. 초음파 유도 세침 검사는 갑상선 낭종의 진단과 배액에 도움이 된다.

중요한 초기 검사는:
- 혈중 TSH, 유리 T_4
- 항상 TSH가 낮으면 반드시 T_3를 검사한다
- 갑상선 페록시다아제(peroxidase) 또는 마이크로솜 자가항체
- 갑상선 초음파
- 흉부 또는 흉곽 방사선 촬영

그림 1. **중등도 크기의 결절성 갑상선종**

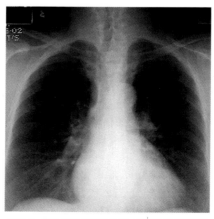

그림 2. **흉부 방사선에서 흉골 뒤쪽의 갑상선종에 의해 기관이 오른쪽으로 편위된 것을 보여주고 있다.**

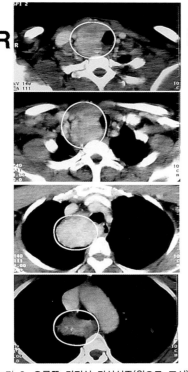

그림 3. **오른쪽 결절성 갑상선종(원으로 표시)에 의한 기도의 왼쪽 밀림.** 환자는 다른 병원에서 왼쪽 갑상선절제술을 받았으나 오른쪽 엽이 계속 자랐다. 목과 흉부의 전산화 단층 촬영에서 목에 갑상선종이 관찰되고(위쪽 사진), 가운데 종격까지 내려와 있다(아래쪽 사진). 내분비 외과의사는 흉골 박리없이 목에서 이 종괴제거에 성공했다.

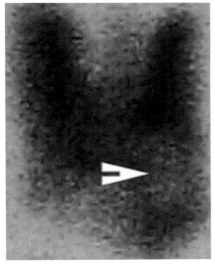

그림 4. **왼쪽 아래에 냉결절을 보이는 테크네슘 섭취 스캔**

치료

약물 치료

티록신은 TSH가 증가된 환자에 사용하며, 치료 목적은 TSH 수치의 정상 범위 유지이다. 티록신 투여는 TSH 분비 억제에 이용되어 왔다. 그러나 이러한 치료에 의한 갑상선종 크기 감소율은 좋지 않다. 게다가 장기간의 TSH 억제는 골다공증과 심방세동의 위

험이 있다.

방사선 요드

비중독성 결절성 갑상선종에서 충분한 용량의 방사선 요드 투여는 2년의 추적 기간 동안 크기를 50% 감소시켰다. 방사선 요드는 안전하다(Box 1, p 9). 그러나 방사선 요드에 의한 갑상선 기능저하증을 주의하여 추적 관찰해야 한다.

수술

경험있는 외과의사에 의한 수술은 효과적인 치료 방법이다. 결절성 갑상선 질환에서 충분한 갑상선 조직을 제거하지 않으면 결절이 재발한다(그림 3). 따라서 갑상선 전적출에 해당되는 절제술을 시행하고 평생 T4를 보충한다.

갑상선암

원인

갑상선암에서 가장 잘 알려진 위험인자는 방사선 노출이다. 방사선 노출은 의학적 치료(예를 들어, 소아기에 림프종으로 방사선 치료)나 방사능 노출(1986년 우크라이나에서 발생한 체르노빌 원자력 발전소 폭발 사건 후와 같은)에 의해 일어난다. 소아에서 14세 이전 노출이 가장 위험하다. 갑상선암은 때로 유전된다. 그러나 대부분의 갑상선암에서 원인 인자는 불분명하다. 표 1은 대표적인 갑상선암의 특징이다.

증상과 징후

처음 나타나는 증상은 갑상선 암이나 림프절 전이에 의해 목 부위가 점차 부푸는 것이다(그림 5). 이러한 환자의 갑상선 기능은 대부분 정상이다. 결절은 단일성으로 단단하거

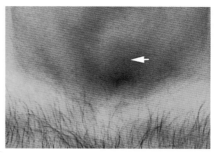

그림 5. **젊은 성인 남자에서 단일 결절로 나타난 여포암**

나 또는 결절성 갑상선의 배경에 하나가 두드러진 형태이다. 40세 이하의 갑상선 결절 환자에서는 항상 갑상선암을 의심해야 한다. 쉰 목소리는 후두 반회신경이 눌리거나 암이 침범한 증상이다. 일부 갑상선암은 퍼져나가 목의 인접 조직을 침범한다. 이런 경우 림프절 증대가 나타난다. 그레이브스병 환자에서는 갑상선 종양의 빈도가 높으며, 다발성 결절에서 두드러진 냉결절의 10~20%는 암일 수 있다. 따라서 갑상선 질환으로 진단 받았다고 해도 암에 대한 검사를 소홀히 해서는 안된다. 원격전이는 폐와 뼈에 많다.

치료

수술은 갑상선암에서 일차적으로 필수적인 치료이며, 전문적인 갑상선암 프로그램에 따라 진행되어야 한다. 갑상선암은 대부분 방사선 감수성이 높아 방사선 요드가 치료에 중요하며, 처음에는 수술 후 남아 있는 정상 갑상선 조직을 제거하고, 나중에는 남아 있는 암 조직을 표적으로 사용한다. 평생 동안 추적 관찰이 필요하며 수년 후에도 재발이 일어날 수 있기 때문이다. 예후는 비교적 양호하여, 분화가 좋은 갑상선암에서 10년 생존율은 90% 이상이다.

표 1. 갑상선암의 종류와 특징	
종류	**특징**
유두암	림프선 전이
여포암	혈액 전이
Huerthle	조직학적으로 예후를 예상 못함
수질암	다발성 내분비선증(MEN) II와 관련됨
미분화암	국소 침투하며 공격적임, 예후 불량
림프종	하시모토 갑상선염과 관련됨

갑상선종과 암

- 갑상선 종은 결절성이거나 자가면역성이다.
- 노인의 갑상선종은 척추측만증으로 흉골 뒤쪽에 있다.
- 결절성 갑상선종은 대부분 서서히 진행한다.
- 단단하고 고정된 병변이나 쉰 목소리는 암을 시사한다.
- 갑상선 기능과 갑상선 자가항체를 검사한다.
- 방사선 검사에서 흉곽과 흉부 방사선 촬영은 갑상선 초음파만큼 유용하다.
- 압박 증상이 있으면 수술한다.
- 방사선 요드 치료는 갑상선종 크기를 2년간 50% 감소시킬 수 있다.

갑상선 기능항진증

기본 개념과 원인

갑상선 기능항진증의 정의는 갑상선 기능 증가에 의한 갑상선 중독증을 일으킨 임상 상태이다. 그 원인은:

- 그레이브스병
- 중독성 결절성 갑상선종
- 파괴성 갑상선염
- 요드 중독(Jod-Basedow effect)
- 아미오다론
- TSH 생산 선종

그레이브스병과 결절성 갑상선종이 가장 흔한 원인이다. 티록신 과다 복용에서 갑상선 기능항진증 없이 갑상선 중독증이 나타날 수 있다.

증상과 징후

증상

갑상선 중독증의 기본적인 증상은:

- 식욕이 좋아도 체중 감소
- 더위를 참기 힘듬
- 발한
- 심계항진
- 정신적 흥분
- 감정의 불안정
- 집중력 감소/기억력 감소
- 설사
- 가려움증
- 근력 쇠약
- 월경 감소

그레이브스병의 증상은 종종 갑자기 시작하고 급속히 진행하여 매우 심해질 수 있다. 반면, 결절성 갑상선종 환자에서 갑상선 중독증의 시작은 점진적이다. 갑상선 호르몬은 모든 조직과 대사에 영향을 미치기 때문에 많은 장기에서 증상이 나타난다.

징후

갑상선 중독증의 징후는:

- 따뜻하고 땀이 나는 손
- 미세한 손떨림
- 불안
- 갑상선종
- 안정시 빈맥(80회/분 이상)
- 박동성 맥박, 맥압 증가
- 심방 세동
- 심박출량 증가성 심부전
- 안검 확장
- 여성형 유방
- 근육 쇠약, 근육 소모

심각한 징후는 심방 세동과 발열이다. 심방 세동 환자에서는 색전증이 발생할 위험이 높다. 발열, 착란, 탈수는 갑상선 발증(thyroid storm)의 중요 징후이며, 내분비 응급 상황이다. 갑상선 기능이 충분히 조절되지 않는 환자에서 의인성으로 갑상선 발증이 나타날 수 있다.

검사

TSH 수치는 T4나 T3 증가에 의한 피드백으로 억제되어 대부분 측정 범위 이하이다. 성호르몬 결합 글로불린(SHBG)이 때로 증가한다.

그레이브스병

원인

그레이브스병에서 고전적인 삼징후는 자가면역성 갑상선 중독증, 눈 증상, 경골의 점액 부종이다. 이러한 증상은 혈청에 갑상선 자극 면역 글로불린의 존재와 관련이 있다. 이 질환은 부분적으로 유전적이며, 다른 자가면역 질환과 동반된다(그림 1). 섬유아세포와 염증세포에 대한 자가면역 자극이 병태와 관계가 있다. 이러한 작용이 안와 후 공간(안병증, opthalmopathy), 피부(피부병증, dermopathy)와 손 가락(말 단 병 증, acropathy)에 영향을 미친다. 갑상선 이외의 증상이 대부분 갑상선 중독증과 비슷한 시기에 나타나지만, 갑상선 증상 출현 전이나 후에 나타나기도 한다. 방사선 요드 치료와 흡연은 눈 증상을 악화시키는 위험인자이다.

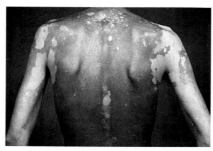

그림 1. **그레이브스병에서 나타난 백반증**

증상과 징후

그레이브스병에서 갑상선 중독 증상의 대부분은 다른 원인에 의한 갑상선 기능 항진증의 증상과 같다. 그러나 그레이브스병에서 갑상선종은 대부분 미만성이고 단단하며, 표면이 결절성보다 윤활하다. 갑상선 위에서 들리는 혈관 잡음은 그레이브스병 진단에 도움이 된다.

증상

그레이브스 안병증은 대부분 안와 후 염증 정도와 관련이 있다:

- 안와 후 통증
- 과도한 눈물
- 공막의 이물감과 충혈
- 복시(안와 외 근육 침범 시 발생)
- 시야 감소(시신경 압박)
- 색각 소실(시신경 압박)

징후

가장 흔한 말초 징후는 윗눈꺼풀의 밀려남이다(그림 2). 안와 후 염증은 안구 근육뿐 아니라 지방 조직에까지 영향을 미친다(그림 3). 눈이 감기지 않으면 공막과 각막이 노출된다(그림 4). 아랫쪽 안구 직근이 영향을 받아 위쪽을 볼 때 복시가 나타난다. 염증이 시신경을 압박하면 색각과 시야에 영향을 준다. 점액 부종은 주로 하지에 발생한다(그림

그림 2. **오른쪽 안와돌출에 의한 윗눈꺼풀의 밀려남**

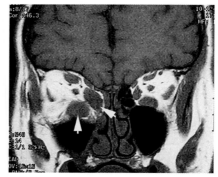

그림 3. **중증 그레이브스 안병증에서 안와의 자기 공명 영상.** 오른쪽 눈의 내측과 하방 직근의 염증과 증대 소견은 하얀색 화살표로 표시되었다. 양안의 다른 근육도 증대되어 있다. 특히 오른쪽 눈 뒤쪽의 증가된 지방이 하얀색으로 나타나 있다.

그림 4. **눈을 감으려는 환자.** 오른쪽 눈에서 공막의 염증과 노출이 있고, 눈물이 많이 난다.

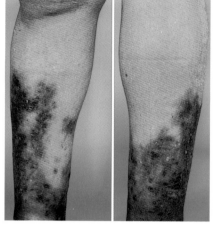

그림 5. **정강이 앞쪽의 점액 부종**

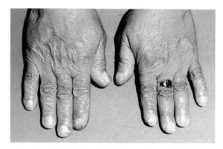

그림 6. **말단병증은 흔히 점액 부종과 동반된다.**

5). 손톱 변화와 곤봉지 형성(말단 병증)도 볼 수 있다(그림 6).

검사

정밀 검사로 갑상선 페록시다아제(또는 마이크로솜) 자가항체와 다른 조직(위장 벽 세포, 간/신장 마이크로솜, 미토콘드리아, 부신, 항핵인자)에 대한 자가항체를 측정한다. 칼슘, 코르티솔, 비타민 B12 수치도 측정한다.

치료

메티마졸(metimazole) 같은 항갑상선제 치료를 시작한다. 표준 치료는 표 1과 같다. 구미의 치료결과에 의하면 12~18 개월 투약 후 50% 이상의 환자에서 메티마졸을 중단하고 정상 갑상선 기능 상태를 유지할 수 있다고 하나, 동양인에서는 보다 장기간의 투약이 필요하다. 모든 갑상선 중독증 환자에서 처음 치료 1개월 동안 증상 조절을 위해 프로프라놀롤(propranolol, 베타 아드레날린 수

표 1. **중증 그레이브스 갑상선 중독증의 치료**	
	용법
metimazole	1달 동안 1일 1회 30mg, 그 후 1달 동안 20mg, 그 후 1달 동안 10mg, 그리고 재평가할 때까지 하루에 5mg
Propranolol	4주 동안 하루에 3번 80mg
주의사항	메티마졸에 대해 백혈구 감소증(무과립증)/발진
혈액 검사	치료 시작 전에 검사, 목이 아픈 환자에서 검사
T4, T3, TSH 측정	매달 치료 후에 검사

용체 차단제)을 사용한다. 방사선 요드 치료와 갑상선 절제술이 적응되는 경우가 있으나, 중증 갑상선 중독증에서는 이러한 치료 시작 전에 충분한 약물 치료가 필수적이고 그렇지 않으면 갑상선 발증이 유발될 수 있다. 18개월 치료 후 관해되지 않을 가능성이 있는 요인은 큰 갑상선종이나 남성이다. 이런 경우 갑상선 중독증이 심하지 않으면 방사선 요드 치료가 고려된다.

중독성 결정성 갑상선종

원인

갑상선 결절은 40세 이후에 흔히 볼 수 있으며, 간혹 자율적으로 증식하여 점진적으로 갑상선 중독증으로 진행한다. 이런 상태는 노인에서 자주 나타난다.

증상과 징후

주된 증상은 결절성 갑상선종이며 때로 흉골 뒤쪽에서 나타난다(p 7). 때로 결절 내 출혈에 의해 갑자기 커지거나 통증이 있어 발견되기도 한다.

검사

초기에 TSH는 억제되어 있으나 T3, T4 수치는 정상이며 나중에 T3 또는 T4가 현저히 증가한다. 다른 증상 때문에 시행한 혈액 검사에서 TSH가 약간 감소된 경우에 재검하여 결절성 갑상선 질환으로 진단되는 경우가 자주 있다. 갑상선 자가항체는 대부분 음성이다. 흉부 방사선 촬영이나 초음파 검사가 흉골 뒤에 있는 갑상선종 확인에 필요하다. 방사선 동위 원소 스캔에서 열결절로 나타날 수 있다(그림 7).

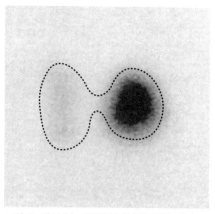

그림 7. **테크네슘 스캔에서 갑상선 왼쪽 엽의 열결절**

치료

갑상선 결절은 대부분 진행성이나 드물게는 저절로 없어지기도 한다. 따라서 갑상선 중독 증상의 관해는 그레이브스병에 비해 드물다. 평생 치료가 필요하다. 방사선 요드 치료는 안전하고 갑상선종 크기를 감소시키는 장점이 있다(Box 1). 목이나 흉곽을 압박하는 증상이 있으면 방사선 요드 치료는 금기이다. 이 경우에는 약물 치료 후 전적출술에 가까운 갑상선 절제술이 적응된다. 메티마졸을 이용한 약물 치료는 갑상선 기능 항진증 조절에는 효과적이나 결절 증식을 막을 수 없어 약물 치료만 시행할 경우 평생 동안 치료해야 한다.

Box 1 **방사선 요드 치료**

성인에서 갑상선암의 위험을 증가시키지 않는다.
14세 이하 소아에서는 갑상선암의 위험이 있다.
치료 받은 환자는 소아와 14~21일 동안 격리되어야 한다.
금기:
- 그레이브스 안병증,
- 요드 알레르기,
- 목 압박,
- 요실금.
갑상선 기능을 치료 8주 후에 검사하고, 그 후 6개월동안 매달 검사한다.

갑상선 항진증

- 그레이브스병과 결절성 갑상선종은 갑상선 중독증의 흔한 원인이다.
- 그레이브스병은 피부와 눈 및 다른 자가면역 질환과 관련되어 있다.
- 증상은 많은 기관에 영향을 준다.
- 심방세동과 발열은 중증 증상이다.
- 갑상선 발증이 의인성으로 발생할 수 있다.
- 혈중 TSH는 억제되거나 검출 범위 이하이다.
- 치료 방법에는 항갑상선제, 방사선 요드 치료, 갑상선 절제술이 있다.

갑상선 기능저하증

원인

갑상선 기능저하증은 T4 저하에 의한 임상 상태이며, 적절한 갑상선 호르몬 보충에 의해 증상과 징후가 호전된다. 갑상선 기능저하증의 원인은 일차성(>95%)과 이차성(표 1)으로 나눈다. 일차성 갑상선 기능저하증은 매우 흔하나 5~20% 환자만 병원을 찾는다. 여자에서 3배 정도 더 흔하며 나이에 따라 증가한다. 가장 흔한 원인은 하시모토병과 같은 자가면역 질환이다. 갑상선에 대한 다양한 항체가 혈액에서 검출된다. 갑상선 페록시다아제(또는 마이크로솜) 자가항체가 가장 흔하며 갑상선 기능저하의 예측 인자이다. 다른 자가항체에는 티로글로불린에 대한 항체나 TSH 수용체를 차단하는 항체가 있다. 이러한 자가 항체와 T 세포의 공격이 동반하여 갑상선 조직에 염증과 섬유화를 일으킨다. 갑상선 조직 소견에서 림프구 침윤을 볼 수 있다(그림 1).

발병 초기에는 뇌하수체에서 TSH 분비가 증가하여 갑상선 기능저하증을 보상한다. TSH 증가는 갑상선에서 T3 생산을 자극하고, T4에서 T3로 전환하는 탈요드효소를 증가시킨다. 이러한 뇌하수체의 적응 작용으로 수개월간 또는 수년간 정상 갑상선 기능 상태(보상된 무증상의 갑상선 기능저하증)를 유지할 수 있다.

표 1. **일차성 갑상선 기능저하의 원인**	
흔한 원인	드문 원인
자가면역성 림프구성 갑상선염(하시모토병)	침윤
방사선 요드 치료	발생 이상
갑상선 수술	갑상선 호르몬 저항성
약제: 항갑상선제 (메티마졸), 아미오다론, 리튬	요드 결핍
	요드 과다 (Wolff-Chaikoff 효과)

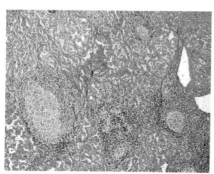

그림 1. **하시모토병에서 림프구성 갑상선염**

증상과 징후

증상

갑상선 기능 저하증의 증상은:

- 피로감
- 체중 증가
- 추위에 견디기 힘듬
- 변비
- 피부 건조
- 손 저림이나 통증(손목 터널 증후군)
- 쉰 목소리
- 월경과다
- 집중력/기억력 저하
- 근육 통증 또는 근쇠약
- 얼굴 부종

이런 증상의 심한 정도는 다양하며 비특이적이다. 증상은 대부분 TSH 10 mU/L 이상에서 시작된다.

징후

갑상선 기능 저하증의 징후는:

- 차가운 손과 피부
- 느린 맥박
- 눈꺼풀, 얼굴, 사지의 부종
- 갑상선종
- 건 반사에서 이완기 지연
- 무표정
- 탈모(머리와 눈썹)
- 소뇌 징후
- 손목 관절 증후군
- 심내막 삼출액

환자는 대부분 정상으로 보인다. 중증에서는 가성 치매로 나타나기도 한다. 극도로 심한 갑상선 기능저하증에서는 점액 부종성 혼수가 나타난다.

검사

검사 목적은 일차성 갑상선 기능저하증을 진단하고, 갑상선 기능저하증에 의한 소견을 확인하며, 동반된 자가면역 질환(표 2)의 검사이다. 일차성 갑상선 기능저하증에서 TSH는 반드시 증가한다. 그러나 뇌하수체나 시상하부 질환에 의한 이차성 갑상선 기능저하증에서 혈청 TSH가 정상이거나 낮다는 것이 중요하다(p 14). 뇌하수체나 시상하부 질환 환자의 반 이상에서 TSH 수치가 정상이므로 혈중 T3, T4를 측정하지 않고 TSH 만으로 뇌하수체나 시상하부 질환을 진단할 수 없다. 유리 T4와 TSH가 모두 정상인 환자는 갑상선 기능이 정상이며 환자의 증상에 대해 다른 질환을 찾아야 한다. 비갑상선 질환이 갑상선 기능 저하증의 증상이나 징후 없이 갑상선 기능에 영향을 줄 수 있다(p 21).

표 2. **일차성 갑상선 기능저하증의 검사 소견**	
검사	특징
혈액검사	정색소성 빈혈
요소와 전해질	나트륨 저하
간기능 검사	transaminase 상승
혈당	동반된 당뇨병 제외를 위해
유리 T4	대부분 저하
TSH	항상 증가
코르티솔	애디슨병 동반시 저하
비타민 B12	악성 빈혈 동반시 저하
자가항체 검사	다른 자가면역 질환 동반
심전도	잠복된 심질환 제외를 위해

치료

대부분의 환자는 티록신 경구 투여로 충분히 치료된다. 매일 복용양은 100~150 μg이며 아침에 복용한다. 치료 효과는 티록신 투여 6주 후 혈중 TSH를 측정하여 평가한다. TSH가 정상 범위로 회복되기까지 시간이 걸리기 때문에 티록신 시작 후 너무 일찍 TSH를 측정하면 불필요하게 티록신 용량을 증가시킬 수 있다.

티록신 치료에 의해 상태가 나빠질 가능성이 있는 질환은:

- 심장병: 심부전, 심근경색, 협심증
- 만성 폐질환: 숨참
- 부신 질환: 부신 기능저하 발증

티록신은 심장 근육뿐만 아니라 대부분 조직에서 산소 요구량을 증가 시키기 때문에 심장 질환 환자에게 투여시 주의해야 한다. 티록신을 너무 빨리 증가시키면 심근경색이나 심부전을 악화시킬 수 있다. 일부 심장 질환 환자는 입원이 필요하며, 심장 기능을 검사하여 티록신이나 리오티로닌을 소량부터 시작한다. 증상이 없는 부신 질환 환자에서 코르티솔 대사가 증가하여 불편감을 느낄 수 있다.

표 3. 갑상선염	
질병/상태	**특징**
하시모토	림프구성 갑상선염
그레이브스	p 8 참고
산후	3단계의 갑상선 기능 이상과 무통성 림프구성 갑상선염
De Quervain	통증성 염증성 거대세포 갑상선염과 ESR 증가
Riedel	단단한 갑상선종, 중심성 섬유증과 관련된 섬유성 갑상선염

기타 갑상성염

하시모토병이 갑상선염과 기능 이상을 일으키는 가장 흔한 원인이지만, 임상적으로나 병리적으로 다른 갑상선염이 있으며, 이들은 때로 하시모토 갑상선염과 동반되기도 하고 만성적으로 갑상선 기능저하증을 일으키는 원인이 될 수 있다(표 3). 갑상선염 초기에 손상된 갑상선(파괴성 갑상선 중독증)에서 저장되어 있던 갑상선 호르몬이 방출되어 혈청 유리 T4가 증가된다. 갑상선의 방사선 동위원소 섭취와 스캔 그리고 도플러 초음파 검사는 파괴성 갑상선염과 그레이브스병의 구별에 유용하다. 파괴성 갑상선염에서는 갑상선 스캔에서 방사선 동위원소 섭취가 없으며, 도플러 초음파에서 에코 저하와 정상이거나 감소된 혈류를 보인다.

산후 갑상선염은 출산 후 1년내에 발생하는 무통성 림프구성 갑상선염이다. 산모 갑상선에서 태아 세포의 존재가 자가면역성을 자극한다. 많은 환자에서 갑상선 페록시다아제 항체가 혈중에 있다. 전형적인 양상으로 1단계는 출산 후 6개월 내에 혈중 유리 T4가 증가하나 임상적으로 갑상선 기능은 정상이거나 경도의 갑상선 중독을 보인다(그림 2). 2단계는 출산 후 4~12 개월에 갑상선 기능저하증이 나타나며, 3단계에는 갑상선 기능

이 정상으로 회복된다. 거의 모든 환자가 출산 후 12개월에는 정상으로 회복한다. 따라서 대부분의 환자에서 적극적으로 치료하기보다는 경과를 관찰한다. 그러나 장기적으로 50%에서 갑상선 기능저하증이 발생되므로 산후 갑상선염도 자가 면역성 갑상선 질환의 하나로 볼 수 있다. 그레이브스병과 감별 진단이 필요하다. 방사선 동위원소 섭취와 스캔은 감별에 도움이 되며 그레이브스병에서는 섭취률이 높으며 갑상선염에서는 낮다. 수유 중에는 방사선 동위원소 스캔을 실시하지 않는다.

통증을 동반한 **아급성 갑상선염**(De Quervain thyroiditis)은 상기도 감염과 관련이 있지만 원인이 불명한 염증 질환이다. 갑상선 자가항체 검사는 대부분 음성이며 갑상선 조직 검사에서는 림프구 침윤보다는 다핵성 거대세포가 보인다. 갑상선에 통증과 비대가 있으며 전신 증상으로 발열, 근육통, 피로감이 있다. 파괴성 갑상선 중독증에서는 혈중 T4 증가가 특징이나 중독증 증상은 없을 수 있다. 아스피린이나 당질코르티코이드로 치료한다. 장기적으로 1~10 %의 환자에서 갑상선 기능저하증의 위험이 있다.

갑상선 질환과 임신

임신은 갑상선 호르몬 조절축의 생리와 생화학적 특징을 변화시킨다. 유리 T4는 대부분 정상 범위에 있으나 임신 제 1 삼분기에는 증가 경향을 보이며 제 3 삼분기에는 감소한다. 티록신 청소율이 증가하여 갑상선 기능저하증 환자의 약 반에서 티록신 추가가 필요하다. 각 삼분기에 혈중 TSH를 측정하여 이상적으로 1~2 mU/L를 유지한다. 산모의 갑상선종은 요드 결핍 지역에서 임신중에 커지나, 요드 풍부 지역에서는 드물다.

산모의 대사율은 임신 중에 20 %까지 증가하여 임상적으로 갑상선 중독증과 비슷한 징후를 보일 수 있다. 또한 태반에서 생산된 인형 융모성 고나도트로핀(HCG)이 갑상선을 자극한다. 다태 임신 등에서 혈청 HCG이 높으면 일시적으로 갑상선 중독증이 발생할 수 있다. 혈중 HCG는 임신 10주에 가장 높고 그 후 감소한다. 그레이브스병에 의한 갑상성 중독증과 HCG에 의한 일과성 갑상선 중독증의 감별은 어렵다.

임신 중에 대부분의 자가면역 갑상선 질환은 호전된다. 이미 그레이브스병으로 진단받은 산모에서 소량의 항갑상선제가 사용된다. 임신 중 갑상선 중독증에서 갑상선 자극 항체가 태반을 통해 이동되므로 태아나 신생아에서 갑상선 중독증을 일으킬 수 있다(표 4). 태아 갑상선은 임신 20주 이후 충분한 갑상선 호르몬을 만들 수 있다. 임신 중 갑상선 중독증은 조산, 신생아 사망, 산모 심부전을 일으킬 수 있어 적절한 치료가 필수적이다. 태아의 갑상선 초음파 검사와 태아 심박수 확인 등 태아의 검사가 필요하다. 태아 심박동수 180 회/분 이상이면 응급 치료가 필요하다. 중요한 치료는 태반을 통과하는 항갑상선제 복용이다. 중증에서 프로프라놀롤을 사용할 수 있으나 태아 성장 지연을 일으킨다. 임신시 방사선 요드 치료가 금기이므로 갑상선 절제술을 시행한다. 출산시 제대혈 검사를 통해 신생아의 갑상선 상태를 확인한다.

표 4. 태반 통과	
태반 통과 물질	**태반을 통과하지 않는 물질**
요드	T3와 T4
항갑상선제와 propranolol	TSH
TRH	
갑상선 자극 자가항체	

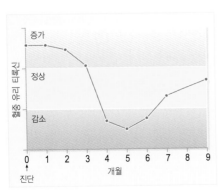

그림 2. **산후 갑상선염의 3단계 갑상선 기능 이상**

> **갑상선 기능 저하증**
> – 하시모토 갑상선염은 갑상선 기능 저하증의 중요한 원인이다.
> – 여러 기관의 증상이 서서히 나타난다.
> – 중요한 징후는 건반사 이완의 지연이다.
> – 혈중 TSH는 항상 증가된다.
> – 6주 후에 검사하여 티록신 용량을 변경한다.
> – 심질환 환자에서 티록신 시작에 주의한다.
> **임신**
> – 무통성 림프구성 갑상선염은 출산 후와 그 후 1년 내에 나타날 수 있다.
> – 갑상선 기능저하증으로 진단된 환자에서 티록신 추가가 필요하다.
> – 대부분의 자가면역성 질환은 임신 중 호전된다.
> – 산모의 갑상선 중독증에서 갑상선 자극 자가항체가 태반을 통과하여 태아와 신생아에서 갑상선 중독증을 일으킬 수 있다.

뇌하수체: 기본 개념

해부와 생리

뇌하수체는 뇌 기저부에 위치하여, 시신경 교차, 해면동, 접형동과 인접해 있다(그림 1). 시신경 교차는 뇌하수체 바로 위에 있어 큰 뇌하수체 종양에 의해 압박을 받는다. 해면 동은 정맥의 경로이며 뇌하수체 옆에 있고 경동맥, 동안신경, 활차신경, 삼차신경 안구 분지, 외전신경이 들어 있다. 접형동은 뇌하 수체 바로 밑에서 앞쪽에 있다. 뇌하수체는 접형골의 터키안장인 뇌하수체와에 놓여 있 다. 뇌하수체와는 안장가로막이라고 부르는 한층의 뇌경막으로 싸여있다. 시상하부는 뇌 하수체경으로 연결되어 있다. 뇌하수체경은 뇌경막에 있는 구멍을 지나게 된다. 뇌하수 체는 전엽과 후엽으로 나누어 진다.

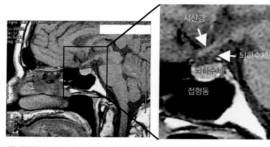

뇌하수체 전엽

뇌하수체 전엽은 문맥 순환을 통해 뇌하수 체로 전달되는 시상하부 인자의 조절을 받아 6종의 호르몬을 분비한다(그림 2A). 문맥 순 환은 하나의 모세혈관 망에서 다른 모세혈관 망에 흐름으로 정의된다. 시상하부 인자가 시상하부의 모세관으로 분비된다. 문맥 순환 이 이러한 인자를 뇌하수체 전엽의 모세관에 보내 뇌하수체 전엽 호르몬의 합성과 분비를 자극한다. 프로락틴은 이러한 과정과 달리 도파민에 의해 지속적으로 분비가 억제되어 있다(긴장성 억제). 시상하부와 뇌하수체 호 르몬의 생산과 분비는 음성 피드백의 조절을 받는다(그림 2B).

뇌하수체 후엽

뇌하수체 후엽은 신경조직으로 구성되어 있다. 신경 세포체는 시상하부에서 기원하며 신경 축사는 뇌하수체경을 따라 뇌하수체 후 엽에서 끝난다. 항이뇨 호르몬은 뇌하수체 후엽의 신경 말단에서 모세관으로 분비되어 전신순환으로 들어간다.

증상과 징후

증상

뇌하수체 질환의 중요한 증상은 표 1과 같

그림 1. **뇌하수체와 주변 구조물의 자기공명 영상.** 위는 시상면이고 아래는 관상면이다.

다. 중요한 요점은 각 호르몬의 기능과 두통 및 시야 장애이다.

징후

징후는 둘로 나눌 수 있으며, 호르몬의 과 다 분비나 부족에 의한 징후와 뇌하수체 종 괴에 의한 신경학적 징후이다. 뇌하수체 질 환의 완벽한 평가를 위해서는 검안경 사용, 시력 검사, 대면법 시야 검사 등이 필요하다 (그림 3).

눈에서 나타나는 전형적인 징후는 양귀쪽 반맹, 시력 저하, 시신경 유두의 창백이다. 안구 운동으로 III, IV, VI 신경 마비를 검사 한다. 뇌하수체 호르몬 부족에 의한 전반적 인 징후는 14 페이지에 있다. 뇌하수체 기능 저하증의 징후는 미미하여 진단명을 알고 있 지 않으면 알아내기 힘들다. 피부는 창백하 고 얇으며 주름지고, 고환은 작고 유연하다. 뇌하수체 호르몬 과다 분비에 의한 징후는 쿠싱병(p 28)이나 말단비대증(p 18)처럼 알 아내기 쉽다.

검사

비전문가나 응급 상황에서 몇가지 간단한 생화학 검사가 뇌하수체나 시상하부 이상의 진단에 도움이 된다. 기본적인 뇌하수체 검 사는:

■ 소변 검사 및 전해질 검사

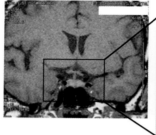

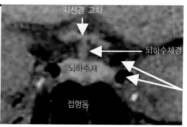

TRH	갑상선자극호르몬 방출호르몬
CRH	부신피질자극호르몬 방출호르몬
LHRH	성선자극 호르몬 방출호르몬
GHRH	성장호르몬 방출호르몬
DA	도파민

TSH	갑상선 자극 호르몬
ACTH	부신피질 자극 호르몬
LH/FSH	황체형성 호르몬/난포자극호르몬
GH	성장 호르몬
PRL	프로락틴

그림 2. **시상하부와 뇌하수체 전엽의 주요 호르몬.** (A) 시상하부 인자가 문맥 순환을 통해 전달되어 뇌 하수체 전엽 호르몬의 생성과 분비를 자극한다. 도파민은 예외이며 프로락틴의 합성과 분비를 억제한 다.(B) 음성 피드백의 예. 화살표는 자극을 나타내고 짧은 직선은 (ㅏ)억제를 나타낸다.

표 1. **뇌하수체 질환이 의심되는 환자에서 병력 청취의 요점**	
영향의 종류	결과
종괴의 영향	두통, 시야 장애, 복시
호르몬 과다분비	유즙분비, 성욕 저하, 신발크기 증가, 반지가 꽉 끼는 증상, 멍이 쉽게 듬, 근 위축, 우울증
호르몬 부족	월경 소실, 불규칙한 월경, 발기 부전, 피로감, 야뇨증, 다뇨증, 갈증

- 신장 검사
- 코르티솔(오전 9시)
- 유리 T4, TSH
- 프로락틴
- 에스트라디올(여성) 또는 테스토스테론 (남성)
- 황체 형성호르몬(LH), 난포 자극호르몬 (FSH)
- 성장호르몬(GH), 인슐린양 성장인자 (IGF-1)

영상 검사는:
- 뇌하수체/시상하부 자기공명 영상(MRI)
- MRI 금기(폐쇄 공포증, 금속 보철물이나 심박 조율기)에서 뇌하수체/시상하부 전산화 단층 촬영(CT)
- 두개골 측면 방사선 촬영: 뇌하수체와의 확장을 볼 수 있다.

MRI로 좋은 영상을 얻을 수 있으며, 안전하고, 비침습적이므로 임상적으로나 생화학적으로 뇌하수체나 시상하부 질환이

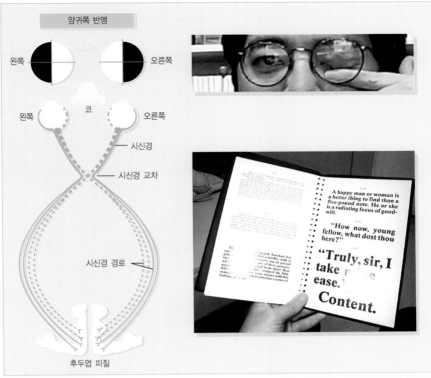

그림 3. **양귀쪽 반맹 해부.** 점선은 시신경 교차점를 누르고 있는 뇌하수체 종양(노란 원)에 의해 차단된 시신경 경로이다. 망막의 코쪽 빛이 인식되지 않는다(즉, 측두부에서(검은색 그림자)). 시야는 관찰자의 눈에 초점을 맞추게 하고 환자의 시야를 중심으로 움직이게 하여(오른쪽 위그림) 빨간색 물체를 보는 능력으로 검사할 수 있다. 시력 검사는 Snellen 또는 J chart로 검사 한다(오른쪽 아래 그림).

의심되는 환자에서는 반드시 검사해야 한다. CT 스캔은 MRI를 시행할 수 없는 환자, 뇌하수체 종양의 출혈, 두개인두종(craniopharyngioma)에서 칼슘 침착 평가 등에 시행한다. MRI를 찍기 위해 기다려야 하거나, 뇌하수체 병변이 클 것으로 예상되면 두개골 측면 방사선 촬영을 간단하게 신속히 시행할 수 있으며, 뇌하수체와의 확장을 볼 수 있다(그림 4). 이러한 소견이 있으면 응급으로 MRI를 시행해야 한다.

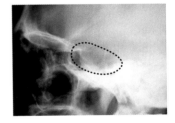

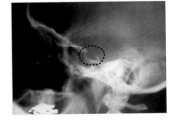

그림 4. **두개골 측면 방사선 촬영의 뇌하수체와에서 거대 뇌하수체 선종(위)과 미세 선종(아래)이 관찰된다.** 점선 부분이 뇌하수체와이다.

뇌하수체

- 뇌하수체는 뇌하수체경으로 시상하부와 연결되며, 시상하부로부터 문맥 순환을 받는다.
- 뇌하수체 전엽은 시상하부 인자의 조절을 받아 적어도 6종의 호르몬을 생산한다.
- 시상하부와 뇌하수체 호르몬의 생산과 분비는 음성 피드백의 조절을 받는다.
- 뇌하수체 종양에서는 종괴 효과로 두통과 시야 장애를 일으키고 호르몬 불균형에 의한 증상을 나타낸다.

뇌하수체 기능저하증과 요붕증

뇌하수체 기능 저하증은 뇌하수체 호르몬의 합성과 분비 이상이다. 뇌하수체 후엽의 이상은 요붕증을 일으킨다. 뇌하수체 전엽의 이상은 부분적으로 나타날 수 있으며, 손상에 취약한 호르몬으로는:

- 성장호르몬(GH): 쉽게 손상된다.
- 성선 자극호르몬(LH와 FSH): 중등도로 손상된다.
- 부신피질 자극호르몬(ACTH): 중등도로 손상된다.
- 갑상선 자극호르몬(TSH): 쉽게 손상되지 않는다.

뇌하수체 전엽 호르몬의 단독 이상은 잘 알 수 있으나 흔하지 않다. 뇌하수체 이상이 소아기에 나타나면 저신장이 되고(GH 결핍에 의해), 사춘기가 지연된다(성선 자극호르몬 결핍에 의해).

증상과 징후

뇌하수체 호르몬의 작용은 광범위하여 증상과 징후가 비특이적이며 서서히 나타난다(그림 1).

- 피곤함
- 메스꺼움
- 성욕 감퇴
- 발기 부전
- 월경 이상
- 불임
- 월경 소실
- 중심성 비만
- 근육 쇠약
- 피부의 잔주름
- 창백
- 저혈압

검사

기본적인 뇌하수체 기능은 아침 9시에 채혈하여 검사하며, 뇌하수체와 시상하부 MRI를 검사한다(p 13). 부분적인 뇌하수체 기능저하증에서는 GH 나 ACTH의 예비 작용을 보기 위해 보다 복잡한 검사가 필요하다. 혈청 인슐린양 성장인자-1(IGF-1)은 GH 결핍에서 저하된다. GH와 ACTH 분비는 인슐린에 의해 유도된 저혈당으로 자극된다(인슐린

자극검사). 이 검사의 금기는, 뇌혈관 질환이나 심장질환, 경련, 치료하지 않은 부신 기능저하증이나 갑상선 기능저하증, 저칼륨혈증 등이다.

예후와 치료

뇌하수체 호르몬 축에 따른 호르몬 보충요법이 가능하다(표 1). 모든 환자는 호르몬 보충요법을 위한 여분의 약제를 가지고 있어야 하며, 호르몬 치료를 받고 있다는 표식을 착용해야 한다(p 25). 뇌하수체 기능저하증 환자는 심혈관 질환의 위험이 높으며, 고콜레스테롤혈증, 인슐린 저항성과 당뇨병 등에 대한 치료가 필수적이다.

요붕증

생리

수분 배출의 일차적 조절은 항이뇨호르몬(사람에서는 알기닌 바소프레신, arginine vasopressin, AVP)의 작용이다. 이 펩티드는 시상하부의 신경 분비 뉴런에서 합성되고

표 1. 뇌하수체 기능저하증의 치료	
결핍 호르몬	치료
성장호르몬	유전자 재조합 성장호르몬
황체 형성호르몬	에스트로겐 또는 테스토스테론 에스터
난포 자극호르몬	유전자 재조합 또는 정제 성선 자극호르몬
부신피질 자극호르몬	하이드로코르티손
갑상선 자극호르몬	갑상선 호르몬(티록신)

신경을 따라 수송되어 뇌하수체 후엽의 신경 말단에 과립으로 저장된다(그림 2). ADH는 뇌하수체 후엽에서 순환 혈액으로 분비되어 신장의 집합관에서 세포 표면의 수분 채널 단백질인 아쿠아포린-2(aquaporin-2)의 출현을 자극한다. 이렇게 되면 수분이 수분 채널을 통해 집합관으로 수동적으로 흡수되어 소변은 농축되고 혈장은 희석된다. 용액의 농도는 삼투압(mOsm/L)으로 측정한다. 삼투압은 용액 속의 입자 수에 의해 결정되고 입자의 크기나 중량과는 관계없다. 따라서 혈장 삼투압은 다음 공식으로 계산한다.

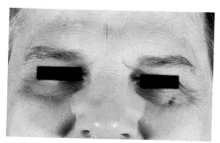

그림 1. **뇌하수체 전엽 선종에 의한 범뇌하수체 기능저하증 환자의 눈주위, 이마, 볼의 잔주름**

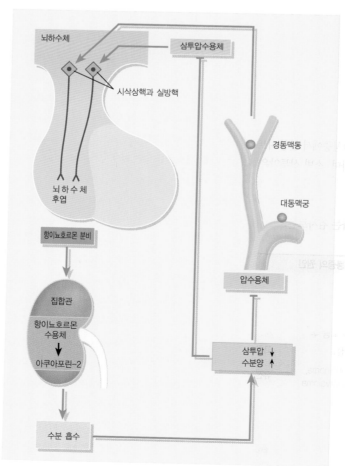

그림 2. **수분 배출 조절**

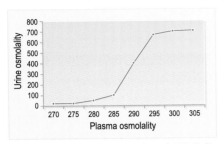

그림 3. **혈장 삼투압 증가에 따라 소변 삼투압 혈장 삼투압 증가되어 고원부에 도달한다.**

$$2 \times sodium(mmol/L) + urea(mg/dL)/2.8 + glucose(mg/dL)/18$$

ADH를 생산하는 주된 생리적 자극은 삼투압이다. ADH는 삼투압이 280 mOsm/L을 넘으면 분비된다(그림 3). 따라서 생리적 범위에서 소변의 삼투압은 혈장 ADH 농도를 반영한다. 저혈압과 같은 비삼투압 자극은 삼투압 조절과 관계없이 ADH 분비를 자극한다.

원인

요붕증 원인은 중추성과 신장성으로 분류할 수 있다(표 2). 뇌하수체 전엽 선종이 요붕증을 잘 일으키지 않는 것에 주의할 필요가 있다.

증상과 징후

대량의 묽은 소변을 보며(다뇨증), 야뇨증, 갈증이 있다. 24시간 소변 양이 경미한 경우를 제외하고 대부분 2.5 L 이상이다. 중증 요붕증에서는 24시간 소변 양이 20 L에 이르며, 이런 경우 탈수로 생명에 위협이 된다.

검사

중증 요붕증에서 혈청 나트륨과 혈장 삼투압이 증가하며, 소변 삼투압은 비정상적으로 낮다. 정상에서는 혈장 삼투압이 295 mOsm/L 이상이면 소변 삼투압은 최대치가 된다.

시행하는 검사로는:

- 혈장 전해질과 신장 기능
- 혈장 삼투압
- 소변 삼투압
- 24시간 소변 양
- 수분 제한 검사(전문가에 의한).

경도나 중등도의 요붕증에서는 물을 많이 마셔 혈장 삼투압이 정상 범위에 있다. 따라서 혈장 삼투압을 높이는 수분 제한 검사가 진단에 필요하다.

치료

주된 치료는 ADH 유사체인 데스모프레신(desmopressin) 사용이다. 데스모프레신은 콧속으로 분무(nasal spray), 정제, 피하주사로 투여한다. 수액요법도 필요하다. 경증이나 중등도이며 의식이 있는 환자는 물을 많이 마셔 수분 부족을 보충할 수 있다. 환자가 갈증을 느끼지 못하거나(무갈증, adipsia), 혼수로 물을 마실 수 없으면 수분 부족으로 위험하며 수액 주사가 필요하다. 심한 탈수에는 포도당 용액을 선택한다. 생리식염수는 혈청 나트륨을 급속히 증가시켜 나트륨을 저류시킬 수 있어 피한다.

수분 배출 장애

수분 배출 장애는 저나트륨혈증을 일으킨다. 비삼투성 ADH 분비가 다음과 같은 경우에 일어난다.

- 저혈압
- 이뇨제 사용
- 심부전
- 간부전
- 탈수
- 포르피린증

임신 중에는 ADH를 분비하는 생리적 역치가 낮아져 혈장 삼투압이 5~8 mOsm/L 저하 된다.

항이뇨 호르몬 분비이상 증후군(syndrome of inappropriate antidiuretic hormone, SIADH)은 소세포 폐암이나 다른 종양에서 일어나며, 뇌 손상이나 다른 대뇌 질환에 동반될

수 있다. 그러나 SIADH는 비교적 드물며, 진단 기준은:

- 혈장 삼투압 저하
- 정상 부신, 신장, 갑상선 기능 정상
- 소변 삼투압 저하 없음
- 소변 나트륨 >20 mmol/L

증상과 징후

증상은 비특이적이며, 두통, 구토, 메스꺼움, 불안 등이다. 혈장 삼투압이 매우 낮으면 경련이나 혼수가 나타난다. 중증 저나트륨혈증이나 급속한 저나트륨혈증의 교정의 후유증으로 신경 손상이 일어날 수 있다(중심성 뇌교 수초탈락). 혈액 용량 부족, 심장이나 간질환을 주의하여 관찰해야 한다.

검사

혈청 나트륨과 혈장 삼투압이 낮다. 이 경우 소변 삼투압은 100 mOsm/L 이하로 낮으나 수분은 배출된다. 소변 나트륨은 진단에 중요하며, 혈액 용량 부족에서는 이차성 고알도스테론증에 의해 20 mmol/L 이하가 된다. 신 기능검사, 유리 T4, TSH, 아침 9시의 코르티솔 등을 검사한다. 흉부 방사선 검사, 뇌의 CT나 MRI 검사가 필요하다.

치료

경도에서 중등도의 저나트륨혈증은 원인 질환 치료가 중요하며 수일내에 호전된다. 탈수 환자는 생리식염수 추가로 신속히 반응하나, 급속한 교정은 위험하므로 전문가의 감시하에 시행한다. SIADH에서 원인 종양을 치료하면서 시행하는 수분 제한은 저나트륨혈증을 교정한다. 항이뇨호르몬 길항제가 개발 되고 있어 이 경우에 유용할 것이다. 예방이 중요하며, 예를 들어 이차성 질환으로 스트레스가 있는 경우에 임신 중 포도당 용액 정맥주사는 피해야 한다.

표 2. 요붕증의 원인

중추성	신장성
원인 미상	약제; demeclocycline, lithium
수술이나 외상 후	저칼륨혈증
자가면역성	고칼슘혈증
종양; germinoma, craniopharygioma	유전성
육아종; sarcoidosis, Langerhans' cell histiocytosis, tuberculosis	신장 수질 질환; analgesic nephropathy
뇌수막염/뇌염	겸상 적혈구 빈혈
혈관성/뇌경색	다발성 골수종
유전성	

뇌하수체 기능저하증과 요붕증

- 뇌하수체 기능저하증은 뇌하수체 호르몬의 생산이나 분비 장애이다.
- 뇌하수체 전엽 장애는 부분적이며, 어떤 호르몬(예, 성장호르몬)은 손상에 더 취약하다. 뇌하수체 후엽 장애 결과는 요붕증이다.
- 증상과 징후는 점진적이며, 비특이적이다.
- 평생 호르몬 보충이 필요하다.

요붕증
- 중추성이거나 신장성이다.
- 혈장 삼투압은 높고 소변 삼투압은 부적절하게 낮다.

- 증상은 다뇨와 갈증이다.
- 중추성 요붕증은 데스모프레신으로 치료한다.

수분 배출 장애
- 저나트륨혈증을 일으킨다.
- 증상은 비특이적이다.

- 저혈압, 탈수, 이뇨제 사용이 흔한 원인이다.
- 소변 삼투압이 부적절하게 높다.

비기능성 뇌하수체 종양과 시상하부의 종양

원인

흔한 병변은 뇌하수체 전엽의 양성 종양이며, 전체 두개내 종양의 약 10%를 차지한다. 뇌하수체 전엽의 무증상 선종은 매우 흔하며, 미세선종은 부검의 약 20%에서 발견된다. 미세선종은 최대 지름이 10 mm 이하이고, 거대선종은 10 mm 이상이다(그림 1). 선종은 대부분 고형성이며, 혈관을 가지고 있어 경색이나 출혈이 될 수 있고(그림 2), 낭종 변성도 있다. 뇌하수체 선종의 경색은 뇌하수체와를 비워 확장시킨다(공터키안 증후군). 뇌하수체 낭종의 가장 많은 원인은 선종의 낭종 변성이나, 두개인두종(낭종과 고형성분으로 구성된 종양이며 칼슘 침착에 의한 치밀한 부분이 있다)이나 라트케(Rathke) 낭종(라트케 낭의 비종양성 잔유물)도 있다. 라트케 낭은 뇌하수체 전엽과 후엽으로 발생되는 태아 구조이다.

다른 종양은 흔하지 않으며(표 1), 뇌하수체 전엽 선종과 다른 임상적, 생화학적, 방사선 소견을 나타낸다. 예를 들어 요붕증은

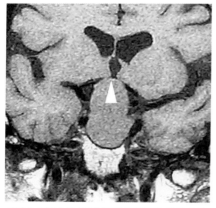

그림 1. **뇌하수체 거대선종의 자기공명 영상 소견.** 터키안에서 시작된 종양이 터키안 상부로 확장되어 시신경 교차를 압박하고 있다(화살표 머리).

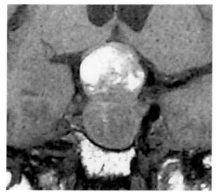

그림 2. **뇌하수체 거대 선종 내 출혈(흰색 부분).**

뇌하수체 전엽 선종에서는 매우 드물지만, 다른 병변에서 흔하다. 비종양성 종괴는 흔하지 않지만 전신 질환의 일부로 나타날 수 있다(예, 결핵). 때로 진단이 외과적 생검으로만 가능한 경우도 있다. 수술 전에 혈관 병변(경동맥 동맥류, 그림 3), 프로락틴선종, 배세포종 등을 제외하기 위한 주의가 필요하다. 프로락틴선종이나 배아종은 수술 치료를 하지 않기 때문이다.

보통 이러한 병변을 구분하기 위하여 MRI를 사용하며 뇌하수체 옆병변인지 윗병변인지 구분을 확실히 할 수 있다.

증상과 징후

뇌하수체 종양에 특이한 증상이 없이 나타날 수 있으며, 다른 증상으로 뇌 스캔을 하다가 우연히 발견되는 경우도 있다. 증상은 종괴에 의한 증상과 뇌하수체 기능저하증(p 14)의 증상으로 나눌 수 있다. 비기능성 뇌하수체 종양의 증상과 징후는:
- 두통
- 시력 악화
- 시야 결손
- 양귀쪽 반맹

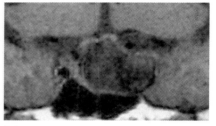
(a)

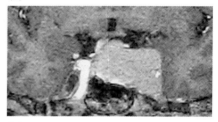
(b)

그림 3. **뇌하수체와를 채우고 있는 해면정맥동의 경동맥 동맥류.** (a) 조영제를 사용하지 않은 자기공명 영상 에서 낭종과 구별되지 않는다. (b) 조영제에 강하게 조영되어 혈관성 병변을 알 수 있다.

- 다른 시야 장애
- 시력 감소
- 색각 소실
- 뇌하수체 기능저하증의 증상

시상하부 종괴에 의한 증상은:
- 두통과 시력 장애
- 다뇨증(요붕증)
- 갈증 감각 소실
- 비만과 폭식
- 졸림의 증가
- 조발 사춘기
- 체온 이상
- 뇌하수체 기능저하증의 징후

두통은 아침에 잠에서 깰때, 기침 하거나 몸을 구부릴 때 심해 진다. 두통의 위치는 이마나 눈주위(해면정맥동에서 삼차신경 안분지 압박으로), 또는 후두부 아래(경사대 압박에 의한 후와의 관련통)이다. 시력 저하 증상도 흔하다. 시상하부 종양 증상은 시상하부 신경핵 압박에 의해 나타난다.

전형적인 증상은 양귀쪽 반맹이다(p 13, 그림 3). 다른 시야 결손도 나타날 수 있다. 또한 해면 정맥동의 종양은 III, IV, VI 뇌신경 마비를 일으킨다(그림 4).

표 1. 뇌하수체 또는 시상하부의 종괴

종양성	비종양성
뇌하수체 전엽 선종	결핵
두개인두종, 라트케 낭종	유육종증
두개내 다른 종양(예, 수막종, 신경교종)	동맥류와 혈관 병변
전이 암(예, 유방이나 폐암)	림프구성 뇌하수체염
	랑게르한스성 조직구증

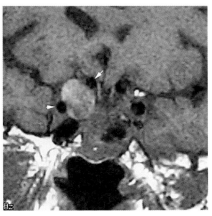

그림 4. **오른쪽 해면정맥동에 재발한 뇌하수체 종양.** 종양은 오른쪽 경동맥을 침범하여(2개의 작은 화살표 머리로 표시) 오른쪽 3번 뇌신경 마비를 일으켰다.

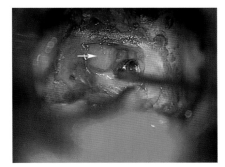

그림 6. **경접형동을 통한 뇌하수체 절제술의 수술 사진.** 금속 큐렛으로 왼쪽 종양을 제거하였고, 오른쪽(화살표)에 정상 뇌하수체가 남아있다.

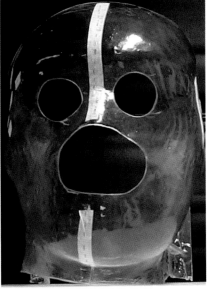

그림 7. **뇌하수체 종양에 사용되는 고전적인 3부위 방사선빔 치료에 사용되는 플라스틱 마스크**

뇌하수체 선종의 치료

대부분의 환자에서 수술 치료가 필요하며 보통 경접형동 접근법(그림 5와 6)으로 수술한다. 경접형동 접근 뇌하수체 절제술의 주된 위험은 뇌하수체 호르몬의 손실, 접형동으로 뇌척수액 누출이며 다른 위험은:

■ 요붕증, 대부분 일시적
■ 뇌수막염
■ 출혈

가능한 위험을 줄이기 위하여 필요한 주의는:

■ 수술 중과 수술 후 혈압과 소변 배출량 감시
■ 당질 코르티코이드 중단 24시간 후 혈청 코르티솔 검사
■ 수술 후 수주 내에 뇌하수체 전엽 기능 재검사
■ 시신경이나 시상하부를 누르는 큰 종양 제거 수술 후 부종을 줄이기 위해 수술 후 수일간 당질 코르티코이드 투여
■ 예방적 항생제 투여

뇌하수체 거대선종 제거 후에 방사선 치료를 고려 한다(그림 7). 방사선 치료는 10년내 재발률 50~80%를 5%로 줄일 수 있다. 전통적인 치료법은 방사선 조사 부위에서 정상 조직의 손상을 줄이기 위해 적은 방사선 선량을 3개로 나누어 조사한다. 새로운 형태의 고초점 방사선치료(감마나이프)는 하나의 고선량을 재발된 종양이나 남아있는 종양에 시신경 교차나 시신경을 피해 조사한다. 뇌하수체와 시상하부 종양 치료의 접근법은 Box 1과 같다.

Box 1 **뇌하수체와 시상하부 종양의 임상 접근법**

– 말단비대증과 쿠싱병의 임상 평가
– 소변 양 평가
– 시력과 시야 검사
– 내과 치료가 가능한 질환 배제(혈청 프로락틴, 인형 융모성 성선 자극호르몬)
– 요붕증 검사(혈장과 소변 삼투압)
– 뇌하수체 기능저하증 검사(혈청 코르티솔, 유리 T4, 테스토스테론 또는 에스트라디올)
– 흉부 방사선
– 하이드로코르티손 결핍시 치료 시작
– 뇌하수체와 시상하부 MRI
– 내분비 전문 센터에 의뢰

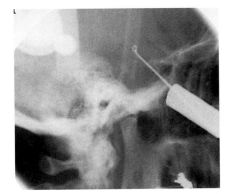

그림 5. **경접형동 뇌하수체 절제술.** 수술 기구의 위치를 영상으로 감시하고 있다. 확장된 터어키안이 보이며, 비강과 경접형동을 통해 접근하고 있다.

비기능성 뇌하수체 종양과 시상하부 종양

– 흔한 병변은 뇌하수체 전엽의 양성 선종이고 대부분 증상이 없다.
– 비종양성 종괴는 전신 질환의 일부로 나타난다.
– 증상은 종괴 효과(양귀쪽 반맹 등)나 뇌하수체 기능저하증에 의한다.
– 대부분 수술 치료하고 그 후 방사선 치료를 한다.

기능성 뇌하수체 종양

뇌하수체 전엽의 기능성 선종은 주로 프로락틴, 성장호르몬을 분비하며 일부 선종은 여러 호르몬을 분비한다. ACTH를 분비하는 선종은 쿠싱증후군(p 28)에서 설명한다. 다른 드문 선종에는 TSH 생산 선종(갑상선종과 갑상선 중독증을 일으킨다), FSH 생산 선종(대개 비기능성이다)이 있다.

프로락틴선종

프로락틴은 정상인에서 스트레스 호르몬으로 일시적으로 증가할 수 있다. 생리적 고프로락틴혈증은 임신과 수유에서 나타난다. 도파민 억제를 차단하는 치료제인 메토클로프라미드(metoclopramide) 같은 도파민 수용체 길항제는 프로락틴 생산을 증가 시킨다(그림 1). 항체가 프로락틴 분자를 응집시켜 거대 프로락틴(macroprolactin) 복합체를 만드는 수가 있다(거대프로락틴선종, macroprolactinoma와 혼동하지 말 것). 거대 프로락틴은 프로락틴 분석을 방해하여 혈청 프로락틴을 높일 수 있다.

뇌하수체와 시상하부의 병변이 뇌하수체 전엽으로 도파민 수송을 차단하면 비기능성 종양에서도 프로락틴을 증가시켜 진단을 어렵게 한다. 이런 병변을 가성 프로락틴선종(그림 2)이라고 하며 뇌하수체는 정상이나 혈청 프로락틴은 증가된다. 혈청 프로락틴이 6000 mU/L(300 ng/mL)이고, 종양이 있으면 거의 확실히 프로락틴선종으로 진단할 수 있다.

증상과 징후

프로락틴 과잉 생산이 성선 기능을 억제하여 나타나는 증상으로는:

- 희발월경
- 무월경
- 유즙분비
- 불임증
- 성욕 감퇴
- 발기 부전
- 골다공증

흔한 증상은 희발월경, 무월경, 유즙분비(맑거나 흰 유즙 분비) 이다. 장기적인 주된 위험은 골다공증이다.

검사

첫번째 단계는 지속적인 혈청 프로락틴 증가의 확인이며, 한 시간 간격을 두고 2~3번 채혈하여 검사한다. 병력 청취에서 생리적이나 약리적 고프로락틴혈증을 제외한다. 인위적인 거대프로락틴은 증상이 없거나 비전형적 증상을 보인다. 진성 고프로락틴혈증 환자는 뇌하수체 MRI와 뇌하수체 전엽 기능검사가 필요하다(p 13).

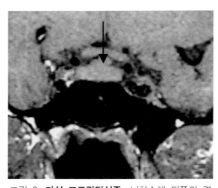

그림 2. **가성 프로락틴선종.** 뇌하수체 뒤쪽의 경사대에서 발생한 종양(화살표)이 정상 뇌하수체 전엽으로 전달되는 도파민을 차단하였다. 종양은 척삭종(chordoma)이었다.

치료

프로락틴선종은 도파민 작용제(bromocrip-tine 또는 carbergoline)(그림 3)를 이용하여 성공적으로 치료할 수 있다. 도파민 작용제에 부작용(특히 정신과 질환)이나 반응이 없으면 경접형동 뇌하수체 절제술, 방사선 치료, 방사선 수술을 시행한다.

프로락틴선종에 의한 불임 치료는 성공적이다(p 43 참고). 이러한 환자는 임신 중 임상소견과 시야를 감시해야 한다. 조영제를 사용하지 않는 뇌하수체 MRI는 임신 중에 안전하게 시행할 수 있다. 임신 중 프로락틴선종의 감시에 혈청 프로락틴 측정은 의미가 없다.

가성 프로락틴분비선종은 도파민 작용제를 사용하여 크기가 줄어들지 않으나 프로락틴 수치는 바로 떨어져 검출 이하가 된다(프로락틴은 정상 전엽 뇌하수체 세포에서 분비되며 도파민 작용제에 매우 민감하기 때문이다)

말단비대증

뇌하수체 전엽 선종에서 성장호르몬의 과잉 분비는 사춘기 전에 거인증을, 사춘기 후에 말단비대증을 일으킨다. 사춘기 전에는 긴 뼈에서 성장판의 활성으로 거인증이 된다. 사춘기 후에는 긴 뼈가 더 이상 자라지 않으며, 연부 조직의 성장으로 말단비대증이 되고, 내부 장기와 일부 뼈가 성장한다(그림 4~6).

증상과 징후

말단비대증의 증상과 징후 시작은 대부분 점진적이지만 진행된다:

- 손발의 성장
- 반지가 꼭 끼는 증상
- 손목 통증(손목 터널 증후군)

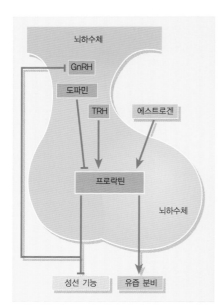

그림 1. **프로락틴의 생리적 조절과 작용.** 화살표는 분비 자극을 나타내며, 작은 막대는 억제 작용을 나타낸다. 갑상선 자극호르몬 방출호르몬(TRH), 성선 자극호르몬 방출호르몬(GnRH).

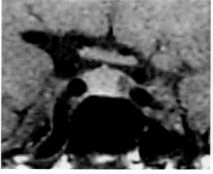

그림 3. **2년간 bromocriptine 치료 후 낭종성 미세프로락틴선종의 호전**

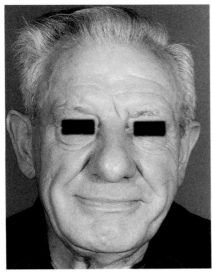

그림 4. 이마와 아랫턱의 성장과 연부조직 부종에 의한 말단비대증의 거친 얼굴

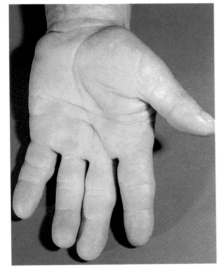

그림 5. 연부조직과 손뼈의 비대로 소시지 모양의 손가락과 두꺼운 반죽 같은 손바닥의 전형적 모습

- 손의 무감각(손목 터널 증후군)
- 발한
- 소화불량
- 발기 부전
- 월경 불순
- 다모증

징후는:
- 크고 반죽 같은 손
- 소시지 모양의 손가락
- 아래 치아의 돌출(상악전돌증)
- 혀의 비대(거설증)
- 치아 사이가 벌어짐
- 상악동 후퇴
- 고혈압
- 폐의 과팽창

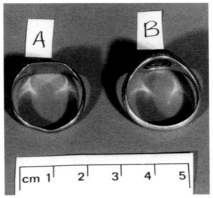

그림 6. 말단비대증 환자에서 반지 크기의 증가

■ 손목 터널 증후군(대부분 양측성)

환자를 몇 년 동안 보지 못하던 사람이 진단하는 경우가 드물지 않다. 양쪽 손목 터널 증후군(팔목 터널에서 정중 신경 팽창에 의해)으로 정형외과에서 발견되는 경우도 있다. 큰 턱과 혀로 기관삽관이 어려워 마취과 의사가 진단하기도 한다.

검사

대부분의 환자에서 지속적인 혈청 GH 상승이 있다. 정상인에서 GH 분비는 박동적이며 하루 종일의 분비 양상에서 검출되지 않는 경우도 있다. 말단비대증에서는 혈청 GH이 하루 중 지속적으로 상승되어 있으며, 75 g 경구 포도당 억제 검사에서 검출 이하 수준으로 억제되지 않는다. 혈청 IGF-1도 상승되며 성장호르몬이 간에서 생산을 자극한다(그림 7). 뇌하수체 MRI에서 선종을 볼 수 있다.

치료

확실한 치료는 경접형동 뇌하수체 절제술이다. 종양의 완전 제거와 완치 여부는 선종 크기와 수술 전 GH 수준이 결정한다. 큰 종양과 GH 수준이 높으면 40%에서만 완전 절제가 가능하며 방사선 치료나 내과 치료가 필요하다. 내과 치료의 주된 선택은 소마토스타틴(그림 7) 유사제 사용이다.

한달에 한 번 투여하는 소마토스타틴 유사

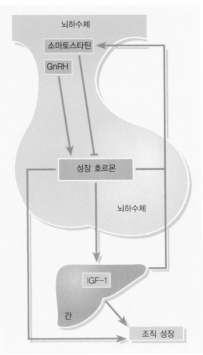

그림 7. 성장 호르몬/인슐린양 성장인자-1(IGF-1) 축. 소마토스타틴은 GH 분비를 억제하고 성장 호르몬 방출호르몬(GHRH)은 분비를 자극한다. 성장 호르몬과 인슐린양 성장인자-1은 음성 피드백으로 소마토스타틴 생성을 자극한다.

제가 있다. 작용이 긴 소마토스타틴 유사제는 작용시간이 짧은 ocreotide보다 가격이 저렴하고, 편리하다. 일부 환자에서는 경구 도파민 작용제에 잘 반응한다. 성장호르몬 수용체 길항제인 소마베르트(somavert)는 다른 치료로 조절되지 않는 경우에 사용한다.

장기적 합병증

말단비대증의 장기적 합병증은:
- 혈관 질환
- 고혈압
- 당뇨병
- 수면 무호흡증과 만성 폐쇄성 기도 질환
- 결절성 갑상선종
- 관절염 악화
- 고칼슘뇨증 및 신장 결석
- 대장 종양

프로락틴선종과 말단비대증

- 프로락틴선종은 유즙분비/무월경을 일으킨다.
- 비기능성 종양이 정상 프로락틴 분비 세포에서 프로락틴 분비 조절을 방해하여 프로락틴선종처럼 보일 수 있다.
- 프로락틴선종은 도파민 작용제를 이용한 내과적 치료가 성공적이다.
- 도파민 작용제는 드물게 정신질환적 반응을 일으킬 수 있다.
- 말단비대증은 연부조직, 내부 장기와 뼈의 성장으로 나타난다.
- 경접형동 수술이 말단비대증에서 일차 치료법이다.
- 방사선 치료, 소마토스타틴 유사제, 성장호르몬 수용체 길항제가 필요할 수 있다.

비만과 체중의 시상하부 조절

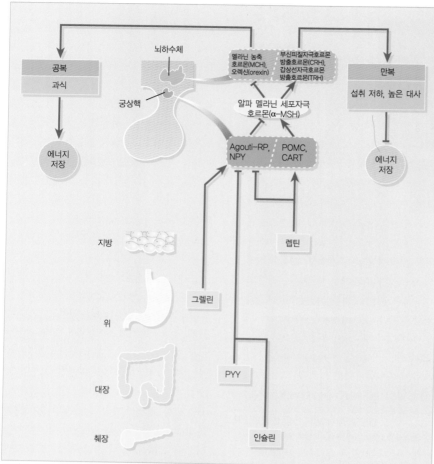

그림 1. **식이 조절 네트워크에서 배고픔과 포만감은 시상하부, 지방세포, 위장관에서 분비되는 호르몬의 영향을 받는다.**

표 1. **아시아 태평양 지역 비만 기준**	
측정	수치
체질량 지수[a](kg/m²)	
정상	< 20
위험체중	20–25
비만	> 25
복부 비만: 허리 둘레[b]	
비만 남성	> 90cm
비만 여성	> 85cm

[a] 체중(kg)/신장[b](m²)으로 계산.
[b] 발을 약 25cm(10인치) 정도 벌리고 선 자세에서 갈비뼈 아래쪽과 장골능사이의 중앙에서 측정함.

- 수면 무호흡증   ■ 호흡곤란
- 고지혈증   ■ 고혈압
- 심혈관 질환   ■ 담석증
- 성선 자극호르몬저하성 성선 기능저하증
- 통풍   ■ 관절염
- 암(위험 증가)

이러한 위험성에 대해 약물치료가 적용된다(표 2). 메트포르민은 요드 조영제 사용 전과 후 48시간 동안 중단하며, 중증 질병에서도 제한한다. 젖산 산혈증이나 비타민 B12 흡수 저하가 발생할 수 있으나, 매우 드물고 이론적인 위험이다. 그러나 혈청 크레아티닌이 1.5 mg/dL이상에서는 사용하지 않는다. 중증 비만에서는 위 결찰술이나 우회술을 시행한다.

표 2. **비만의 약물 치료**	
약제	주의 사항
식욕억제제	우심방 판막 병변, 고혈압, 빈맥을 포함한 부작용; 최근 사용하는 약제가 없다
췌장 지방분해 억제제	장에서 지방 흡수를 억제하고 지방변을 일으킴; 체중 증가 재발이 올리스타트 2년 치료 후에도 나타날 수 있다.
인슐린 감수성 약제	메트포르민은 체중감소와 관련이 있다; 당뇨병과 혈관 질환의 진행의 위험을 줄일 수 있다. 메트포르민은 위장관 부작용을 피하기 위해서 하루에 한번 250mg의 적은 용량으로 시작하며, 하루 3회 500mg까지 천천히 증량 한다.

비만은 체지방의 과잉으로 정의 된다. 비만은 음식의 과잉 섭취가 원인이며(원발성 외인적 비만) 전세계에서 증가하여, 현재 미국인의 64%는 과체중이거나 비만이다. 비만의 결과 2형 당뇨병이 유행하게 되었다. 미국에서 2형 당뇨병의 2/3는 비만과 관련이 있다. 내분비성 비만은 원발성 비만보다 빈도가 적지만 특별한 치료가 필요하므로 임상적으로 중요성이 높다. 당대사 이상과 인슐린 저항성이 비만 전에 나타나며 결국 2형 당뇨병이 된다(p 62).

공복감과 포만감을 조절하는 경로에 시상하부 네트워크가 관여하며, 지방 세포와 위장관에서 분비되는 호르몬의 영향을 받는다(그림 1).

임상적 평가

체중 이외의 비만 중증도는 몇가지 지표를 이용하여 평가한다(표 1). 두꺼운 피부와 흑색극세포증(p 40, 그림 2)은 인슐린 저항성의 소견이다. 갑상선 기능저하증과 쿠싱 증후군의 선별을 위한 진찰과 검사가 필요하다. 쿠싱 증후군에 해당하는 일부 소견만 있어도 진단의 임상적 중요성으로 전반적인 검사가 적용되는 경우도 있다. 유전적 비만은 소아기에서부터 고도 비만으로 나타나며, 발달 장애와 특징적인 신체, 골격, 용모(예, Prader-Willi 증후군에서 작은 손, 아몬드 모양의 눈)를 보인다. 시상하부의 손상이나 종양은 중증 비만을 일으킨다. 시상하부 손상이 환자는 수분 균형 장애(대부분 요붕증)나 갈증 손실이 동반된다.

치료

많은 환자가 수년동안 체중을 줄이기 위해 노력하지만 실망하고 있다. 긍정적이며 용기를 주는 접근이 필요하며, 식이와 운동 프로그램을 적극적으로 권고한다. 많은 다이어트 프로그램이 있으나 장기적인 칼로리 소비의 감소와 점진적인 체중 감소가 가장 좋은 목표이다. 운동의 목표는 일주일에 3번, 30분의 활발한 운동이다. 비만의 합병증은 다음과 같다.
- 당뇨병   ■ 인슐린 저항성

비만
- 비만은 체지방 과잉이며 BMI > 25 kg/m² 으로 정의한다.
- 가장 흔한 원인은 음식 섭취 과잉이다(외인성 비만).
- 인슐린 저항성, 갑상선 기능저하증, 쿠싱 증후군을 가능성 있는 원인으로 고려 한다.
- 중요한 위험은 2형 당뇨병이다.
- 식이와 운동 프로그램은 필수적인 치료이다.
- 메트포르민과 올리스타트는 약물 치료에 유용하다.

비내분비 질환에서 호르몬 변화

내분비 질환이 아닌 경우의 호르몬 이상은 기저 질환을 치료하면 정상으로 돌아온다. 중증 전신 질환에서 흔히 나타나는 소견은 정상 갑상선기능성 질병 증후군(sick euthyroid syndrome)이다. 이때 혈청 T3는 저하되고, T4와 TSH는 대부분 정상이나 중증 질환에서는 저하되는 것이 특징이다. 혈청 갑상선 호르몬은 원인 질환이 성공적으로 치료되면 정상으로 돌아 온다. 따라서 갑상선 호르몬 보충은 권고되지 않으며, 투여해도 예후를 개선하지 않는다. 뇌하수체나 시상하부 이상(TSH 결핍)에 의한 이차성 갑상선 기능저하증의 제외에 주의해야 한다(p 14).

순환, 호흡기 질환

심부전에서 흔한 이상은 수분과 나트륨 조절 및 혈관 긴장을 조절하는 호르몬 활성화이며 나타나는 소견은:

- 이차성 고알도스테론증
- 카테콜라민 증가
- 코르티솔 증가
- 항이뇨호르몬(ADH) 증가
- 심방성 나트륨 이뇨펩티드(atrial naturetic peptide, ANP) 증가

이런 이상은 수분과 나트륨을 더욱 저류시키고, 말초혈관 저항을 증가하여 심부전이 더욱 악화된다. 혈청 코르티솔이 때로 매우 높지만, 심부전 치료 후 재검사하기 전까지 쿠싱 증후군으로 판정해서는 안된다. 심방 부정맥이 있으면 다뇨가 나타나는데 이것은 심방에서 분비되는 ANP 증가 때문이다. 실제 임상에서 이러한 변화 결과 저나트륨혈증을 흔히 보게 된다.

호흡기에서 흔한 문제는 수면 무호흡증이며, 이것은 스트레스 호르몬인 코르티솔과 카테콜라민을 증가시킨다. 또한 수면 무호흡 환자에서는 고혈압과 비만이 동반되어 갈색세포종이나 쿠싱 증후군으로 오진하는 경우도 있다.

신부전

신질환은 수분과 나트륨 균형, 칼슘 항상성, 적혈구 생산 등을 조절하는 호르몬에 영향을 준다. 신부전에서 나타나는 내분비 이상은:

- 혈청 1,25-하이드록시 비타민 D 저하
- 부갑상선 호르몬 증가
- 혈장 레닌 증가
- 혈청 적혈구생성인자(erythropoietin) 저하
- 혈청 프로락틴 증가(청소율 감소에 의해)
- 성선 기능저하증
- 성장호르몬 저항성

비타민 D의 1-수산화 효소에 의한 활성화는 신장에서 일어나므로 신부전에서는 1,25-하이드록시 비타민 D가 저하된다. 신부전에서는 황산염과 인이 효율적으로 배설되지 않고 칼슘과 결합하며 부갑상선 호르몬 분비를 증가 시킨다. 부갑상선 호르몬 증가와 1,25-하이드록시 비타민 D 감소는 뼈의 통증과 압통, 골절과 변형을 일으킨다. 이러한 변화는 강력한 비타민 D 유사체로 치료할 수 있으며 임상 소견과 예후를 호전시킨다.

간부전

혈색소증(hemochromatosis)은 철의 수송과 저장에 이상이 있는 유전 질환이며, 간 기능 이상, 피부 색소침착, 내당능 장애, 당뇨병, 성선 기능저하증 등을 일으킨다. 성선

기능저하증은 고환의 장애와 성선 자극호르몬의 결핍에 의해 발생된다. 혈색소증은 알코올 섭취에 의해 악화된다. 여성형 유방은 전형적인 임상 징후이다. 다른 원인에 의한 간부전에서 흔한 내분비 이상은:.

- 성선 자극호르몬 결핍
- 원발성 성선 기능저하증
- 안드로스테네디온(androstenedione) 청소율 저하
- 에스트라디올 전환 증가
- 혈청 성호르몬 결합 글로불린 증가
- 알콜성 가성 쿠싱 증후군
- TSH 증가(T4에서 T3 전환 감소)

종양과 부종양 증후군

부종양 증후군이 임상적으로 중요한 이유는 기저 질환의 단서가 되며, 치료가 가능한 증상이기 때문이다(표 1). 원인 종양의 임상 양상이 현저한 경우에는 부종양 증후군의 임상 징후는 잠복되거나 비전형적일 수 있다. 이런 경우 생화학검사 및 혈액 검사로 진단할 수 있다. 항이뇨 호르몬 부적절 분비는 저나트륨혈증을 일으킨다. 이소성 ACTH 증후군은 전형적인 쿠싱증후군을 일으키지 않으며 혈당 증가와 함께 체중감소를 나타낸다.

표 1. 부종양 증후군

	종양
항이뇨호르몬 부적절 분비	소세포성 폐암
이소성 부신피질 자극호르몬	소세포성 폐암, 카르시노이드
고칼슘혈증(부갑상선 호르몬 관련 펩티드)	편평상피세포성 폐암, 신장암, 간암 및 다른 위장관암
적혈구생성인자	신장암, 혈관모세포종

비 내분비성 질환에서 호르몬 불균형

- 호르몬 이상은 기저 질환 치료에 의해 정상화 된다.
- 정상 갑상선기능성 질병 증후군은 중증 전신질환에서 흔하다.
- 심부전과 신부전은 소금과 수분 균형을 조절하는 호르몬에 장애를 일으킨다.
- 신부전은 또한 부갑상선 기증 항진증과 1,25-하이드록시 비타민 D 결핍을 일으킨다.

부신과 내분비 고혈압: 기본 개념

부신은 수분과 나트륨, 그리고 혈압 조절에 필수적인 호르몬을 생산한다. 부신 호르몬은 또한 성행동, 생식 기능, 탄수화물 대사, 골 생리에도 영향을 미친다. 부신은 피질과 수질의 2개의 다른 내분비계로 되어 있다(그림 1). 피질은 부신피질 자극호르몬(ACTH)의 영향으로 스테로이드를 생산하는 전형적인 내분비선이다. 수질은 실제로 신경조직이며 교감신경계의 일부로 카테콜라민인 에피네프린을 분비한다. 수질과 피질 사이에는 관계가 있으며 코르티솔은 수질에서 노르에피네프린을 에피네프린으로 전환하는 효소를 유도한다.

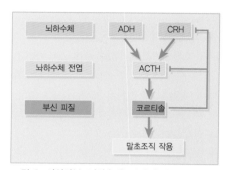

그림 2. **주요 부신 스테로이드 호르몬과 합성 경로. 모든 전구 물질과 경로를 표시하지 않았다.**

응용해부학

부신은 신장의 앞, 윗쪽에 위치하며 후복막의 지방으로 싸여 있다. 우측 부신에서 나오는 정맥은 짧고 굵으며 하대정맥에 직각으로 연결된다. 부신 절제 수술에서 우측 부신정맥 처리는 매우 중요하다. 우측 부신정맥 또는 하대정맥과 연결 부위가 찢어지면 조절하기 어려운 심한 후복막 출혈을 일으킨다. 한편 좌측 부신 정맥은 좌신정맥에 연결되어 수술시에 처리하기 어려운 경우는 드물다. 좌측 부신 절제술이 위험한 이유는 좌측 부신이 비장과 인접해 있어 때로 비장절제술이 필요하기 때문이다. 양쪽 부신은 대동맥, 신동맥, 횡격막동맥에서 분지된 여러 혈관에서 혈액을 받는다.

부신 피질

생리

부신 스테로이드는 콜레스테롤이 원료가

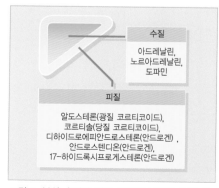

그림 1. **부신 수질과 피질 사이의 관계와 주요 호르몬**

되며, 여러 단계의 효소 작용으로 생산된다(그림 2). 생산되는 주된 호르몬은:
- 당질 코르티코이드
- 광질 코르티코이드
- 안드로겐

당질 코르티코이드와 안드로겐을 생산하는 주된 자극은 ACTH이다. 코르티솔의 피드백은 시상하부의 부신피질 자극호르몬 방출호르몬과 뇌하수체의 ACTH 분비를 억제한다(그림 3).

광질 코르티코이드는 주로 소금과 수분 균형에 의해 조절되며 신장의 레닌-안지오텐신계를 통한다(그림 4). 레닌은 알도스테론 조절 경로에 필수적이며 신장의 방사구체 세포에서 혈액 용적 저하에 반응하여 분비된다. 레닌은 안지오텐시노겐을 절단하여 활성화 시키며 안지오텐신 경로를 자극한다. 이렇게 생성된 안지오텐신 II가 혈관 수축을 통해 혈압을 높이고, 부신피질에서 알도스테론 생산을 자극한다. 레닌의 음성 피드백 조절은 알도스테론에 의한 나트륨 저류 및 혈액 용적 증가 그리고 안지오텐신 II의 직접 억제 기전을 통해 이루어진다.

스테로이드 호르몬의 작용

코르티솔은 지용성이며 거의 모든 장기에 영향을 미친다(표 1). 코르티솔 농도(표 2) 변화에 의한 나타나는 병적 상태는 코르티솔의 생리 작용을 통해 예상할 수 있다. 예를 들어 코르티솔 과잉은 파골세포를 자극하여 골다공증을 일으킨다(그림 5).

알도스테론은 주로 원위세뇨관과 집합관에 작용하여 소변에서 나트륨 재흡수를 증가

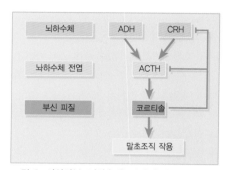

그림 3. **시상하부–뇌하수체–부신 축과 피드백 경로.** ADH: 항이뇨 호르몬, CRH: 부신피질 자극호르몬 방출호르몬, ACTH:부신피질 자극호르몬

시키고 칼륨 흡수를 감소시킨다.

알도스테론은 세포내 광질 코르티코이드 수용체를 통해 작용한다. 코르티솔도 광질 코르티코이드 수용체에 결합할 수 있다. 코르티솔은 알도스테론 보다 풍부하며 기본적인 화학적 법칙에 의해 광질 코르티코이드 수용체에 주로 결합하는 것은 코르티솔이다. 그러나 알도스테론에 민감한 조직에서(신장과 같은)는 11β-하이드록시스테로이드 탈수소효소가 발현되어 코르티솔을 코르티손으로 변화시킨다. 코르티손은 광질 코르티코이드 수용체에 결합할 수 없으며, 결과적으로 알도스테론이 특이 수용체에 결합하여 작용하게 한다.

부신 수질

생리

부신 수질은 교감신경계의 일부이며 따라서 자율신경계의 한 부분이기도 하다. 수질은 실제로 척수에서 내장신경을 통해 절전

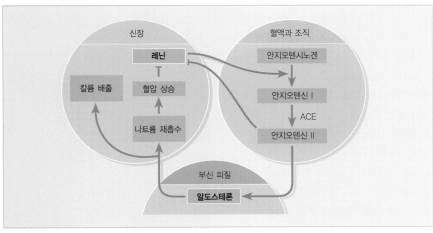

그림 4. **레닌-안지오텐신-알도스테론 경로.** ACE: 안지오텐신 전환 효소.

은 부신 수질에서만 유일하게 일어나는데, 이것은 부신피질에서 생성된 고농도의 코르티솔에 의해 효소가 유도되기 때문이다.

카테콜라민의 작용

카테콜라민의 모든 작용은 스트레스에 대한 반응이다("투쟁과 도피"). 맥박수는 빠르고 강해지며, 혈압과 혈당이 올라간다. 비필수 장기로 가는 혈류는 감소하며 동공 및 기도는 확대되고 발한이 증가한다. 이러한 카테콜라민의 작용은 세포 표면에 있는 아드레날린 수용체를 통해 일어난다. 이 수용체는 세포내 2차 전령의 신호 경로에 따라 특이적으로 다른 작용을 가진다. 주된 음성 피드백 경로는 신경 말단에 있는 α2 아드레날린 수용체를 통해 일어난다. 이 수용체가 자극되면 신경말단의 작용을 억제하며, 그 결과 중추신경계에서 교감신경 유출이 저하된다. 카테콜라민의 생리 작용은 관련된 아드레날린 수용체에 따라 다르다(표 3).

표 1. 부신 스테로이드의 생리 작용

스테로이드	작용
코르티솔	혈압 조절
	혈당 조절
	스트레스 반응
	림프구 억제
	혈관벽에서 혈류로 호중구 이동
	흉선 퇴화
	파골세포 자극
알도스테론	염분 저류
	칼륨 배설
	양성자(산) 배설
디하이드로에피안드로스테론/안드로스테네디온	근육 유지
	골 동화작용
	정신적 욕구
	성기능

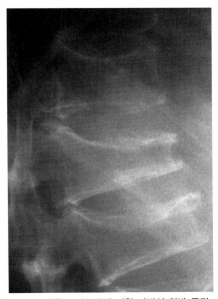

그림 5. **척추 골다공증에 의한 다발성 압박 골절.** 척추협착증 또는 압박의 위험이 있다.

표 3. 카테콜라민의 생리 작용

수용체	작용
α 1	혈관 수축
	혈압 유지
	혈당 유지
	심근 수축과 빈맥
	발한, 특히 손바닥
	입모
α 2	교감 신경 유출 억제
	인슐린 분비 억제
	혈관 수축
β 1	심근 수축과 빈맥
	레닌 분비 자극
β 2	혈관 확장
	평활근 이완
	혈당 유지

표 2. 부신 기능 장애와 관련된 질환

기능 장애	질환
코르티솔 과잉	쿠싱 증후군(p 28)
코르티솔 결핍	애디슨병(p 24)
알도스테론 과잉	콘 증후군(p 26)
전반적인 스테로이드 호르몬 과잉	부신 선종(p 30)
노르아드레날린과 아드레날린 과잉	갈색세포종(p 32)

-N-methyltransferase는 노르아드레날린을 아드레날린으로 전환시켜 아드레날린은 노르아드레날린보다 2배 높다. 이러한 전환

축삭이 연결된 큰 신경절이라고 할 수 있다. 부신수질 활동의 활성화는 주로 스트레스에 대한 반응으로 일어난다. 부신 수질의 신경절후 신경 조직에서는 카테콜라민인 아드레날린과 노르아드레날린을 합성하여 분비한다. 부신 수질의 효소 phenylethanolamine

부신과 내분비 고혈압

- 부신 피질은 스테로이드 호르몬을 생산한다.
- 부신 수질은 카테콜라민을 생산한다.
- 코르티솔은 주된 당질 코르티코이드다.
- 알도스테론은 주된 광질 코르티코이드이다.
- 아드레날린은 주된 카테콜라민이다.
- 안드로겐도 생산된다.
- 부신 호르몬은 혈당, 혈압, 염분 저류를 증가시킨다.

일차성 부신 기능저하증: 애디슨병

원인

부신 기능저하증의 원인은 일차성(부신 자체의 부전)과 이차성(ACTH 결핍에 의한)으로 구분한다. 일차성 부신 기능저하증은 드물다. 그 유병율은 영국의 북서 테임스 지역에서 인구 10만명에 6명 정도이다. 일차성 부신 기능저하증의 두 가지 흔한 원인은:

- 자가면역성
  - 일차성 원인의 80%를 차지
  - 피질만 위축된다
  - 항부신항체가 보통 양성
- 결핵
  - 부신 전체 침범
  - 방사선 촬영이나 CT에서 석회화 소견
  - 점차 흔해 지고 있다.

남녀 비는 1:2이며 이것은 자가면역 병인을 반영한다. 결핵은 부신 수질과 피질 모두에 영향을 미치는 반면, 자가면역성 파괴는 부신 피질에만 나타난다. 영국에서는 결핵이 점차 흔해지고 있다(그림 1). 지역사회에서 결핵 감염의 증가로 인해 부신 결핵이 증가할 가능성이 있다. 결핵이 유행하는 지역에서는 결핵성 부신염이 일차성 부신 기능저하증의 흔한 원인이다. 히스토플라스마가 유행하는 지역에서는 이에 의한 부신염을 생각해야 한다. 양쪽 부신의 80~90%가 침범되어 부신 기능을 파괴하는 다른 원인은 드물다.

드문 원인은:
- 부신 출혈(대부분 패혈증 환자 또는 자주 놓치지만 항혈전제 복용 중인 환자)
- 부신백질 영양장애
- 아밀로이드증
- 선천성 부신 증식증
- 약제(metirapone, mitotane, ketoconazole)
- 가족성 당질 코르티코이드 결핍증(ACTH 수용체 변이가 원인)
- 혈색소침착증
- HIV 관련 부신염
- 암 전이 및 림프종
- 유육종증
- 히스토플라스마증(미국 오하이오나 미시시피강 주변 또는 남부 지역을 여행한 사람)

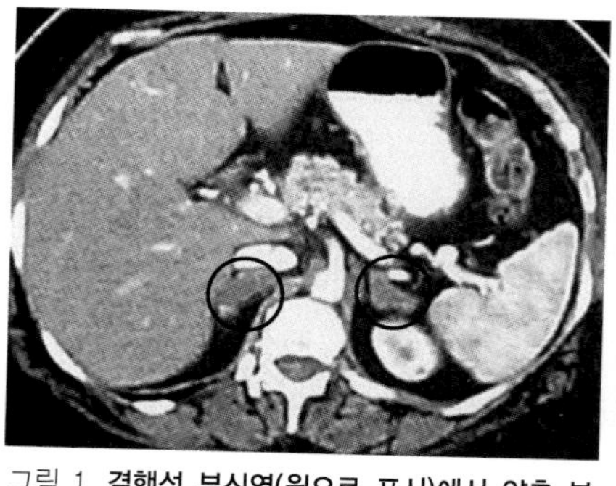

증상과 징후

증상은 서서히 나타난다. 증상이 비특이적이어 진단이 늦어지는 경우가 있다.

- 쇠약, 피로, 체중 감소(매우 흔하다)
- 색소 침착, 여름 휴가 후에 그을린 피부 지속(흔하다)
- 위장 증상(약 50%에서)
- 현기증과 실신
- 근골격계 통증, 대칭적(10% 이하)
- 의식 변화
- 항혈전제 복용중인 환자에서 급성 요통(드물다)

부신 기능저하증은 쉽게 검사할 수 있고 완전히 치료할 수 있기 때문에 진단 가능성을 항상 염두에 두어야 한다. 부신 기능이 저하된 환자에서는 어떤 신체 스트레스에 의해서도 순환 허탈이 유발될 수 있다. 따라서 일단 의심이 되면 즉시 진단을 위한 검사를 시행해야 한다.

징후

심혈관계 징후가 나타나면 부신 기능저하증은 중증이며 즉시 순환 허탈이 될 위험이 높다.

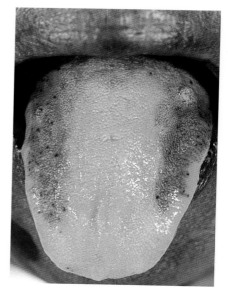

그림 3. **애디슨병에서 혀 가장자리와 윗입술의 색소 침착**

징후는:
- 기립성 저혈압
- 저혈압, 보통 수축기 혈압 < 110 mmHg
- 색소 침착(종종 전신적이며 신전부와 노출된 피부)(흔하다, 그림 2)
- 구강 색소 침착(그림 3), 보통 전신 색소 침착과 동시에 나타남.
- 반흔의 색소 침착: 일차성 부신 기능저하증에서 전형적인 색소 침착은 상처 부위에 지속된다
- 다른 장기 특이적 자가면역질환의 징후(백반증, 갑상선 징후)
- 드문 질환의 징후로 저신장(선천성 부신 증식증), 신경학적 징후(부신백질 영양장애 또는 아밀로이드증), 성선 기능저하증과 간 징후(혈색소침착증).

검사

간단한 검사는 혈청 코르티솔 측정이다(표 1). 일차성 부신 기능저하증에서 부신은 지속적으로 고용량의 합성 ACTH(tetracosactide, Synacthen)를 투여해도 코르티솔을 합성하지 못한다. 반대로 ACTH 결핍에 의한 이차성 부신 기능저하증에서는 부신은 지속적인 합성 ACTH 투여 후에 코르티솔을 합성할 수 있다. 부분적인 ACTH 결핍증에서는 단기적인 ACTH 투여에도 정상 부신 반응이 있다(Box 1).

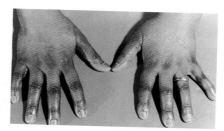

그림 1. **결핵성 부신염(원으로 표시)에서 양측 부신 크기 증가**

그림 2. **애디슨병에서 피부 주름의 색소 침착**

표 1. 일차성 부신 기능저하증의 검사 소견

검사	해석
혈청 코르티솔	간단한 검사. 코르티솔은 신체 스트레스가 있는 정상인에서 적어도 18 μg/dL 이상이다. 심한 부신 기능저하증에서는 7 μg/dL 미만이며(부분적인 부신 기능저하증에서 급성 질환이 있으면 코르티솔 농도가 7~18 μg/dL 이다.)
혈청 나트륨	저나트륨혈증: ADH 상승으로 수분을 배출할 수 없다(흔하다)
혈청 칼륨	고칼륨혈증: 대부분 경도(40%에서는 정상)
혈청 칼슘	고칼슘혈증, 10% 미만에서
혈당	저혈당, 때로 소아나 영양 결핍 환자에서
혈구 측정	호산구 증가증, 비타민 B12 결핍과 동반된 대적혈구증, 혈액 용적 보충 후 정적혈구성 빈혈
흉부 방사선	결핵 확인
혈장 ACTH	보통 > 50 ng/L(주의, 채혈 후 즉시 원심분리하여 냉동 보관한다)
혈장 레닌	증가
혈장 알도스테론	저하

Box 1 **Synacthen test**

금기 또는 주의사항은 없으며, 금식하지 않은 사람에서도 시행할 수 있다. 코르티솔 범위는 사용된 분석법에 따라 다르다.

Short synacthen test

tetracosactide 250mg IM

코르티솔을 0, 30, 60분에 측정

(정상 반응 > 21 μg/dL , 증가 폭 7 μg/dL). 일차성과 이차성 부신 부전을 구별하지 못한다.

Long synacthen test

tetracosactide depot 매일 1mg 근육 주사

혈청 코르티솔을 0, 30, 60, 90, 120분과 4, 6, 8, 12, 24, 48, 72 시간 후 측정

이차성 부신 부전에서 코르티솔은 24시간 경과 후 상승하기 시작하며, 72시간 후에는 21 μg/dL 이상이 된다.

일차성 부신 부전에서는 코르티솔 상승이 없다. Short and long synacthen test에서 0, 30, 60분 후 코르티솔 치는 비슷하다.

Box 2 **부신 기능저하증의 치료**

응급 처치

일단 의심되면 진단과 함께 바로 시행되어야 한다. 환자가 급성 질환 상태이거나 저혈압이면:

– 코르티솔, 혈당, 요소, 전해질 측정용 채혈

– 하이드로코르티손 100 mg IV bolus

– 4~6시간 동안 생리식염수 1 L 정맥주사

– 20% 포도당 정맥주사로 저혈당 교정

코르티솔이 보충되기 전까지 강심제는 효과가 없다.

임상적으로 호전되기 전까지 하이드로코르티손을 6시간마다 100 mg 근주(근주로 주면 반감기가 길어진다.) 중환자실 환자나 항혈전제를 투여받고 있는 환자는 하이드로코르티손 주입을 시행한다(50 cc saline에 100 mg, 시간당 2mg).

장기적인 처치

내분비 전문의에게 즉시 연락한다. 모든 환자는 내분비 전문센터에 24시간 내에 도착해야 한다.

– 기상시 하이드로코르티손 경구 10 mg, 점심, 저녁때 5 mg(용량 조절 가능)

– 플루드로코르티손 0.1~0.2 mg/day

– 스테로이드 경고 카드(그림 4)와 응급 처치용 약제 공급(saline과 100 mg 하이드로코르티손 앰플, 21 gauge 바늘, 2cc 주사기)

– 환자의 가족에게 구토나 혼수시 하이드로코르티손 근육주사 방법을 교육.

– 다른 질환이 있을 때(예, 장염)나 스트레스 상황에서(예, 수술) 하이드로코르티손 추가 필요성에 대한 교육

치료

평생 치료하며, 좋은 치료제는 하이드로코르티손(합성 코르티솔)과 알도스테론의 합성 유도체(플루드로코르티손)이다(Box 2). 아침약은 기상 시 아침 식사 전에 복용하면 좋다. 경구 하이드로코르티손은 코르티솔 분석으로 측정되며 복용 후 일정한 간격에 모니터 한다. 혈청 코르티솔의 최고 농도는 22 ~ 36 μg/dL 에 도달해야 하며 저녁 약 복용 전에 3.6 μg/dL 보다 낮아서는 안된다. 혈장 레닌 활성도는 플루드로코르티손 복용 후 2시간에 측정하며, 정상 범위 내에서 유지되어야 한다.

그림 4. **스테로이드 경고카드**

> **애디슨병**
>
> – 증상은 대부분 서서히 나타난다.
> – 환자는 색소 침착을 보인다.
> – 코르티솔은 대부분 낮다.
> – ACTH 상승
> – 서구에서 가장 흔한 원인은 자가면역성 부신염이다.
> – 치료는 하이드로코르티손과 플루드로코르티손이다.

원발성 알도스테론증

원발성 알도스테론증은 부신에서 알도스테론이 과잉 생산되는 질환이며 콘 증후군(Conn syndrome)이라고도 부른다. 원발성 알도스테론증은 치유 가능한 고혈압의 원인이다. 일부 연구에서 원발성 알도스테론증은 매우 드물다고 하였으나(매년 백만명 중 한 명 꼴), 고혈압 환자의 정밀 검사에서 15%는 원발성 알도스테론증의 생화학적 소견이 있었다.

병태 생리

알도스테론 과잉 분비의 원인에는 부신피질 선종(그림 1)과 양측 부신 증식증의 두가지가 있다. 선종은 수술하여 치료 가능하나 증식증은 그렇지 않다. 선종과 증식증을 일으키는 원인은 알려져 있지 않다. 다른 종양에서처럼 부신의 유전자 손상이 초기 단계에 관여한다고 생각된다. 다발성 내분비 선종증(MEN) I형의 가계에서는 부신 피질선종의 발생율이 높다.

알도스테론 분비 선종의 내분비적 특징은 증식증과 차이가 있다. 알도스테론 분비의 생리적 조절은:

- 순환 혈액 용적, 나트륨과 수분(일차적 조절)
  - 자세 변화 효과 반영
- 부신피질 자극호르몬(ACTH; 이차적 조절)
  - 일중 변동 반영

증식증 환자에서는 누웠다 서는 자세로 변화시 나타나는 알도스테론 반응이 과장되며, 혈청 알도스테론은 거의 항상 올라가 있다.

한편 알도스테론 분비 선종에서는 순환 용적과 나트륨, 수분에 의한 생리적 조절이 약하다. 그 대신 선종은 ACTH에 더 반응을 보인다. ACTH는 일중 변동에 따라 오후에 저하되며, 선종에서는 환자가 서서 검사 받아도 알도스테론이 저하된다.

증상과 징후

고혈압이 주된 증상이며, 때로 유일한 증세이기도 하다. 다른 증상은 증가된 혈청 알도스테론이 원위세뇨관에서 칼륨 소실을 일으켜 나타난다. 따라서 저칼륨혈증이 생기고 결과적으로 피곤감, 근육 쇠약, 다뇨, 야뇨와 같은 증상이 나타난다. 다뇨와 야뇨는 저칼륨혈증에 의한 항이뇨호르몬(ADH)의 신저항성(신성 요붕증)으로 일어난다. 그러나 이러한 증상은 원발성 알도스테론증에 특이적이 아니며 다른 많은 질환에서도 나타난다(예를 들어, 당뇨병이나 고칼슘혈증). 원발성 알도스테론증으로 진단된 대부분의 환자에서 저칼륨혈증이 없다는 사실에 주의해야 한다.

검사

원발성 알도스테론증 진단에서 어려운 점은 의심되는 고혈압 환자에서 누구를 검사해야 하는 것이다. 과거의 교과서에서는 검사가 필요한 환자로, 저칼륨혈증이 있는 경우, 중등도에서 고도의 고혈압(160/110 mmHg 이상) 환자, 고혈압을 조절하기 위해 여러 약제가 필요한 경우라고 했다. 그러나 이러한 기준을 사용하면 많은 원발성 알도스테론증 환자가 진단되지 않는다. 예를 들어, 원발성 알도스테론증으로 증명된 환자의 40%는 혈장 칼륨이 정상이다.

검사 항목은:

- 혈장 요소, 전해질
- 혈장 중탄산염, 염소
- 혈청 알도스테론
- 혈장 레닌
- 소변 나트륨과 칼륨
- 누워서 및 서서 측정한 혈청 알도스테론
- 부신 CT(고해상도)

전형적인 원발성 알도스테론증에서는 저칼륨혈증에 동반하여 대사성 알칼리혈증이 나타나기 때문에, 먼저 전해질, 중탄산염, 신기능을 검사한다. 혈장 칼륨이 정상이라고 원발성 알도스테론증을 제외할 수 없다. 일부 환자에서는 고혈압을 치료하기 위해 식이에서 소금 섭취를 줄여 신장에 나트륨 부하가 감소되면 소변으로 칼륨 손실이 줄어 혈장 칼륨이 정상화되기 때문이다. 게다가 혈액이 용혈되면 적혈구에서 칼륨이 빠져나와 칼륨이 잘못 증가할 수도 있다. 이러한 경우에도 혈장 중탄산염은 영향을 받지 않고 올라가 있는 상태를 유지한다.

한번의 채혈에서 알도스테론과 레닌의 비를 측정하면 원발성 알도스테론증 진단을 증가시킬 수 있다. 이론적으로도 알도스테론과 레닌의 비(ARR)가 고혈압 환자에서 선별검사에 편리한 검사이다. 실제로 ARR 측정에 적합한 자세나 채혈 시간은 정해져 있지 않다. 항고혈압제, 소금, 감초 섭취는 ARR에 영향을 미칠 수 있다(아래 참조). 또한 레닌 측정 방법에는 혈장 레닌 활성도 측정법과 레닌 농도의 면역분석법이 있으며 후자는 정상 범위의 하한에서 부정확하다. ARR 값은 알도스테론과 레닌 농도를 표현하는 단위나 병원 검사실의 측정법에 따라 다르다.

- 원발성 알도스테론증을 시사하는 ARR;
  SI 단위: 알도스테론(pmol/L)/레닌 활성도(pmol/L/hr) > 800
  일반 단위: 알도스테론(ng/dL)/레닌 활성

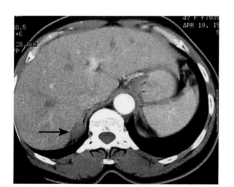

그림 1. **알도스테론 분비 부신 피질선종의 우측 부신 CT 영상**

표 1. 레닌-알도스테론계에 영향을 주는 약제

약제	작용
안지오텐신 전환효소 억제제	레닌 상승
안지오텐신 II 수용체 차단제	레닌 상승
베타 아드레날린 수용체 차단제	레닌 억제
이뇨제	나트륨 소실, 저칼륨혈증 동반 알칼리혈증, 레닌 상승

도(ng/ml/h) > 67
- 원발성 알도스테론증의 가능성이 없는 ARR;
  SI 단위: 알스테론(pmol/L)/레닌 활성도 (pmol/L/hr) < 300
  일반 단위: 알도스테론(ng/dL)/레닌 활성도(ng/ml/h) < 24

진단에 가장 정확한 방법은 자세 변화에 따른 혈청 알도스테론과 혈장 레닌 활성도 측정이다. 혈청 알도스테론은 보통 상승되어 있고, 혈장 레닌은 거의 정상 이하이거나 측정이 안된다. 자세 변화 검사는:
- 아침 8시 30분: 환자가 누워있는 상태 유지
- 아침 9시: 누워 있는 상태에서 알도스테론, 코르티솔 그리고 레닌을 측정하기 위한 혈액 채취
- 아침 9시에서 12시: 환자를 자유롭게 움직이도록 허락
- 정오 12시에서 오후 1시: 환자가 계속 서 있는 상태 유지
- 오후 1시: 서 있는 상태에서 알도스테론, 코르티솔, 레닌 측정 위한 혈액 채취.

자세 변화 검사에서 중요한 문제는 오래 서 있는 것이 신체적 스트레스가 되어 결과 해석에 영향을 줄 수 있다는 것이다. 즉 선종에서도 ACTH가 올라가 알도스테론이 증가할 수 있다.
검사 결과의 해석에서 약물 복용력이 있으면 더욱 주의가 필요하다(표 1). 예를 들어, 본태성 고혈압 환자에서 이뇨제를 사용한 결과 소변으로 칼륨이 소실되어 저칼륨혈증성 알칼리혈증이 나타날 수 있다. 베타 아드레날린 수용체 차단제와 같은 고혈압 치료제는 레닌 수치를 억제하여 원발성 알도스테론증으로 잘못 판단할 수 있다. 따라서 임상에서 레닌-알도스테론 축에 대한 검사를 시행하기 전 3일동안 120 mEq/day의 나트륨 섭취와 3주 동안 항고혈압제를 암로디핀과 같은 칼슘통로차단제로 변경한다.
일측성 알도스테론 분비 선종과 양측성 증식증(특발성 고알도스테론증)의 감별은 여러 가지 검사가 필요하다. 이러한 검사에는 누워서 및 서서 측정하는 알도스테론, 레닌, 코르티솔 검사, 부신 CT나 MRI, 부신정맥 채혈의 알도스테론 검사 등이 포함된다.
일측성 부신선종에서 결과 확인은:
- 자세 변화에 따른 검사에서 알도스테론 저하
- 부신 CT 또는 MRI 에서 단일 결절
- 한쪽 부신 정맥 채혈에서 고농도의 알도스테론

임상적으로 원발성 알도스테론증과 비슷한, 다음과 같은 질환은 정밀한 생화학 검사로 구분할 수 있다:
- 당질 코르티코이드로 억제되는 고알도스테론증
- 부신암(드물게 다른 스테로이드와 함께 알도스테론 생성)
- 리들증후군(혈청 알도스테론 저하)
- 과도한 감초 복용(혈청 알도스테론 저하)
- 11β-하이드록시스테로이드 탈수소효소 2형 변이(혈청 알도스테론 저하)
- 디옥시코티코스테론 이상 분비(혈청 알도스테론 저하)

치료
칼륨 보충이 필요하며 혈장 칼륨 2.5 mEq/L 미만인 환자는 입원하여 응급 치료가 필요하다. 알도스테론 수용체 차단제(스피로노락톤) 또는 칼륨 보존성 이뇨제는 생화학 검사로 확진된 후 사용하는 중요한 약제이다. 스피로노락톤은 에스트라디올과 화학적 구조가 비슷하며 주된 부작용은 남자에서 통증이 있는 유방비대증이다. 따라서 amiloride 또는 triamterene과 같은 칼륨 보존제를 저용량의 스피로노락톤과 병용한다. 실험 동물에서 고용량의 스피로노락톤을 장기간 사용하여 종양이 생겼으나 사람에서 수십년간의 임상 경험에서 문제가 되지 않았다. 선택적 알도스테론 수용체 차단제인 eplerenone이 도입 되었으며 에스트로겐과 같은 부작용이 없다.
알도스테론 분비 선종의 확실한 치료는 수술적 제거이다(일측 부신절제). 수술 방법은 개복술보다는 입원기간이 짧은 복강경을 통해 이루어진다. 부신 절제술은 많은 부신 선종 환자에서 약물 치료를 중단할 수 있고 정상 혈압을 유지할 수 있다.
양측성 증식증은 수술적으로 고알도스테론증을 치료할 수 없으며 장기간의 약물치료가 필요하다. 알도스테론 수용체 차단제가 혈압 조절과 심근 기능 유지 및 회복에 중요하다. 스피로노락톤 또는 eplerenone의 용량은 혈압 측정, 혈장 전해질 및 신기능 측정 그리고, 24시간 보행 혈압 기록 등으로 평가한다.

원발성 알도스테론증

- 콘 증후군은 원발성 알도스테론증이 원인이며 고혈압을 동반한다.
- 전형적으로 저칼륨혈증성 대상성 알칼리증이 동반된다.
- 혈장 레닌은 낮다.
- 알도스테론 분비 선종은 부신 절제술에 의해 치료될 수 있다.
- 양측성 부신 증식증은 약물로 치료한다

쿠싱 증후군

쿠싱 증후군은 과도한 코르티코스테로이드가 원인인 임상 질환이다. 가장 흔한 원인은 스테로이드 반응성 질환에서 외인성 호르몬 사용이다. 내인적 쿠싱 증후군은 ACTH 의존성과 비의존성으로 나눌 수 있다(표 1). 쿠싱병은 ACTH를 과잉 분비하는 뇌하수체 선종이 원인이다. 쿠싱병 및 다른 원인에 의한 ACTH 의존성 질환에서는 전반적인 부신 피질 증식증을 일으키며 부신 안드로겐 증가가 동반된다. 한편 코르티솔만 분비하는 부신 선종은 ACTH와 부신 피질의 다른 활성이 억제되어 부신 안드로겐이 저하되거나 검출되지 않는다. 치료하지 않은 쿠싱 증후군의 5년내 사망률은 50%에 달하며, 그 원인은 감염과 심혈관 합병증이다. 이소성 ACTH 증후군은 뇌하수체 이외의 병변이 원인이며, 소세포성 폐암 또는 신경내분비종양에서 발생한다.

증상과 징후

쿠싱 증후군은 원인과 중증도에 따라 임상 증상이 다양하다.

증상

나타날 수 있는 증상은:
- 다이어트에도 불구하고 체중 증가
- 체형과 얼굴 형태의 변화
- 얇고 쉽게 멍이 드는피부
- 근육 쇠약
- 다모증과 여드름
- 탈모증
- 심한 감정 기복과 우울증
- 성기능 장애
- 생리 불순
- 수면 장애
- 골다공증성 골절/척추 골절
- 감염 증가
- 외상 치유 장애

- 신결석
- 체중 감소 및 식욕 부진증
- 색소 침착
- 우연히 발견된 뇌하수체/부신 종괴
- 다낭성 난소 증후군
- 고혈압
- 2형 당뇨병

선종 또는 종양의 코르티솔 분비 활동이 일정하지 않을 수 있으며, 일시적인 경우나 자발적으로 관해되기도 한다(주기성 쿠싱 증후군이라고 부른다). 과잉의 코르티솔은 여러 조직에 영향을 미친다. 일반적으로 증상은 서서히 나타난다. 그러나 이소성 ACTH 증후군 환자에서는 갑작스런 허약감(심한 저칼륨혈증성 알칼리증에 의해 유발)과 색소 침착(고농도의 혈장 ACTH가 멜라닌 세포 자극호르몬 수용체를 자극하여)이 나타난다. 가벼운 쿠싱 증후군을 가진 대부분의 여성은 다낭성 난소 증후군과 비슷한 증상을 보인다(p 40). 주의 깊은 의사는 2형 당뇨병이나 고

혈압 환자에 동반된 증상이나 징후를 보고 쿠싱 증후군을 발견 한다. 최근에는 다른 질환에서 검사를 시행하다가 부신이나 뇌하수체에서 우연히 종괴가 발견되어 쿠싱 증후군을 진단하는 환자가 늘고 있다.

징후

전형적인 징후는:
- 중심 비만(견갑골 사이 지방축적에 의한 buffalo hump)과 근위부 근병변에 의한 가는 다리와 팔(lemon on a stick 모양, 그림 1)
- 자주빛의 현저한 선조와 쉽게 멍이 드는 증상(그림 2)
- 얼굴은 붉고 둥근 모양(moon face).

다른 징후에는 얇은 피부, 근위부 근육 위축, 고혈압, 다모증, 피부 감염, 상처 지유 지연 등이 있다. 많은 환자에서 이상과 같은 전형적인 징후를 보이지 않는 경우가 많으며, 과거의 이전 사진과 현재의 모습을 비교해보면 도움이 될때가 있다(그림 3). 감염이 흔하나 고농도의 코르티솔에 의해 발열이나 국소 염증 징후가 억제되어 진단이 어려울 때가 있다.

검사

흔한 이상 소견은:
- 적혈구 증가, 호중구 증가
- 저칼륨혈증, 알칼리증
- 혈당 상승
- 당화혈색소 상승
- 고지질혈증
- 소변 미생물검사에서 감염 소견
- 흉부 방사선에서 감염 소견

표 1. 쿠싱 증후군의 분류	
코드티코스테로이드 과잉의 원인	원인
외인성	약물 치료
내인성	
ACTH 의존성	부신피질선종, 부신피질암, 일차성 부신 결절 증식증 (드묾)
ACTH 비의존성	뇌하수체 선종(쿠싱병) 이소성 ACTH 증후군(드묾)

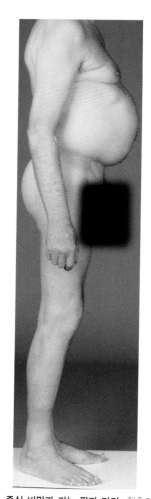

그림 1. **중심 비만과 가는 팔과 다리.** 척추의 굴곡은 골다공증에 의한 척추의 압박 골절에 의한다.

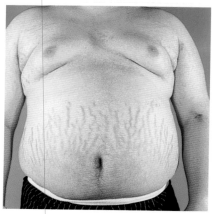

그림 2. **넓고 뚜렷한 피부 선조, 몸통 비만과 멍듦(좌측 전주와)**

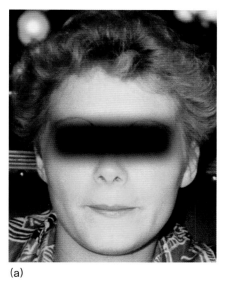
(a)

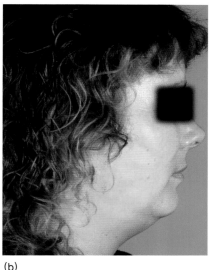
(b)

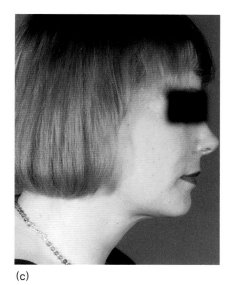
(c)

그림 3. **쿠싱증후군 환자의 얼굴 모습. (a)발병 전 (b)진단 시 (c)치료 후**

■ 척추 방사선에서 골절 소견

■ DEXA에서 골밀도 저하

다발성 골절은 남성에서 현저하다(그림 5, p 23). 쿠싱 증후군에서 상태가 나쁘거나 빈맥 또는 저혈압이 있으면 잠복된 감염을 찾기 위해 혈액 및 소변검사, 객담 배양검사, 흉부 방사선, 복부 초음파나 CT 검사를 시행한다.

다음 단계는 코르티솔 과잉의 증명이다(표 2). 다른 질환(예를 들어 심부전)으로 갑자기 상태가 나빠진 경우에는 검사를 하지 않는다. 급성 질환에 대한 생리적 반응으로 코르티솔 분비가 증가된 것을 쿠싱 증후군으로 오인할 수 있기 때문이다. 쿠싱 증후군에서 혈청 코르티솔은 야간 수면중에도 검출 가능하고(>1.8 μg/dL), 저용량 덱사메타손 투여 후에도 증가된다(Box 1). 전형적이거나 중증 쿠싱 증후군에서는 혈청과 소변 코르티솔이 높을 수 있으나, 경도의 환자는 정상 수치를 보여 쿠싱 증후군을 제외할 수 있는 간단하

Box 1 저용량 덱사메타손 억제 검사

1. Day 0에 덱사메타손 투여전 9시에 혈청 코르티솔 측정

2. Day 0, day1 의 48시간 동안 9시, 15시, 21시, 3시에 경구 덱사메타손 0.5mg 복용

3. Day 2의 9시에 혈청 코르티솔 측정

고 믿을만한 외래에서 시행할 수 있는 선별 검사는 타액의 유리 코르티솔 측정이다.

쿠싱 증후군의 병소 결정에서 혈장 ACTH가 검출 한계 이하이면 부신 질환을 시사한다. ACTH는 빠르게 분해되기 때문에 혈액 샘플을 잘못 다루면 ACTH가 낮게되어 오진할 우려가 있다. ACTH 의존성 쿠싱병에서는 덱사메타손이나 부신피질 자극호르몬 방출호르몬을 이용한 역동적 검사에 반응하여 혈청 코르티솔이 변화한다. 이것은 뇌하수체 선종에서 피드백 조절이 일부 남아 있기 때문이다. 한편 이소성 ACTH 증후군은 역동적 검사에 반응을 보이지 않는다. 저칼륨성 알카리증은 매우 고농도의 혈청 코르티솔에서 나타나며 이소성 ACTH 증후군을 시사한다.

치료

감염, 저칼륨혈증, 고혈당, 고혈압, 정신적 문제 등의 조절이 초기에 필수적이다. 다음에 코르티솔 생산을 억제하는 내과적 치료는:

■ 케토코나졸(ketoconazole)(스테로이드 생산 경로 차단)

■ 메티라폰(metyrapone)(11 β-수산화효소 차단)

■ 미토탄(mitotane)(항아드레날린제)

중증 쿠싱 증후군에서는 수술 전 6주 동안 내과 치료를 시행하여 수술 후 창상 치유를 좋게한다. 확실한 치료는 종양의 수술적 절제이다. 쿠싱병에서는 경접형동 뇌하수체 절제술, 코르티솔 분비 부신 선종에서는 부신 절제술을 시행한다. 수술 받은 모든 환자에서 수술 치료가 부신 기능저하증 상태를 만드므로 코르티코스테로이드를 투여 한다. 내인성 호르몬 분비 축이 회복될 때까지 수개월간 하이드로코르티손 보충이 필요하다. 수술적 절제가 불가능하거나 병소가 발견되지 않으면 다른 치료 방법으로 양측 부신 절제술 또는 뇌하수체 방사선 치료를 시행한다.

표 2. 쿠싱 증후군의 검사

확정검사	병소 위치
저용량 덱사메타손 억제 검사(Box 1)	부신피질 자극호르몬과 코르티솔 쌍의 측정
밤중 코르티솔 수치	
혈청 코르티솔 일중 변동	ACTH 방출 호르몬 검사
24시간 소변 유리 코르티솔	뇌하수체 MRI
하룻밤 덱사메타손 억제 검사	부신 CT
	흉부 방사선 또는 CT 스캔
	추체 정맥동 채혈 ACTH 검사

쿠싱 증후군

– 쿠싱 증후군에는 ACTH 의존성과 비의존성이 있다.

– 쿠싱병은 ACTH 분비 뇌하수체 선종에 일어난다.

– 광범위한 대사성 이상이 나타난다.

– 증상이 없거나 비전형적인 경우도 많다.

– 순환하는 코르티솔 수치가 높으나, 신뢰성이 높은 간단한 선별 검사는 타액에서 유리 코르티솔 측정이다.

– 감염이 잠복될 수 있으며 찾아 내서 적극적으로 치료해야 한다.

– 수술 전에 내과 치료가 필요하다

– 확실한 치료는 수술적 절제이다.

부신 피질 선종과 암

부신피질 종양에는 양성 선종과 악성 종양이 있다. 기능성 부신 종양은 호르몬을 분비한다. 호르몬을 과잉 분비하지 않으면 비기능성 종양이라고 한다. 부신 종괴는 다른 질환으로 검사 중 영상학적 검사에서 우연히 발견되는 경우가 많다(그림 1). 종괴가 발견되면 종양의 특성과 기능을 밝히는 검사가 시행되어야 한다. 산발적인 부신 선종의 원인은 알려져 있지 않지만 아마도 유전자 변이에 의해 발생하는 것으로 생각 되고 있다. 부신 선종이 흔한 유전질환은:

- 다발성 내분비 선종증 1형
- 선천성 부신 증식증
- Beckwith-Wiedemann 증후군
- Carney complex

부신선종 발견 가능성은 나이에 따라 증가하여 60세 이상에서 약 6%가 부신 선종을 가지고 있다. 부검 연구에서도 양성 부신 선종은 5%에서 발견된다.

증상과 징후

대부분의 환자에서는 선종과 관련된 증상이 없다. 그러나 이렇게 증상이 없는 환자에서도 정밀 검사를 시행해보면 스테로이드 호르몬을 과잉 분비하는 이상을 발견할 수 있다. 가장 흔한 이상은 코르티솔 과잉 분비이며, 약간의 과잉 분비에서도 체중 문제, 고혈압, 당뇨병과 관련이 있다. 일부 선종에서는 스테로이드 호르몬의 과도한 분비에 의해 명확한 증상이 나타나는 경우도 있다. 코르티솔 과잉 분비는 쿠싱 증후군을 일으키고, 알도스테론 과잉 분비는 원발성 알도스테론증, 남성 호르몬 과잉 분비는 여드름과 다모증을 일으킨다. 드물지만 선종 내로 출혈이 발생할 수 있으며 이때는 요통, 옆구리 통증을 일으킨다.

검사

대부분의 경우는 다른 질환에 대한 CT나 MRI 검사에서 우연히 발견된다. CT 검사로 환자의 0.3~11%에서 부신 우연종이 발견된다. 약 80% 경우는 양성 비기능성 부신피질 선종이다. 부신암은 크기가 6 cm 이상이고 흔히 균일하지 않은 형태를 보인다(그림 2). 안드로겐을 분비하는 병변은 암인 경우가 많다. 암은 부신 정맥과 하대정맥을 통해 폐, 간, 뼈에 전이된다. 국소 침윤도 나타날 수 있다.

부신 종괴가 다른 기관의 암(보통 폐 또는 위장관)이 전이된 것일 수도 있다. 일반적으로 암의 기원은 병력 청취, 임상 검사 또는 흉부엑스선 같은 간단한 검사로 알 수 있다. 전이 암의 CT 또는 MRI 소견은 양성 부신 종양과 다른 소견을 보인다. 부신 종괴가 갈색세포종일 수도 있다(p 32).

영상 소견만으로 기능성과 비기능성 부신 병변을 구분할 수 없으며, 내분비 검사가 필수적이다:

- 요소, 전해질, 혈장 칼륨
- 누워 있는 상태에서 혈장 레닌과 알도스테론
- 테스토스테론
- 17-하이드록시프로게스테론
- 디하이드로에피안드로스테론

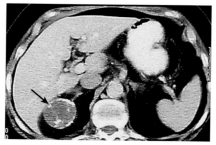
그림 2. **우측 부신 피질암의 균일하지 않은 특성 (화살표)**

- 안드로스테네디온
- 에스트라디올
- 프로게스테론
- 혈청 코르티솔(저용량 덱사메타손 억제 검사)
- 유리 카테콜라민(24시간 소변 수집)

피임약을 복용하고 있는 환자는 피임약이 스테로이드 호르몬 검사 결과 해석에 영향을 미칠 수 있으므로 혈액 검사 전 6주 동안 중단하도록 권고하고 다른 방법(콘돔과 살정제)을 사용하도록 한다.

치료

호르몬을 과잉 분비하지 않고, 4 cm 보다 작은 양성 소견을 보이는 부신 선종은 변화가 없는지 추적 관찰 한다. 모든 기능성 부신피질 선종은 수술적 치료를 고려하며 대부분 완치된다. 코르티솔이 과잉 분비되는 모든 환자는 수술 전후에 코르티코스테로이드 투여가 필요하다(p 25). 좌측 부신 절제술을 시행하는 환자에서는 합병증으로 비장절제술이 시행될 수 있으므로 폐렴구균에 대한 예방접종을 시행 한다.

CT 또는 MRI에서 불명확한 부신 종괴(크기 > 4 cm, 출혈 및 변성 소견, 또는 불균일한 양상)는 악성의 가능성이 있어 절제를 고려 한다. 부신피질 암에서 저용량의 mitotane(항아드레날린제)이 증상을 완화하고 생존을 높이는데 도움이 될 수 있지만, 대부분의 종양은 항암치료나 방사선치료에 반응하지 않는다. 기능성 부신피질 암 환자에서는 호르몬 분비가 조절되면 상당한 증상 완화를 보인다.

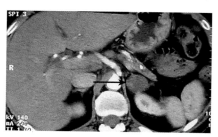
그림 1. 만성 췌장염 환자에서 우연히 발견된 양성 비기능성 부신피질선종(화살표)

부신피질 선종과 암

- 부신의 우연한 종괴는 스캔의 10%에서 발견 된다.
- 대부분은 부신피질 선종이다.
- 기능성 병변은 영상학적으로 비기능성 병변과 구별될 수 없다.
- 양성과 악성 병변은 보통 영상학적으로 구별할 수 있다.

선천성 부신 증식증

선천성 부신 증식증(congenital adrenal hyperplasia, CAH)은 흔한 유전 질환 중의 하나이며 코르티솔 생산 경로의 효소 결함에서 발생한다(그림 2, p 22). 21 수산화효소(21-hydroxylase) 유전자 변이가 90%에서 발견 된다. 상염색체 열성 유전되고, 대립유전자 양쪽에 이상 소견이 있다. 코르티솔 생산에 문제가 있으면 부신 스테로이드 전구물질인 17-하이드로시프로게스테론이 축적된다. 코르티솔 저하에 대한 반응으로 시상하부-뇌하수체 축을 통해 ACTH가 상승한다. ACTH의 작용으로 결함 효소 이전의 스테로이드 전구물질 생산이 증가하고 부신피질의 증식을 일으킨다.(그림 1). 전구물질은 다른 경로로 들어가 디하이드로에피안드로스테론(DHEA)과 안드로스테네디온과 같은 부신 안드로겐을 만든다.

증상과 징후

다음과 같은 3가지 형태로 나타난다:

- 염분 소실형
- 단순 남성화형
- 비전형적 지연 발현형

전형적인 염분 소실 형에서는 코르티솔과 알도스테론 결핍에 의해 순환 허탈과 저혈당이 나타나서 생명에 위협이 될 수 있다. 단순 남성화형은 안드로겐 전구물질의 축적으로 여성 태아에서 남성화가 나타난다(그림 2). 출생시 애매한 외성기가 특징적이다. 음핵이 비대되고, 음순의 융합과 치모가 있으나(안드로겐 증가에 의한), 고환은 보이지 않는다

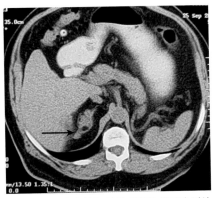

그림 1. **치료하지 않은 부신 증식증 환자의 전산화 단층 촬영 영상. 부신 내의 검은 부분은 부분은 adrenomyelolipoma이며 선천성 부신증식증에서 지방 종괴 소견이다.**

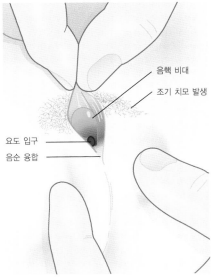

음핵 비대
조기 치모 발생
요도 입구
음순 융합

그림 2. **선천성 부신 증식증 여아의 임상 소견**

(여성 성선을 가지고 있으므로). 출생후에 여성의 남성화가 계속되어 사춘기가 빨라 키가 작아진다. 남성화 정도는 염분 소실 정도를 반영하지 않는다.

남성에서 안드로겐 과잉은 소아 후기에 나타나며, 사춘기가 빨라져 성장판의 조기 융합으로 키가 작아지며, 골격근과 음경이 커진다(유아 헤라클레스, infant Hercules). 음경은 발달되나 부신에서 생산되는 안드로겐이 뇌하수체-생식선 축을 억제하여 고환은 작고 비정상적이다. 남아에서는 애매한 성기가 나타나는 경우가 드물어 진단을 놓치는 경우가 많아 염분 소실 및 순환 허탈을 일으키는 경우가 많다.

비전형적 임상 증상은 경미한 유전적 결함에 의한 효소 기능 부분적 결핍에서 나타나며 주로 여성에서 볼 수 있다. 증상은 보통 사춘기 후에 시작되고 임상적 특징이 다낭성 난소 증후군과 비슷하다(다모증, 불규칙적인 생리와 여드름).

검사

전형적 염분 소실형에서는 혈청 나트륨이 낮고, 혈청 칼륨은 높으며, 산혈증을 보인다. 저혈당이 있을 수 있다. 소변으로 염분 소실이 있다. 혈청 코르티솔과 알도스테론은 비정상적으로 낮고 혈장 레닌은 상승되어 있다. 전형적 형태에서 진단적 검사는 혈청 17-하이드록시프로게스테론 상승이다. 비전

형적 형태에서 17-하이드록시프로게스테론 기저치는 정상 범위이지만, 합성 ACTH를 투여하여 자극하면 과장된 상승을 볼 수 있다(Box 1, p 25).

태아의 CAH 위험성 평가에 유전자 검사가 유용하다. CAH 환자는 태아에게 하나의 대립유전자를 전해주고 태아는 적어도 하나의 변이 대립 유전자를 가진 보인자가 된다. 부모 양쪽이 변이 대립 유전자를 가진 보인자이며 이 유전자가 태아에게 전달되면 태아는 CAH가 된다. 이런 위험성은 부모가 근친 관계일때 더욱 커진다. 부모가 근친 관계가 아니라고 해도 21-수산화효소 유전자 변이는 서양인에서 매우 흔하다. 출생시 진단을 위해 제대혈에서 혈청 17-하이드록시프로게스테론을 측정한다.

치료

코르티코스테로이드로 치료하며 중증에서는 광질 코르티코이드를 사용한다. 소아에서 저용량으로 시작하여 혈청 17-하이드록시프로게스테론, 성장과 발달을 감시한다. CAH 위험성이 높은 임신에서 태아의 부신 증식증과 외성기의 남성화는 태반 통과가 가능한 합성 코르티코스테로이드제 덱사메타손을 모친에게 투여하여 예방할 수 있다. 비전형적 형태에서는 저녁에 저용량의 스테로이드를 투여하여 ACTH를 억제하고 부신피질 증식을 감소시키며 증상을 완화시킬 수 있다. 성인에서 치료 방법은 ACTH 억제를 위해 밤에 프레드니솔론 5 mg을 투여하고 아침에 부신 기능저하증을 방지하기 위해 2.5 mg을 투여한다.

선천성 부신 증식증

- 선천성 부신 증식증은 상염색체 열성 유전 질환이다.
- 출생 시부터 증상이 시작되어 성인 초기까지 계속된다.
- 여성에서 남성화가 나타난다.
- 질병의 중증도는 다양하다.
- 혈청 17-하이드록시프로게스테론이 증가한다.
- 부신 스테로이드 보충으로 치료한다.

갈색세포종과 부신경절종

갈색세포종은 부신 수질의 종양이며 크롬 친화 세포에서 기원한다. 크롬친화 세포라는 명칭은 조직 슬라이드를 화학물질(크롬염)으로 염색했을 때 갈색으로 염색되는 변화에서 유래하였다. 갈색세포종은 노르아드레날린 (노르에피네프린)과 아드레날린(에피네프린)을 과잉 분비한다. 일부 종양에서는 이소성 펩티드 호르몬을 분비하고, 어떤 경우에서는 아무 호르몬도 분비하지 않는다. 부신경절종은 조직학적으로 유사하며 역시 크롬친화 세포에서 기원한다. 부신경절종은 두개골 기저부에서부터 골반 바닥까지 전체 교감신경계를 따라 어디서나 나타날 수 있다. 부신경절종은 남성과 여성에서 모두 이십대에서 삼십대에 흔히 발생하며, 갈색세포종보다 호르몬 분비가 적다. 주로 노르아드레날린을 분비하며 도파민 분비는 적다. 부신경절종의 흔한 위치는, 신장 유문부의 대동맥 주변(46%), Zukerkandl(29%), 흉부 척추 주위(10%), 방광(10%), 머리와 목(2~4%)이다. 머리와 목에서 80%가 경동맥체 또는 사구미주종양이다. 악성 부신경절종은 40%로 갈색세포종 (2~11%)보다 높다.

갈색세포종을 기억하는 고전적인 10% 법칙은:

- 10%는 악성
- 10%는 부신 밖에서 발견(부신경절종)
- 10%는 양측성
- 10%는 가족성

최근의 연구에서 가족성 환자의 30%에서 갈색세포종과 부신경절종이 있는 것으로 알려졌다(표 1).

증상과 징후

많은 갈색세포종 환자가 사망하여 부검시에 진단된다. 주된 임상 증상은 고혈압이다 (그림 1). 고혈압은 종종 변화하며 지속되지 않는다. 따라서 정상 혈압이 갈색세포종 진단을 배제할 수 없다. 부수적으로 나타나는 증상은:

- 발한   두통
- 심계 항진   불안
- 졸도   복통
- 배변 습관 변화
- 체중 감소, 발열

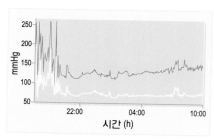

그림 1. 갈색세포종 환자에서 혈압 변동(빨간색: 수축기, 흰색: 이완기)

혈압 상승시 빈맥은 갈색세포종을 의심케 한다. 최근 복부 영상 검사에서 우연히 부신 종괴가 발견되어 진단되는 경우가 늘고 있다. 중증 고혈압 발증, 마비성 장폐색, 심부전 등의 임상 증상은 종양 생검 등의 조작 또는 다른 물리적 스트레스에 의해 일어날 수 있다. 유전적 질환의 특징이 동반되는 경우가 있다(표 1).

갈색세포종은 임신 시에도 나타날 수 있다. 이 경우 전자간증과 비슷한 증상이 나타나서 임상적으로 문제가 될 수 있다. 그러나 자간증은 임신 3기 전에는 드물며, 임신 1기, 2기에 나타난 어떤 고혈압에서도 갈색세포종을 제외해야 한다.

검사

자주 혈압이 변하거나 지속되는 고혈압 환자 및 앞에서 설명한 증상이 있는 모든 환자에서 갈색세포종에 대한 검사를 시행해야 한다. 증상 이외에 검사가 필요한 다른 소견으로 고혈당과 혈장 칼륨 저하가 있는 고혈압 환자가 포함 된다. 대사성 산혈증도 있을 수 있다.

흔히 사용되는 검사는 24시간 소변에서 유리 카테콜라민, 노르아드레날린 및 아드레날린 또는 그 대사 산물 측정이다. 혈장 노르아드레날린과 아드레날린 측정은 고혈압 발증시에 유용하다. 고혈압 환자에서 이러한 카테콜라민치가 정상이면 갈색세포종 진단 가능성은 적다. 노르아드레날린과 아드레날린은 혈액 내 반감기는 매우 짧으며(30~120초) 종양 내에서도 대사 된다. 노르아드레날린의 대사산물인 혈장 노르메타네프린 측정은 갈색세포종 진단에 매우 유용하다. 임상적으로 갈색세포종이 의심 되나 생화학 검사로 진단되지 못하면 생화학 검사 반복과 CT 스캔을 시행한다.

CT 또는 MRI는 종양 위치 결정에 매우 중요하다(그림 4). [123I]-MIBG (metaiodobenzylguanidine) 동위원소 검사는 병변을 확인할 수 있다. 이 이미지는 다발성 병변이나 부신외 병변 확인에 도움이 된다(그림 5). 갈색세포종 또는 부신경절종이 의심되는 종괴에 대한 생검이 가능하나 실제로 시행하는 경우는 매우 드물다. 양측성 또는 다발성 종양은 유전성 질환의 동반을 시

표 1. 가족성 갈색세포종의 특징	
유전 질환	추가 특징
다발성 내분비 증후군 2형	갑상선 수질암, 일차성 부갑상선 기능항진증
Von Hippel-Lindau 병	망막성 혈관종(그림 2), 중추신경계 혈관모세포종, 신세포암/낭종, 췌장낭종
신경섬유종증 1형	Café-au-lait 병변(그림 3), 피부 신경종, 액와 주근깨
가족성 부신경절종 증후군	경동맥체 종양, 다발성 부신경절종, succinate dehydrogenase 변이

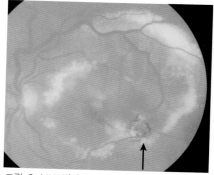

그림 2. VHL병에서 레이저 치료한 망막 혈관종 (화살표)

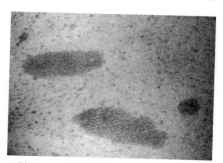

그림 3. 1형 신경섬유종증에서 Café au lait 병변. 모서리가 불규칙한 McCune Albright 증후군과 달리 완만하다.

사한다. 유전성 질환을 나타내는 다른 징후는 젊은 나이에 발견이다(<50세). 젊은 환자나 가족력이 있으면 좀 더 주의하여 검사해야 하며, 이는 긴급한 치료가 필요한 다른 동반된 종양이 있기 때문이다(그림 6). 가족성 갈색세포종과 부신경절종 환자에서 유전자 검사가 유용하다. 유전자 검사는 가족에서 신속한 선별 검사를 통해 조기 진단을 내릴 수가 있으며, 이로 인해 증상이 나타나기 전에 치료가 가능할 수 있다.

카테콜라민 상승은 심부전이나 임상 증상이 없는 수면 무호흡증과 같은 질환에서도 볼 수 있다. 유입 채널을 차단하는 코카인이나 데시프라민과 같은 항우울제 복용은 갈색세포종과 같은 임상 증상을 나타낼 수 있다.

치료

종양에서 고농도의 노르아드레날린이 분비되어 시냅스 후 뉴런의 아드레날린 수용체에 작용한다(그림 7). 치료에 먼저 알파 아드레날린 수용체 차단제를 사용한다. 흔히 사

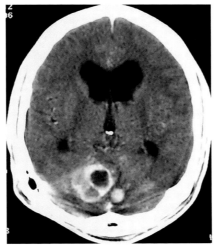

그림 6. **부신경절종과 VHL 병 환자에서 수두증을 일으킨 후와 혈관모세포종의 CT**

용되는 약제는 페녹시벤자민이다. 베타 아드레날린 수용체 차단제가 심장 보호를 위해 사용되나 알파 차단제 보다 먼저 사용해서는 절대 안된다. 베타 차단제 작용은 혈관 확장

과 알파 아드레날린 작용에 의한 고혈압의 방지이다. 알파차단제 보다 베타차단제를 먼저 사용하면, 알파 아드레날린 작용이 더욱 심해져 고혈압을 악화시키게 된다.

침습적 시술과 수술은 아드레날린 수용체 차단이 완전히 이루어진 후에 시행되어야 한다. 수술전 72시간 동안 250 ml의 생리식염수에 0.5mg/kg의 페녹시벤자민을 매일 2시간에 걸쳐 정맥 투여한다. 이러한 치료 결과 혈관 확장과 혈액 희석 효과에 의한 혈색소 저하가 나타난다. 혈액 용적과 혈색소를 회복하기 위해 때로 수혈이 필요하다. 종양 조작시 나타나는 갑작스런 고혈압 및 종양 제거 후 갑작스런 저혈압이 나타나므로 숙련된 마취가 필요하다. 이러한 저혈압은 보통 수혈 또는 용적 보충에 반응한다.

악성 병변은 고방사능을 가진 MIBG로 치료할 수 있다. 전이성 병변은 진행이 더디며, 장기간의 알파 그리고 베타 차단제의 사용으로 치료할 수 있다.

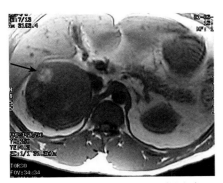

그림 4. **우측 부신 갈색세포종의 MRI(화살표)**

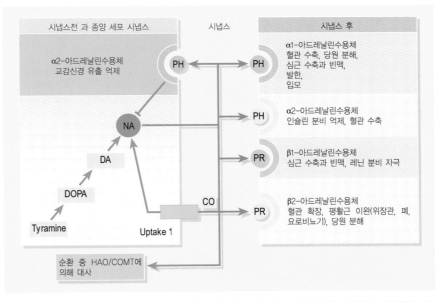

그림 7. **카테콜라민의 약리학과 대사.** 페녹시벤자민(PH)은 모든 알파 아드레날린 수용체를 차단한다. 프로프라놀롤(PR)은 모든 베타 아드레날린 수용체를 차단한다. 코카인(CO)은 시냅스에서 노르아드레날린(NA)을 받아들이는 유입 채널1을 차단한다. 시냅스의 과도한 카테콜라민은 MAO 에 의해 대사되고 혈액에서는 COMT에 의해 대사된다. 노르아드레날린은 도파민(DA)으로부터 생성이 되어서 분비 과립(빨간원)에 저장되어 있다.

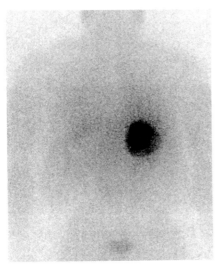

그림 5. **123I-MIBG 스캔에서 우측 부신 갈색세포종의 섭취**

갈색세포종과 부신경절종

– 갈색세포종은 부신수질의 종양이다. 부신경절종은 교감신경계의 어떤 부분에서도 발생할 수 있다.

– 불안정한 고혈압에서 갈색세포종을 고려해야 한다.

– 다양한 임상 증상이 흔히 나타난다.

– 분비성 종양이 부신 밖에 위치하는 경우가 있다.

– 치료는 항상 베타차단제 사용전에 알파 차단제로 시작한다.

– 수술적 치료 전에 아드레날린 수용체 차단제를 사용해야 한다.

성과 임신: 기본 개념

시상하부는 성선 축에 대한 주된 조절 중추이다. 시상하부 신경은 성선 자극호르몬 방출호르몬(GnRH)를 문맥 순환으로 분비하여 뇌하수체 전엽으로 수송한다. GnRH는 뇌하수체 전엽의 성선 자극세포에서 황체 형성호르몬(LH)과 난포 자극호르몬(FSH)을 분비하도록 자극한다. GnRH는 박동적으로 분비된다. GnRH를 지속적으로 투여하면 LH와 FSH가 처음에는 증가하나 그 후에는 억제된다. 이러한 특징으로 전립선암 같은 호르몬 감수성 암 치료에 이용이 된다.

LH와 FSH는 순환하여 성선을 자극한다. LH는 성호르몬을 만드는 세포를 자극하고, FSH는 생식세포 성숙을 조절하여 난자와 정자를 만든다. 성선의 성호르몬과 펩티드 호르몬은 시상하부와 뇌하수체의 피드백 조절에 관여한다(그림 1). 여성의 성호르몬에는 에스트라디올, 프로게스테론, 안드로스테네디온, 테스토스테론이 있다. 여성에서 저농도의 에스트라디올은 LH 분비를 억제하나 고농도에서는 분비를 촉진하는 양성 피드백을 일으킨다. 테스토스테론은 남성에서 주된 성호르몬이며 시상하부와 뇌하수체에 음성 피드백 작용을 한다(그림 2). 성선의 펩티드 호르몬에는 FSH 생산을 억제하는 인히빈과 자극하는 액티빈이 있다. 고차원적인 대뇌의 많은 화학적 인자가 시상하부 기능에 영향을 주어 GnRH 분비를 조절한다. 주요 비호르몬적인 억제인자는 운동, 그리고 물리적 및 정신적 스트레스가 있다.

성분화

태아에서 성분화의 초기 상태는 여성으로 발달하도록 되어있다. 이 상태를 바꾸어 남성으로 분화를 유도하기 위해서는 특수한 인자가 필요하다(그림 3). 첫번째 인자는 Y 염색체의 유전자이며 고환 결정인자를 생산하여 분화되지 않은 성선을 고환으로 발달을 조절한다. 이것은 7주 태아에서부터 시작된다. Y 염색체가 없으면 성선은 난소가 된다. 그후 태반에서 나오는 융모 성선 자극호르몬(HCG)의 자극으로 고환에서 테스토스테론을 생산한다. 임신 10~20주가 되면 테스토스테론과 디하이드로테스토스테론이 남성 성기관의 발달을 자극한다. 고환에서 분비되는 Mullerian 억제인자가 Mullerian기관의 퇴행을 일으킨다. 테스토스테론과 mullerian 억제인자가 없으면 여성 형태가 유지된다. 태아 성장 후반기가 되면 고환은 서혜부 고리를 통해 음낭으로 내려오고 테스토스테론 대사물인 디하이드로테스토스테론의 영향으로 음경이 성장한다. 태아의 시상하부-뇌하수체-성선 축은 임신 20주부터 기능이 가능해지지만, 완전한 기능은 사춘기에 시작된다. 드물지만 병적 발생에서 중요한 예는 과거 고환 여성화(testicular feminization)라고 불렸던 안드로겐 불응 증후군(androgen insensitivity syndrome)이다. 이 질환은 안드로겐 수용체 유전자의 변이에 의해 안드로겐이 작용하지 않으며, 치모와 체모가 없고 여성의 외성기를 가진다(그림 4). 성선은 고환으로 기능하여 Mullerian 억제인자를 생산하므로 자궁과 자궁경부가 없다. 환자는 원발성 무월경증으로 병원에 오게 된다. 에스트로겐의 작용이 테스토스테론에 의해 억제되지 않기 때문에 유방은 잘 발달된다. 이렇게 복잡한 발생과정으로 성 결정에 문제가 된다(표 1).

사춘기

GnRH의 박동적 분비는 사춘기에 시작하며, 결정적인 신체 크기에 도달하면 유발된다. LH와 FSH가 증가하여 성선 성숙 자극에 더하여 많은 사춘기 변화를 일으킨다(표 2).

남아에서 LH는 라이디히세포에서 테스토스테론 생산을 자극하고 FSH는 정세관과 정자형성을 자극한다. 고환의 90%를 정세관이 차지하여 부피가 증가한다(그림 5). 테스토스테론과 그 대사물인 디하이드로테스토스테론은 남자의 2차 성징을 만든다. 음낭의 피부가 검고 두꺼워지며, 음경이 자라고 액모와 치모가 난다.

여아에서 LH와 FSH는 과립막세포에서 에스트라디올과 프로게스테론 생산을 자극

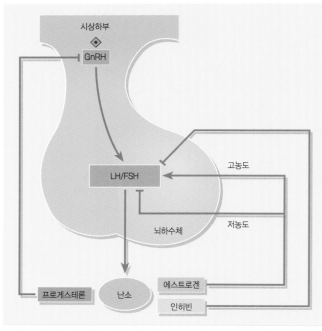

그림 1. **여성의 시상하부-뇌하수체-성선 축.** 성선 자극호르몬 방출호르몬(GnRH); 황체 형성호르몬(LH); 난포 자극호르몬(FSH)

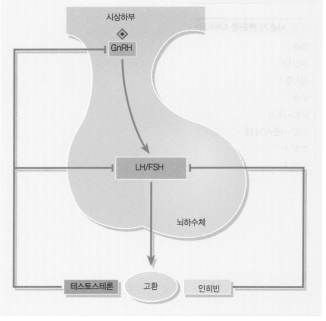

그림 2. **남성의 시상하부-뇌하수체-성선 축.** 성선 자극호르몬 방출호르몬(GnRH); 황체 형성호르몬(LH); 난포 자극호르몬(FSH)

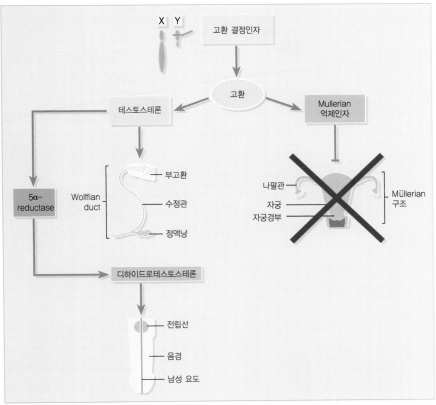

그림 3. **남성 성분화.** X 표시는 Müllerian 억제인자에 의한 Müllerian 기관의 퇴행을 의미한다.

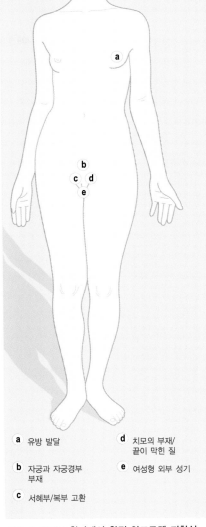

a　유방 발달　　　　　d　치모의 부재/
　　　　　　　　　　　　　끝이 막힌 질
b　자궁과 자궁경부　　e　여성형 외부 성기
　　부재
c　서혜부/복부 고환

그림 4. **46XY 환자에서 완전 안드로겐 저항성**

표 1. 성의 정의

기준	내용
법률적	출생 증명서
염색체 내용	46XX 또는 46XY
성선의 존재	고환을 가진 남성 난소를 가진 여성 남성 가성반음양증: 고환이 있으나, 여성의 성적 특징을 가짐 여성 가성반음양증: 난소가 있으나 남성의 성적 특징을 가짐. 반음양: 고환과 난소를 같이 가지고 있음.
표현형	이차 성징 Wolffian/mullerian 발생, 임상적으로 자궁의 존재로 접근함.

표 2. 사춘기 변화를 나타내는 용어

용어	정의
부신사춘기	치모와 액모 발생
성사춘기	성선 성숙(부신사춘기 2년 후)
초경	월경 시작
유방사춘기	유방 성장
조발 사춘기(남성)	9세 이전에 2차 성징 발생
조발 사춘기(여성)	8세 이전에 2차 성징 발생
지연 사춘기(남성)	15세까지 2차 성징이 발생하지 않음
지연 사춘기(여성)	14세까지 2차 성징이 발생하지 않음

그림 5. **고환의 부피를 평가하는Prader 고환 측정기.** 사춘기 전 1~3 mL에서 성인에 15~25 mL 로 증가. 부고환을 분리하고 고환 위의 음경 피부를 당겨 고환 조직만의 크기를 측정한다.

한다. 이들은 유방 발달, 엉덩이에 지방 축적, 질과 자궁의 크기와 분비를 일으킨다. 소녀에서 치모와 액모은 부신 안드로겐의 작용으로 발생하며 난소의 발달과 일치하지 않을 수 있다. 양쪽 성에서 성호르몬은 뼈의 성장판을 자극하여 성장을 촉진하며 성장판이 닫히면 중단된다.

성과 생식

- 시상하부에서 GnRH의 박동적 분비는 LH/FSH 분비를 자극한다.
- LH는 성호르몬의 생산을 자극한다.
- FSH는 생식 세포가 정자와 난자로 분화하도록 자극한다
- 고환의 발생에는 Y 염색체의 고환 결정인자가 필요하다.
- 난소의 발생은 설정되어 있다.
- 테스토스테론과 디하이드로테스토스테론은 남성에서 2차 성징을 만든다.

남성 성선 기능저하증

기본 개념

정세관은 고환 부피의 90%를 차지하며 정자를 생산한다. 정자는 세르톨리세포의 도움으로 정세관의 생식 세포에서 발생된다. 라이디히세포는 정세관 사이에 혈관에 인접하여 위치하며 테스테스테론과 다른 성호르몬을 생산한다.

라이디히세포에서 테스테스테론의 국소 생산은 세르톨리세포 기능에 중요한 역할을 한다.

테스토스테론의 작용

테스토스테론은 성호르몬 결합글로불린(SHBG) 및 다른 단백질과 결합하여 순환한다. 순환하는 테스토스테론의 약 2%가 유리형이며 이들이 세포내로 들어간다. 테스토스테로온 세포내에서 5α-reductase의 작용으로 보다 활성이 높은 대사물 디하이드로테스토스테론이 된다(그림 1). 디하이드로테스토스테론의 안드로겐 수용체 결합은 테스토스테로온 보다 약 5배 강하여 5α-reductase가 발현되는 고환, 전립선, 피부, 간, 신장 등에서는 디하드로테스토스테론이 강하게 작용한다. 테스토스테론은 모든 조직에 작용한다.

원인

성선 기능저하증의 원인은 성선 자극호르몬 저하성 성선 기능저하증과 일차성 성선 기능저하증으로 구분된다(표 1).

노화, 혈관질환, 당뇨병, 과도한 운동, 비만, 신체 질환, 심한 정신적 스트레스, 그리고 당질 코르티코이드와 같은 약물은 성선 기능저하증의 흔한 원인이다. 여러가지 유전 질환이 성선 자극호르몬 저하성 성선 기능저하증의 원인이 되며, 이들은 증상이 비교적 어린 나이에 시작되고 동반된 임상적 특정이 있다.

잠복고환(cryptorchidism)은 고환이 음낭 바닥으로 내려 오지 않는 이상이다. 잠복고환은 원인이 불명한 특발성이거나 선천적 성선 자극호르몬 저하성 성선 기능저하증 또는 유전 질환(예, Noonan 증후군, 심장 기형과 안면 이상 동반) 관련이 있다. 이하선염성 고환염은 이하선염에 대한 예방 접종으로 감소되었다. 그러나 HIV 감염과 관련되어 증가하고 있다.

증상과 징후

나타나는 증상은 나이에 따라 다르다(표 2). 성인에서 발생하는 질환은 보통 서서히

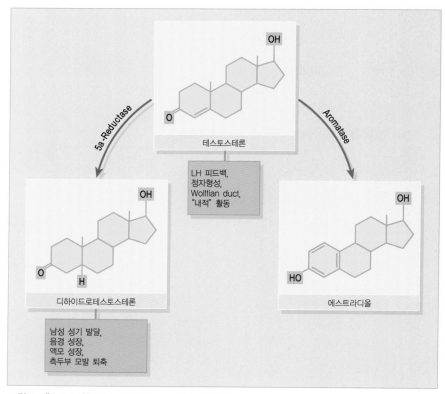

그림 1. 테스토스테론에서 디하이드로테스토스테론 형성

표 1. 일차성 성선 기능저하증의 원인	
성선 자극호르몬 저하성 성선 기능저하증(시상하부/ 뇌하수체 병변)	일차성 성선 기능저하증(고환 병변)
전신질환/스트레스	전신질환/스트레스
뇌하수체나 시상하부 종양(p 16~17)	감염
뇌압 상승	외상
특발성 단독	항암제 치료/방사선 치료
혈색소침착증	잠복고환
칼만 증후군	클라인펠터 증후군
프라더-윌리 증후군(비만, 저신장, 지능저하)	자가면역성
바더-비들 증후군(다지증, 망막색소변성)	긴장성 근이양증

진행한다. 안면 홍조는 급격히 시작된 환자에서 자주 발생한다.

장기간 지속된 성선 기능저하증의 징후는, 얇고 창백하며 가늘게 주름진 피부와 여성형 유방이다. 골다공증성 골절의 증거가 있다(그림 2). 작은 고환과 음경이 해부학적으로 비정상 구조이면, 유전적이거나 선천적 원인을 나타낸다. 사춘기 전 성선 기능저하증에서는 성장판 융합이 지연되어 팔과 다리가 긴 모습(유환관증, eunuchoid)을 보인다.

검사

남성 성선 기능의 임상적 평가는:
- 야간 발기 빈도
- 성기능 빈도
- 자발적 성욕의 빈도
- 피부 두께
- 근력
- 여성형 유방
- 음경과 요도의 해부학적 구조
- 고환 크기
- 팔길이, 키, 체중

치료

건강한 성선 기능저하증 남성에서 테스토스테론 보충은 안전하고 효과적이다. 동반 질환이 있는 환자에서는 주의가 필요하다(표 3). 성선 기능저하증 남성에서 전립선 특이항원(PSA) 증가에 주의해야 하며, 전립선에 대한 정밀 검사 전까지 테스토스테론 보충을 시작하지 않는다.

테스토스테론을 보충하는 여러 경로가 있으나 각각 단점이 있다(표 4). 피부에 바르는

표 2. 성선 기능저하증의 증상	
연령	증상
태아기/신생아기	애매한 외성기 이상, 왜소음경
소아기	사춘기 지연
성인기	성기능 이상, 불임, 골다공증 골절, 빈혈, 안면 홍조, 피로

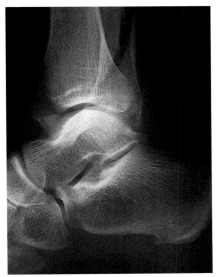

그림 2. 클라인펠터 증후군 노인에서 발생한 골다공증성 골절

젤은 편리하다. 다른 접근으로 3~6개월 마다 근육주사로 시작하며, 아무 문제가 없으면 pellet을 삽입하는 방법이 있다.

여성형 유방

여성형 유방은 남성에서 임상적으로 발견되는 유방 조직의 존재이다(그림 3). 생리적 여성형 유방은 사춘기에 매우 흔하나, 대부분 1년 후에 없어진다. 여성형 유방의 발생은 테스토스테론과 에스트로겐의 균형을 반영한다. 병리적 여성형 유방의 흔한 원인은 약제이다(표 5).

임상적 문제는 진정한 유방 조직과 지방 축적(pseudogynaecomastia)의 구분이다. 유방 조직은 유두에 붙어 있다. 진찰하는 사람이 유방 조직을 누르면 유두가 피부 안쪽으로 들어간다. 발생 원인은 대부분 임상적으로 명확하지만 확인하기 위한 간단한 검사는:

- 지방 축적의 제외
- 흉부 방사선
- 혈청 HCG와 에스트라디올
- 혈청 테스토스테론과 프로락틴
- 혈청 LH/FSH
- 혈청 androstenedione
- 혈청 dehydroepiandrosterone(DHEA)
- 갑상선 호르몬과 갑상선 자극호르몬
- 간기능 검사

치료

유방 조직의 수술적 절제가 필요하다. 에스트로겐 수용체 차단제(예, 타목시펜)나 aromatase 억제제(예, anastrozole) 치료는 효과가 없다.

표 3. 테스토스테론 보충의 효과

호전	악화
성욕	적혈구 증가증
성기능	전립선 비대
기분상태	전립선암
자신감	수면무호흡증
골밀도	공격성
근육량	체간 여드름
콜레스테롤	탈모
빈혈	

클라인펠터 증후군

클라인펠터 증후군은 흔한 염색체 이상이며 500명 출산에서 한명의 빈도이다. X 염색체의 중복(47XXY)이 있다. 사춘기 전에는 잘 진단되지 않는데, 고환이 작지만 정상적으로 만져지기 때문이다. 사춘기에 원발성 성선 기능저하증이 있다. 불임과 여성형 유방이 나타난다. 고환은 작고(보통 < 2 mL, 대부분 < 12 mL) 단단하다. 환자는 유환관증이다. 50%에서는 테스토스테론 결핍이 있으나 테스토스테론 치는 정상일 수 있다. LH와 FSH는 높다.

드문 기타 증후군

5α-reductase 결핍은 테스토스테론이 디하이드로테스토스테론으로 전환되지 않는다. 출생시 애매한 성기(여성처럼 보이는)는 디하이드로테스토스테론 결핍이 원인이다. 서혜부 고환, 분리된 음낭, 남근형 음핵, 막

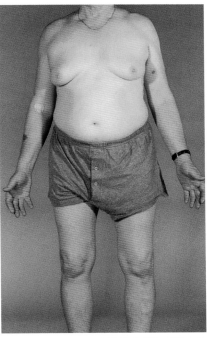

그림 3. Reifenstein 증후군에 의한 여성형 유방. 체모가 없으며, 창백하고 멍이 든 피부와 가는 대퇴를 보인다.

힌 질도 있다. 사춘기에 테스토스테론 증가는 약간의 2차 성징 발현으로 음낭 고환, 음경 성장, 남성화가 나타난다. 테스토스테론과 LH는 정상이며 여성형 유방은 없다.

불완전 안드로겐 저항(Reifenstein 증후군)은 테스토스테론 수용체 신호의 결핍에 의해 일어난다. 다양한 임상 증상으로, 남성화 부족, 여성형 유방, 요도하열, 잠복고환, 수정관 결손, 무정자증 등이 있다.

표 4. 테스토스테론 보충 방법

방법	장점	단점
삽입	6개월 간 지속적인 테스토스테론 수치	수술 과정 필요, 배출 위험성
근육 주사	매달 주사	통증, 테스토스테론 농도에 따른 최고치와 유지치
경피	일정한 테스토스테론 농도	패치 알레르기, 패치 탈락, 매일 젤 바름
경구	간단하게 시작	다양한 하루 복용량, 골다공증에 효과적, 위장관 부작용, 농도 검사 어려움

표 5. 여성형 유방의 원인

원인	특징
테스토스테론 저하	모든 성선 기능저하증
에스트로겐 증가	고환 종양: 고환을 자극하는 융모성 성선 자극호르몬 생산 종양
안드로겐의 에스트로겐 전환증가	갑상선 중독증, 비만, 간질환에서 안드로스테디온 증가, 기아, 부신 질환
처방된 약제	디곡신, 스피노로락톤
마약	대마(cannabis)

남성 성선 기능저하증

- 성선 기능저하증은 성선 자극 호르몬 저하성과 일차성이 있다.
- 소아기/신생아기 발생은 유전적 원인이다.
- 성인 발생 성선 기능저하증은 서서히 시작된다.
- 테스토스테론 보충은 효과적이다.
- 생리적 테스토스테론 보충이 기존 질환을 악화시킬 수도 있다.
- 여성형 유방은 테스토스테론과 에스트로겐의 불균형 또는 약제에 의해 발생한다.

여성 성선 기능저하증

여성의 월경 주기

월경 주기는 난소 여포의 주기에 의해 일어난다(그림 1). 여포는 난소의 기본 단위이다. 태아의 난소는 수백만 개의 여포를 가지고 있다. 약 400,000개의 여포가 초경 시에 존재한다. 여성의 생식 주기 동안 단 400개의 여포가 난자를 만들기 위해 발달된다. 휴지기에 있던 여포(원시 난포) 중 하나의 우월한 여포가 월경 주기의 14일에 배란되기 위해 발달한다. 이 때가 월경 주기의 여포기이다. 배란하고 남은 여포는 황체가 된다. 황체는 고농도의 프로게스테론을 14일 동안 계속 생산 한다. 이 때가 월경 주기의 황체기이다.

여포의 초기 발달은 FSH에 의해 일어나며, FSH는 과립세포에서 성호르몬(에스트라디올과 안드로스테디온) 생산을 자극한다. LH 역시 협막세포에서 성호르몬 생산을 자극한다. 난소에서 분비되는 에스트라디올은 여포기 동안 증가하여 월경 주기의 중간에 최고가 된다. 에스트라디올의 최고치는 뇌하수체에 양성 피드백으로 작용하여 갑작스러운 LH 최고 분비를 일으킨다. LH 최고치는 우월한 여포의 파괴를 유도하여 난자를 방출시키며 황체를 만든다.

기본 개념

20~40세 사이에 정상 난소 기능의 특징은 규칙적인 자궁 출혈이다(Box 1). 이 연령 범위 이외에서는 월경 주기의 기간에 차이가 있으나 중앙 주기 기간은 변하지 않는다. 월경 주기는 에스트라디올과 프로게스테론의 반응에 의해 일어난다. 소량의 월경 출혈도 에스트라디올 활동의 증거이다. 여포기에 자궁 내막은 에스트라디올에 의해 증식되고 황체기 끝에 에스트라디올 감소와 프로게스테론의 영향으로 출혈이 일어난다. 난소는 난모세포가 없으면 내분비선으로 기능하지 않는다. 성호르몬은 과립세포와 협막세포에서 생산되며 난소 여포내 난모 세포와 밀접한 관련이 있다. 이것은 정자 형성 없이 라이디히세포에서 테스토스테론을 생산할 수 있는 고환과 반대이다.

원인

무월경의 원인은 크게 4가지로 나눌 수 있다(표 1). 모든 환자에서 임신 가능성을 생각하여 임신 검사가 필수적이다. 성선 자극호르몬 저하성 성선 기능저하증의 가장 흔한 원인은 체중 감소이다. 이 상태는 스트레스나 운동과 동반되어 나타날 수 있다. 여성에서 시상하부-뇌하수체 축은 매우 취약하여 1주에 100분 정도의 작은 운동양도 어떤 환자에서는 LH 분비에 영향을 줄 수 있다. 이러한 환자는 시상하부-뇌하수체-생식선 축의 기능적 결함으로 생각되며, 운동을 줄여 체중이 증가하면 무월경이 회복된다. 시상하부-뇌

> **Box 1 월경의 정의**
> - 평균 주기는 28일이다(21~35일 범위)
> - 월경 출혈 시작일을 day 1 이라고 한다.
> - 주기 길이는 day 1과 다음 주기 사이의 간격이다.
> - 정상 출혈 기간은 3~7일이다.
> - 무월경은 6개월 동안 월경이 없는 경우이다.
> - 희발월경은 주기가 36일에서 6개월 사이이다.

하수체의 구조적 이상으로 가장 흔한 원인은 프로락틴을 분비하는 미세선종이다(p 18). 다낭성 난소 증후군은 성선 기능저하증과 직접 관계가 없으며, 에스트라디올치가 일반적으로 정상이거나 높기 때문이다(p 40~41). 그러나 감별 진단에서 항상 고려해야 한다.

무월경은 또한 일차성과 이차성으로 구분된다. 일차성 무월경은 월경이 전혀 없는 경우이고, 이차성 무월경은 전에 월경이 있던 경우이다.

임상적 접근

월경과 성관계 병력에서 임신 가능성을 찾는다. 폐경 증상도 알아본다. 체중 감소, 음식 섭취 부족, 운동, 신체적이나 심리적 스트레스가 있으면 시상하부-뇌하수체의 기능성 결함 가능성이 있다. 뇌하수체와 시상하부 질환에서는 다른 증상이 동반되며, 예를 들어 프로락틴선종에서는 유즙 분비가 있다. 약제 복용 병력에서 프로락틴을 상승시키는 도파민 길항제(예를 들어 위장약으로 사용하는 metoclopramide) 사용을 알 수 있다. 다른 약제로 예를 들어 코르티코스테로이드의 약리적 용량은 LH를 억제한다. 다모증, 탈모, 여드름 같은 증상이 있으면 다낭성 난소 증후군의 가능성이 높다.

진찰에 체중과 키, 체모 분포와 체형이 포함된다. 저신장은 뇌하수체 질환에서 GH 결핍을 나타낸다. 체모가 없으면 완전 안드로겐 저항성의 가능성이 있다(p 34~35). 체형에서 쿠싱병 같은 기능적 뇌하수체 병변을 짐작할 수 있다. 비정상적 팔꿈치 각도와 다른 골격 이상은 터너 증후군 같은 염색체 이상에서 나

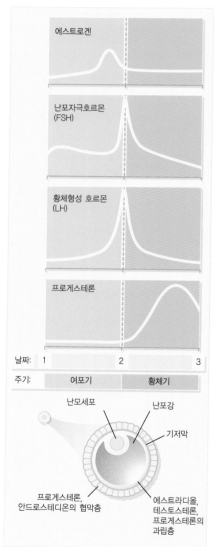

그림 1. **월경 주기.** 그래프는 월경 주기 동안 혈청 호르몬 농도이다. 원시 여포가 우월한 여포로 성장하는 과정을 나타낸다. 공동(antrum)은 액체로 가득차 있다. 과립세포와 협막세포 층은 LH와 FSH 자극으로 성호르몬을 만든다.

(그림 내 라벨)
에스트로겐
난포자극호르몬 (FSH)
황체형성 호르몬 (LH)
프로게스테론
날짜: 1 2 3
주기: 여포기 | 황체기
난모세포
난포강
기저막
프로게스테론, 안드로스테디온의 협막층
에스트라디올, 테스토스테론, 프로게스테론의 과립층

표 1. 무월경의 원인

분류	원인
생리적	임신, 모유 수유, 폐경
성선 자극호르몬 저하성 성선 기능저하증	체중 감소, 스트레스, 운동, 뇌하수체나 시상하부 질환, 약제
난소 장애	터너 증후군, 조기 폐경
자궁 또는 성기 병변	선천적, 후천적

타난다(p 43). 시야와 안구 운동은 뇌하수체 종양에서 종괴의 영향을 알기위해 검사한다. 후각 검사로 칼만 증후군을 조사한다(X 염색체 연관 열성 유전하여 여성에서는 적다).

유방과 성기 검사는 필수적이다. 질 검사에서 무공처녀막 같은 발생학적 이상을 알 수 있다. 자궁 경부 결손도 임상적으로 발견할 수 있다.

검사

제한된 검사로 많은 정보를 얻을 수 있으나 먼저 임신을 제외한 후 검사 시행:
- 혈청 프로게스테론(황체기에)
- 혈청 에스트라디올
- 혈청 LH/FSH
- 혈청 프로락틴
- 혈청 테스토스테론
- 갑상선 기능

LH와 FSH가 높은 경우의 검사는:
- 염색체 검사   - 골반 초음파

LH와 FSH가 낮거나 정상인 경우의 검사는:
- 뇌하수체 기능
- 뇌하수체와 시상하부의 자기 공명 영상 (MRI)

폐경

기본 개념

폐경은 생리적 난소 기능 소실이며, 난모세포와 여포가 소실되고 결과적으로 난소의 성호르몬 생산이 감소된다. 평균 폐경 연령은 50세이나 그 범위가 넓어 44~56세에 이른다. 사람들의 수명이 늘어나면서 폐경 여성 비율이 증가하여 2025년까지 40%에 도달할 것으로 예상된다. 난소의 스테로이드 소실에는 난소 안드로겐, 안드로스테네디온, 테스토스테론이 포함된다. 부신의 스테로이드인 안드로스테네디온은 난소의 스테로이드 소실을 보상할 수 없다.

증상과 징후

증상
다양한 증상은:
- 무월경   - 홍조
- 질 건조   - 성욕 감퇴
- 불안정한 성격   - 우울증
- 두통   - 불면증
- 성교 불쾌증   - 근골격 통증
- 관절 경직

가장 흔한 증상은 홍조이다. 홍조는 피부 혈관 확장이 원인이며, 피부온도 상승과 발한이 동반된다. 홍조는 머리와 목과 같은 상체에 흔하지만, 몸 전체에서 나타나기도 한다. 홍조는 하루에 여러번 나타난다. 홍조는 에스트로겐 결핍에 의해 나타나며, 성호르몬에 노출되었던 성선 기능저하증에서도 볼 수 있다. 따라서 폐경의 특징은 아니다. 무월경이 되기 수개월에서 수년전에 불규칙한 월경과 간헐적 홍조가 나타나기도 하며, 폐경까지의 기간을 갱년기(climacteric)라고 부른다. 성욕 감소와 같은 증상은 부분적으로 난소 안드로겐의 감소와 관련이 있다.

징후
유방과 외부 성기는 퇴행 징후를 보이고 질벽의 분비가 없다. 폐경후 골다공증성 골절이 나타날 수 있다.

치료

치료 목적은 증상의 완화와 폐경후 골절의 예방이다. 치료는 개개 환자의 증상과 말초 기관의 위험에 따라 개별화 한다. 모든 폐경 환자에서 전체적인 호르몬 보충요법(HRT)처럼 한가지 치료의 권고는 적절하지 않다. 불행하게도 HRT는 위험도 증가와 관련이 있다(표 2). 자궁내막 암의 위험은 에스트로겐 작용을 반전시키는 프로게스테론에 의해 감소시킬 수 있다. 에스트로겐 치료 여성에서 담즙의 콜레스테롤이 증가하여 담낭 질환이 악화된다. 심한 증상이나 진행된 골다공증이 있는 일부 환자는 HRT를 선호한다. 치료 방침 결정에 이중 에너지 방사선 흡수계 (dual energy x-ray absorptiometry, DEXA)를 이용한 골밀도 측정이 유용하다.

에스트로겐제 대신 다른 치료 방법도 이용할 수 있다(표 3). 에스트로겐 국소요법을 사용하기도 한다. 티볼론(tibolone)을 투여하면 3개의 약한 대사물인 에스트로겐, 프로게스테론, 안드로겐으로 전환되어 이들이 일부 증상을 완화시키고 유방은 자극하지 않으며 뼈에 도움이 된다. 선택적 에스트로겐-수용체 작용제인 랄록시펜(raloxifene)은 부분적 에스트로겐 작용이 있어 뼈에 도움이 된다. 심혈관 질환, 고지혈증, 골질환이 있는 환자는 각각 스타틴(statin)이나 비스포스포네이트 (bisphosphonate) 치료가 필요하다. 대체 치료로 식물성 에스트로겐(phytooestrogens)을 사용할 수 있으나 흡수가 좋지 않은 복합화학물로 되어 있다. 일부 플라보노이드는 갑상선종을 만든다.

표 2. 호르몬 보충요법의 위험과 이득

이득	위험
증상 완화(안면 홍조)	유방암
폐경성 골다공증 호전	자궁 내막암
	심혈관 질환
	담석증

표 3. 폐경 치료 전략

치료	적응증
프로게스테론이 포함된 에스트로겐 패치	심한 증상, 골다공증
티볼론 또는 랄록시펜	증상, 골다공증, 골감소증
스타틴	고지혈증
국소 에스트로겐 크림	질 건조증, 성교불쾌증
야간 경구 프로게스테론	야간 홍조
클로니딘	홍조
비스포스포네이트	골다공증
칼슘 보충	골다공증과 골감소증의 예방
테스토스테론 이식이나 젤	피로, 성욕 감퇴

여성 성선 기능저하증

- 성선 기능저하증의 주 증상은 불규칙한 월경이다.
- 먼저 임신 제외가 필요하다.
- 체중과 관련된 무월경이 성선 자극호르몬 저하성 성선 기능저하증의 흔한 원인이다.
- 에스트로겐 부족으로 홍조가 나타난다.
- 검사 소견에서 성기나 자궁의 병변이 있다.

다낭성 난소 증후군

기본 개념

다낭성 난소 증후군(PCOS)은 원인이 불명한 잘못 명명된 증후군이다. 임상적 특징으로 남성 호르몬 과잉 증상과 생화학적 증거가 있다. 안드로겐 과잉의 기원은 부신 또는 난소 또는 양쪽 모두이다. 성호르몬 합성 과정에서 효소 결함이 알려져 있으나, 일부 환자에서만 나타난다. PCOS의 병태생리는 불분명하나 2형 당뇨병을 포함한 인슐린 저항성의 한 부분이라는 증거가 있다. 또한 출생 시 저체중, 가족적 발생, 항경련제인 valproate 사용 등과도 관계가 있다. 가장 중요한 원칙은 골반 초음파에서 볼 수 있는 다낭성 난소 형태와 PCOS의 구분이다. 20%의 여성은 초음파에서 다낭성 난소를 가지고 있으나 이중 5%만 PCOS의 증상과 징후가 있다.

PCO에는 몇가지 아형이 있으며, 일부는 과체중과 인슐린 저항성이며, 일부는 저체중이며, 일부는 고프로락틴혈증을 동반하고 일부는 valproate 치료 환자이다.

증상과 징후

15~25세 사이에 시작하는 증상은:

- 다모
- 불임
- 희발월경
- 무월경
- 두정부 탈모
- 여드름
- 재발 유산

다모는 주로 얼굴에 나타나며 남성의 체모와 같은 분포를 보인다(그림 1). 비만과 흑색극세포증이 있으면 인슐린 저항성을 의미한다(그림 2). 피하지방 증가에 의해 비만이 되며 사지에 피부 선조(그림 3)가 있어 쿠싱 증후군에서 복부의 피부선조와 대조가 된다. 그러나 피부선조가 있으면 쿠싱 증후군을 제외하기 위한 검사를 해야 한다.

검사

생화학 검사 목적은 안드로겐 증가의 확인, 동반된 위험의 검사, 다른 감별 진단의 제외이다(표 1). 간단한 선별검사는 생리주기

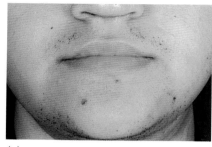

(a)

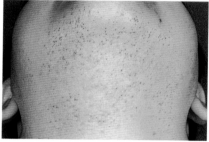

(b)

그림 1. **다모증을 보이는 얼굴(a)과 턱(b)**

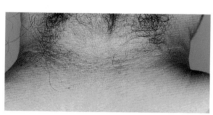

그림 2. **목 뒤의 흑색 극세포증**

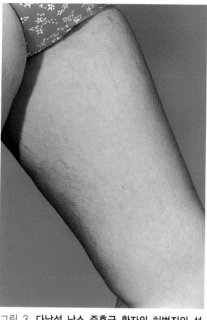

그림 3. **다낭성 난소 증후군 환자의 허벅지의 선조 · 치골 부위의 다모도 존재한다**

21일에 오전 9시의 혈액 검사이다. 안드로스테디온이 가장 많이 증가되는 안드로겐이며,

표 1. 다낭성 난소 증후군의 생화학적 이상	
검사	특징
LH/FSH	LH가 FSH보다 2~3배 높다
에스트라디올	보통 정상
프로게스테론	보통 낮다.
안드로스테디온	80%에서 높다
테스토스테론	경미한 증가 또는 정상
DHEA	경미한 증가 또는 정상
성호르몬 결합글로불린	흔히 낮다
17-하이드록시프로게스테론	정상
코르티솔	정상
프로락틴	30%에서 높다.

정상 월경 주기와 차이를 보이지 않는다.

가장 흔한 동반 질환은 인슐린 저항성이며, 공복 혈당과 혈청 인슐린을 동시에 측정하여 간편하게 확인할 수 있다. 인슐린 저항성 지표는 이 수치를 이용하여 계산한다(HOMA 또는 QUICKI). 공복 혈당과 당부하 검사는 보통 비정상이다.

치료

완치 방법은 없다. 그러나 효과적인 조절은 가능하다. 증상이나 환자의 요구에 따라 치료를 시작하며, 전체적인 효과를 보기 위해서는 보통 2년의 기간이 필요하다. 가능한 치료는 다음과 같다

에스트로겐 증가

- ethinylestradiol과 cyproterone acestate
- 경구 피임약

안드로겐 생산 감소

- 체중 감량과 메트포르민
- 코르티솔 일중변동에 역행하는 프레드니솔론 투여

안드로겐 활동 억제

- finasteride
- 다모증의 물리적 치료(예, 레이저)
- ornithine decarboxylase 억제제 국소
  도포(eflornithine)

다모증은 에스트로겐 증가와 안드로겐 차단을 약 2년간 계속하면 치료 가능하다. 편리한 방법은 소량의 cyproterone acetate(프로게스테론과 안드로겐 수용체 차단체)가 들어있는 경구 피임약 복용이다. 일부 피임약은 안드로겐 유도체인 프로게스테론이 들어있어 다모증을 악화시킬 수 있다. 심한 다모증에는 고용량의 cyproterone acetate와 경구 피임약을 사용하기도 한다. Finasteride도 효과적이며 5α-reductase에 의해 테스토스테론의 dihydrotestosterone의 전환을 차단한다. 남성 호르몬 작용을 차단하는 모든 약제는 남성 태아의 여성화를 일으킨다. 이러한 약제 복용 중에는 임신을 제한하고 임신을 계획하기 3개월전에 약물 복용을 중단해야 한다. 다모증 개선은 사진 촬영으로 평가하거나 점수표(Ferriman-Gallway score)를 이용한다.

배란이 안되면 안드로겐 억제 치료가 필요하다. 밤 동안 증가한 ACTH에 의한 부신 자극을 감소시키기 위해 일중 변동과 반대인 프레드니솔론 투여(그림 4)나 메트포르민을 이용한다. 이 방법은 안전하지만 아직 공인되지 않아 전문가의 감시가 필요하다.

체중 감량은 과체중인 불임 환자에서 필수적이며, 체중 100 kg이 넘는 환자에서 1차 치료 목표이다. Clomifene 단독으로 배란 성공률이 낮지만 메트포르민이나 프레드니솔론 일중 변동 역행요법을 병용하면 효과적일 수 있다.

난소의 투열요법이나 설상절제 같은 수술적 치료를 시도하고 있으나 효과적이라는 근거가 없으며 골반 유착 같은 합병증을 일으킨다.

다낭성 난소 증후군의 감별진단

드물지만 치료 가능하여 PCOS와 비슷하고 제외가 필요한 질환은:

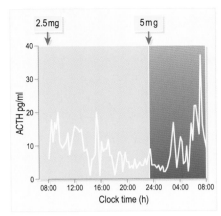

그림 4. **프레드니솔론 일중변동 역행요법에 의한 야간 ACTH 분비 억제.** 흰색 선은 정상 ACTH의 일중 변동. Prednisolone 용량은 그래프 위 박스에 표시되어 있으며 화살표는 투여 시간. 아침의 적은 용량은 부신 기능 저하증을 방지한다. Corticosteroid에 대한 부작용은 내인성 부신 스테로이드의 전환으로 나타나지 않는다.

- 선천성 부신증식증
- 성선 자극호르몬 저하성 성선 기능저하증
- 쿠싱병
- 안드로겐 분비 부신 종양
- 안드로겐 분비 난소 종양

선천성 부신증식증은 감별 진단이 필요한 가장 흔한 질환이다(p 31). 선천성 부신증식증의 지연 발생형은 PCOS보다 20배 드물다. 더욱이 이들은 골반 초음파에서 다낭성 난소가 있다. 따라서 혈청 17-hydroxyprogesterone 증가에 의해 진단한다. 평생 동안 치료가 필요하며 신체 스트레스에서 부신 기능저하증의 위험도 있다. 이 질환은 태아나 소아에 유전된다. 성선 자극호르몬 저하성 성선 기능저하증은 혈청 에스트라디올 저하로 진단된다. 쿠싱병은 드물지만 치료법이 근본적으로 다르다. 부신과 난소 종양에서는 혈청 테스토스테론의 현저한 상승이 있다(그림 5).

(a)

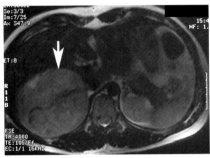

(b)

그림 5. 다모증(a)과 측두부 모발이 감소된 젊은 여성에서 오른쪽 부신피질암에 의한 현저한 혈중 테스토스테론 증가(b). MRI에 화살표로 표시.

다낭성 난소 증후군

- 골반 초음파에서 다낭성 난소가 있다고 모두 다낭성 난소 증후군은 아니다.
- 원인은 불명확하나 인슐린 저항성과 관련이 있다.
- 다낭성 난소 증후군은 매우 흔하나 완치는 없다.
- 안드로겐 증가의 생화학적 평가가 필요하다.
- 감별 진단이 필요한 몇가지 질환이 있다
- 증상에 따라 다양한 조절 방법이 있다.
- 다모증에는 장기적인 치료가 필요하다.
- 동반된 대사질환을 치료 한다.

불임과 난소 기능저하증

정상 부부의 성교에서 한번의 월경주기 동안 임신 확률은 약 30%이다. 불임은 피임하지 않은 1년간의 성교에서 임신되지 않은 것을 말한다. 불임은 4가지 형태로 나눌 수 있으며, 여성의 원인, 남성의 원인, 복합적 원인, 불명한 원인이다. 여성 불임에서 내분비 원인은 배란 억제이며 약 15%에서 발견된다.

남성 불임에서 내분비질환은 드물다(표 1). 그러나 충분한 고환내 테스토스테론이 정상 생식세포 성숙에 필요하다. 정자 감소증이 있는 남성에서 내분비 관련 증상이 없으며, 이것은 라이디히세포가 기능하여 생식세포와 관계없이 테스토스테론을 생산하기 때문이다. 불임의 원인으로 경도의 정계정맥류(varicocoeles)는 논란이 있으며, 치료해도 불임이 회복되지 않는다. 그러나 임상적으로 심한 정계정맥류는 외과적으로 치료해야 한다. 정관 폐쇄와 성선 자극호르몬 저하성 성선 기능저하증은 치료 가능한 원인이다.

임상적 접근

월경과 성교 시기를 확인한다. 이것을 부

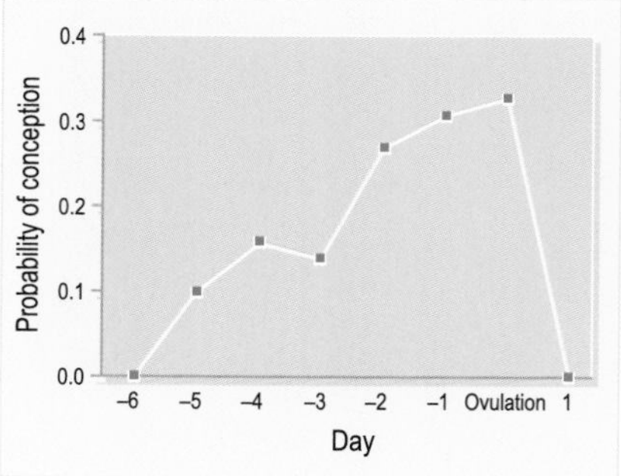

그림 1. **성교 시점과 수태 가능성.** 성교 시점과 배란의 관계.

부가 도표로 그리게 한다. 배란 48시간 전이 수태에 적합하다(그림 1). 월경 불순의 병력은 배란 이상의 가능성이 있다. 골반 염증, 골반 수술, 심한 복막염의 병력은 나팔관 유착의 가능성이 있다. 전반적인 질검사를 받아야 한다. 남성의 병력에 고환의 통증, 감염, 외상을 포함한다. 고환을 검사한다. 성선 자극호르몬 저하성 성선 기능저하증 환자에서 후각 검사를 반드시 실시한다.

검사

먼저 배란과 충분한 정자 생산을 평가한다(표 2). 배란은 월경 주기 21일에 혈청 프로게스테론 30 nmol/L(10ng/mL) 이상을 확인한다. 가정용 검사키트는 배란 24시간 전에 나타나는 LH의 급속한 증가를 소변으로 검사한다.

정액 검사는 수음으로 채취한 신선한 샘플을 1시간 내에 검사한다(표 3). 정상 정자 수의 전통적 기준은 20×10^6/mL 이지만 가임 남성의 약 25%에서 이보다 적다. 가임 남성과 준가임 남성에서 정액 검사에 중복되는 부분이 있다. 정자 수가 적은 남성은 고환 온

도를 올리는 활동이나 꼭끼는 속옷을 피하고, 입욕 보다는 샤워를 한다. 정액 검사에서 정자가 발견되지 않으면 생식세포 존재를 확인하기 위해 고환 조직검사가 필요하다.

배란과 정액 검사가 정상이면, 부인과 검사를 시행하여 난관 개통성, 골반질환, 면역학적 적합성을 알아보고 체외 수정을 고려한다. 여성에서 항정자항체가 있으면 3개월간 콘돔을 사용하여 항체가 낮아지면 수정율을 일부 올릴 수 있다. 많은 부부에게 궁극적으로 체외 수정을 권고한다.

내분비 불임의 치료

가장 간단한 질환은 프로락틴선종이며, 도파민 작용제 치료를 시작하고 3번의 월경 주기 내에 80%의 여성이 임신에 성공한다(p 18~19). 브로모크립틴(bromocriptine)이 가장 오래 사용된 약제이나 카버골린(cabergoline) 역시 효과적이고 태아에 안전하다. 임신 중 도파민 길항제를 중단하면 프로락틴 선종이 커지므로 모든 환자에서 종양 크기를 평가해야 한다. 특히 거대선종 환자에서 종양 성장 위험이 높으므로 임신 동안 bromocriptine 투여를 계속해야 한다. 다낭성 난소 증후군은 p 40~41에서 설명하였다.

성선 자극의 내분비 측면

체외 수정에서 난소 여포 발달을 자극하기 위해 인공적인 성선 자극호르몬을 투여한다. 이 때 내인성 성선 자극호르몬은 LH 방출호르몬(LHRH) 길항제 사용으로 억제한다. 발달된 여포는 바늘로 흡입하여 수확한다. 가장 큰 위험은 난소 과자극 증후군이며 난소가 비대되고, 과도한 여포 발달에 의해 골반 통증이 있고, 복막과 골반에 체액이 축적된다. 이러한 상황은 정기적인 초음파 검사와 혈청 에스트라디올을 측정하여 감시한다. 난소 여포나 혈청 에스트라디올이 과도하면 성선 자극호르몬 치료는 중단한다.

표 1. 남성 불임의 원인

원인	빈도(%)
특발성	42
정계정맥류	39
잠복 고환	6
정관폐쇄	5
바이러스 고환염	2
부정확한 성교	2
클라인펠터 증후군	2
성선 자극호르몬 저하성 성선 기능저하증	0.8
부동 정자증	0.6
항암제/방사선 치료	0.2

표 2. 불임에 대한 검사

여성(월경주기 21일에 혈액 검사)	남성
티록신 과 TSH	정액 분석
LH/FSH	LH/FSH
에스트라디올	에스트라디올
프로게스테론	성호르몬 결합 글로불린
프로락틴	프로락틴
테스토스테론	테스토스테론
안드로스테디온	
DHEA	

표 3. 정액 검사

	준가임	가임
농도(x10^6 ml)	<13.5	>48
운동성(%)	<32	>63
형태(%)	<9	>12

성선 자극호르몬 저하성 성선 기능저하증 남성에서 정자 생산도 자극할 수 있다. 자발적으로 사춘기가 시작되었으나 나중에 후천성 성선 자극호르몬 저하성 성선 기능저하증이 된 환자에서 정자 수 회복에 대한 예후는 좋다. 불행히도 자발적으로 사춘기가 시작되지 않은 남성의 예후는 나쁘다. 약리적으로 유도한 사춘기가 이러한 예후를 개선한다는 증거가 없다. 남성에서 성선 자극호르몬 치료의 주된 부작용은 고환에서 에스트라디올의 과도한 분비에 의한 여성형 유방의 발생이다. 생리적 농도 이상의 성선 자극호르몬은 라이디히세포에서 테스토스테론과 더불어 에스트라디올 생산도 증가한다.

터너증후군

터너 증후군은 가장 흔한 염색체 이상의 하나이며, 2,500명의 여아 출산 중 한 명의 비율로 발생한다. X 염색체 하나가 소실되어 가장 흔한 핵형은 45XO이다. 전형적인 소견은 성선 이상 발육, 저신장, 골격 이상이다 (표 4; 그림 2와 3). 성선 이상발육은 난소 여포 폐쇄의 가속화가 원인이며 난소 부전이 사춘기에 일어난다. 일부 환자는 사춘기까지 난소 기능이 유지 되고 조기 난소 부전이 나중에 일어난다. 상대적인 성장호르몬 결핍으로 성인 신장이 150 cm 이하가 된다.

환자에서 심전도, 신장 초음파, DEXA 골밀도검사 등을 시행한다. 치료는 에스트라디올과 프로게스테론 보충요법이다. 보충요법은 저용량으로 시작하고 난소 발달이 되지 않은 환자에서 서서히 증가시킨다. 표준 용량의 신속한 도입은 부작용을 일으킨다. 성장 호르몬 보충은 키를 크게 하며 사춘기 유도 후에도 효과가 계속된다.

조기 난소 부전

조기 난소 부전은 40세 이전의 난소 부전이다.
- 의인성: 수술, 화학요법, 방사선 치료
- 원발성: 장기 특이 자가 면역 질환의 일부
- 염색체 이상
- 난소 저항 증후군: 회복될 수 있음

표 4. 터너 증후군의 임상적 특징

기관	특징
성선 이상발육	1차성 또는 2차성 무월경, 사춘기 없음, 미성숙 이차성징
골격계	작은 키, 뼈의 이상, 림프부종, 짧고 물갈퀴 모양의 목, 짧은 4번째 손가락, 방패 가슴, 물고기 모양의 입
심장	대동맥 판막 이상, 대동맥 축착증
신장	말발굽 모양의 신장
뼈 구조	골다공증
자가면역 질환	갑상선 질환, 당뇨병

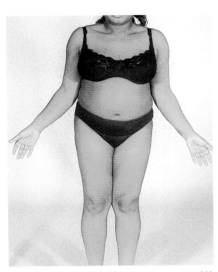

그림 2. **터너 증후군.** 외반주(cubitus valgus)와 짧은 목을 나타내고 키는 148cm이다.

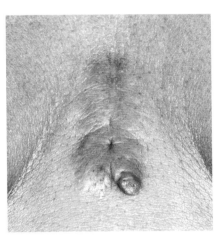

그림 3. **터너증후군 환자는 켈로이드(keloid)에 취약하다.**

증상은 일반 폐경에서와 같다. 자발적 조기 난소부전은 보통 치료할 수 없으며 비가역적이다. 기증된 난자를 이용하여 체외 수정하고 착상시키면 임신할 수 있다. 난소 저항 증후군에서는 예외이다. 난소 조직 생검에 여포는 있으나 LH와 FSH에 반응하지 않는다. LH와 FSH를 6개월 동안 억제하여 여포의 감수성을 회복시킬 수 있다. 조기 난소 부전으로 임신을 희망하는 환자에게 난소 생검조직을 제공하고, 희귀한 난소 저항 증후군은 카운슬링을 받는다.

불임과 난소 부전
- 불임 부부에서 내분비 질환은 많지 않다.
- 내분비 요인은 여성 불임에서 더 많다.
- 수태 가능성은 배란 48시간 이내에 높다.
- 정액 분석은 신선한 샘플로 시행한다.
- 난소 과자극 증후군은 성선 자극호르몬 치료에서 중대한 위험이다.
- 터너 증후군은 조기 난소 부전을 일으키는 염색체 이상이다.

췌장 내분비

췌장의 랑겔한스 췌도는 4종류의 세포로 구성되어 있다: B세포는 인슐린, A세포는 글루카곤, D세포는 소마토스타틴, PP세포는 췌장 폴리펩티드(기능은 알려져 있지 않음)를 분비한다. 췌장의 종양은 이상 모든 세포에서 발생할 수 있다. 대부분의 종양은 chromogranin A를 과다분비 하므로, 이는 종양 표지자로 유용할 것이다.

인슐린종

인슐린종(insulinoma)은 인슐린을 과다 분비하는 췌도 B세포의 종양이다. 10%는 악성이고, 10%는 가족성이다. 가족성은 주로 다발성 내분비 선종증 I형(p 48)의 형태이다. 산발성 인슐린종은 50대에 나타나는 반면, 가족성은 25세에 나타난다.

증상과 징후
증상은:
- 발한
- 두근거림
- 탈력감
- 시력 이상
- 정신 혼란
- 과격한 행동
- 혼수
- 기억 상실
- 경련
- 국소 신경증상

인슐린종의 전형적인 증상은 음식물 섭취 후 4~5시간 후 저혈당의 출현이다. 저혈당 증상은 특이적이 아니며 환자에 따라 다르다. 공복 저혈당은 간질 같은 신경질환으로 오진하는 수가 있다. 공복 저혈당이 없는 많은 환자는 증상이 나타나면 음식을 섭취하여 증상을 없앤다. 인슐린종에서 드물지만 식후 저혈당으로 나타나는 경우도 있다.

검사
증상이 있을 때 혈당 분석이 가장 중요한 검사이다. 주된 진단 기준은 Whipple 삼징후로 알려져있다:
1. 해당되는 증상
2. 저혈당 확인
   (혈당 <2.2mmol/L(40mg/dL))

3. 적절한 치료로 증상 호전(당을 주고 30분 안에 증상이 호전되어야 한다)

인슐린종에 대한 첫번째 단서는 간호사나 구급 구조대가 간이 혈당측정기를 이용하여 손끝 모세혈관에서 채혈한 혈당 측정치이다. 그러나 간이 혈당기의 측정치는 저혈당 범위에서는 정확도가 떨어지므로 저혈당을 확인하기 위해서는 정맥에서 채혈하여 당분해 방지제(fluoride oxalate)가 들어있는 튜브에 넣어 즉시 혈장을 분리하고 신속하게 분석해야 한다. 인슐린, C-펩티드, 설폰요소제(sulphonylurea)를 분석하기 위한 혈청을 같이 모은다. 그리고 포도당을 정맥으로 투여한다. 증상 회복은 매우 빠르다.

인슐린종 검사는:
- 혈장 포도당, 저혈당 시에 낮다
- 혈청 인슐린, 인슐린을 투여하는 환자에서 높다.
- C-펩티드, 내인성 인슐린에서 만들어짐
- 설폰요소제, 내인성 인슐린 분비를 자극함
- 저혈당을 재발하기 위한 72시간 금식(감시하에)
- 췌장의 MRI나 CT 영상

내분비센터에서는 엄격한 감시하에 72시간 금식 검사로 진단한다. MRI는 국소 병변 확인에 유용하지만 생화학적으로 확진된 경우에만 진단적 가치가 있다. 다발성 병변이 보이는 환자에서는 주의가 필요하며 모든 병변이 인슐린종으로 기능하지 않을 수 있으며, 가장 큰 병변이 원인이 아닐 수 있기 때문이다. 인슐린 종의 직경은 보통 2 cm 이하이다(그림 1). 작은 종양의 국소 진단을 위해서는 내시경 초음파 검사가 필요하다.

저혈당의 다른 원인은:
- 인위적(예, 혈청 샘플의 분석 지연)
- 당뇨병 초기(식후)
- 약제(설폰요소제, 인슐린)
- 알코올
- 상부 위장관 수술(식후)
- 기아
- 부신 부전증
- 칼락토스혈증(소아)
- 유전성 과당 불내인증(소아)

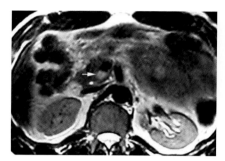

그림 1. MRI T2 영상에서 구상돌기의 인슐린종. 환자는 경련으로 내원하였다.

- 비 B세포 저혈당(간엽세포종에서 인슐린 양 성장인자-2 생산)

치료
초기 치료는 포도당 정맥 주사이다. Diazoxide는 인슐린 분비를 차단하여 수술 치료전에 유용하다. 궁극적인 치료는 인슐린종의 국소 절제이다. 병변을 찾기 어렵거나 절제할 수 없으면 장기적인 diazoxide 치료가 필요하다.

가스트린종

가스트린종(gastrinoma)는 내분비 췌장이나 위십이지장 점막의 G세포에서 발생하는 드문 종양이다. 60%는 악성이고 30%는 가족성이다. 가스트린종에서는 위장호르몬인 가스트린을 과잉 분비하여 위에서 위산 분비를 자극한다. 가족성에서는 다발성 내분비 선종증 I형의 일부로 나타난다.

증상과 징후
가스트린 과잉 분비에 의한 임상 증상은 졸링거-엘리슨(Zollinger-Ellison) 증후군으로 알려져있다:
- 다발성 소화성 궤양
- 반복성 소화성 궤양
- 위장 출혈
- 지방변
- 설사

검사
공복시 혈중 가스트린이 대부분 증가되어 있으나 경미한 상승인 경우도 있다. 가스트린 증가에서 감별 진단은:
- 프로톤 펌프 억제제 투여

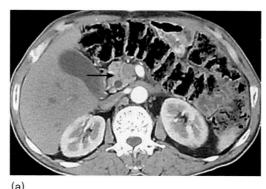
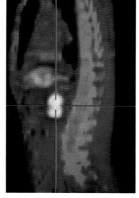

- H2 수용체 길항제
- 위염
- 상부 위장관 수술

위산 증가는 pH 검사로 확인한다. 혈청 가스트린을 검사하기 전에 H2 수용체 차단제는 1주, 프로톤 펌프 억제제는 3주 동안 중단한다. CT나 MRI에서 종양을 볼 수 있다. 종양은 흔히 가스트린종 삼각(gastrinoma triangle)에서 발견된다(그림 2). 방사성 동위원소로 표지한 octreotide는 병변 국소 진단에 유용하다(그림 3).

치료

위산 생산과 소화성 궤양 방지를 위해 고용량의 프로톤 펌프 억제제가 필요하다. 외과적 절제로 치료한다. 전이 병소가 있어도 증상이 없으며 화학요법에 대한 반응이 느리다. 절제할 수 없는 종양에서 octreotide 치료는 가스트린 분비를 줄일 수 있다.

그림 3. **가스트린종의 위치.** (a) 쉐장 머리 부분에 있는 가스트린종, (b) 시상면에서 방사성 동위원소로 표지한 octreotide가 종양을 나타낸다.

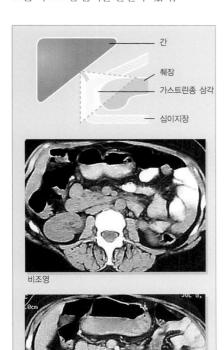

그림 2. **가스트린종 삼각은 간문, 십이지장 2번째와 3번째 접합부, 쉐장 두부와 경부의 경계로 이루어진다.** CT 영상에서 가스트린종 삼각에 가스트린종이 보인다.

간
쉐장
가스트린종 삼각
십이지장
비조영
조영 후

기타 쉐도 종양

다음과 같은 종양이 있다:
- 비기능성 쉐도세포 종양
- VIPoma
- 글루카곤종

VIPoma는 혈관활동성 장폴리펩티드(vasoactive intestinal polypeptide, VIP) 증가에 의해 물 같은 설사, 저칼륨혈증, 알칼리증 등을 일으킨다. 환자는 하루에 수 리터의 물 같은 설사를 하여 칼륨과 중탄산염이 소실된다. VIP는 혈관을 확장시키며 환자에서 홍조와 저혈압이 나타난다.

글루카곤종은 글루카곤을 과잉 분비하며 전형적인 증상은 괴사성 유주성홍반, 당뇨병, 정맥혈증 등이다. 괴사성 유주성홍반은 서혜부와 회음으로 퍼지고 처음에는 홍반이나 물집과 가피를 만든다(그림 4, p 77). 대부분의 종양은 진단 시점에서 이미 전이된 악성이다.

치료

호르몬 과잉 분비는 종양 크기보다 쉽게 조절된다. 소마토스타틴 유사체나 스테로이드는 호르몬에 의한 증상 개선에 도움이 된다. 외과적으로 크기를 줄이는 수술은 효과적이다. 고용량의 방사능으로 표지한 meta-iodobenzylguanidine이나 octreotide가 종양에 흡수되면 호르몬 조절에 도움이 되나, 종양 크기 감소는 일부 환자에서만 볼 수 있다. 보존적 화학요법으로 5-fluorouracil, streptozotocin, lomustine은 대부분 잘 견딘다.

쉐장 내분비

인슐린종
- 급성 신경 증상을 나타내는 모든 환자에서 혈당을 측정해야 한다.
- 공복 저혈당은 혈당 2.2mol/L(40 mg/dL) 이하 이다.
- 치료는 혈당 검사 후 50% 포도당 50mL 정맥 주사이다.
- 영상 검사 전에 생화학적으로 확진한다.

가스트린종
- 내분비 쉐장이나 위십이지장 점막 G세포의 드문 종양
- 위장관 호르몬 가스트린을 과잉 분비하며 임상 증상은 Zollinger-Ellison 증후군으로 알려져 있다.
- 가족성은 다발성 내분비 선종증 I형의 형태이다.

칼슘과 뼈: 기본개념

칼슘 항상성

칼슘 항상성에서 두가지 중요한 개념은 혈청과 골재형성에서 칼슘과 인의 항상성 유지이다. 혈청 칼슘 항상성을 급성으로 조절하는 중요한 물질은 부갑상선 호르몬(PTH)이다(표 1). PTH는 부갑상선에서 분비되며 저칼슘혈증에 의해 자극되고 고칼슘혈증에 의해 억제된다(그림 1). PTH는 뼈와 신장에 급성으로 작용하며, 뼈에서 칼슘 동원과 신장에서 칼슘 재흡수를 증가시킨다. 체내 칼슘의 99%는 뼈에 저장되어 있다. 충분한 식이 칼슘 섭취가 필수적이나(매일 800mg) 대부분 이에 미달된다. 약 50%의 칼슘이 유리형으로 이온화되어 있으며 생리적으로 활성형이다(Box 1) 두번째 호르몬인 비타민 D는 장기적인 혈청 칼슘 수준 조절에 관여한다.

골 재형성 단위

골재형성은 매년 1% 정도로 일어나는 골격의 순차적인 생리적 교체 이다. 골재형성단위는 조골세포와 파골세포 사이의 균형으로 이루어진다(그림 2). 조골세포는 세포외 골기질을 새롭게 만들며 칼슘을 기질에 더한다(골 미네랄화). 파골세포는 표면에서 산과 단백분해효소를 생산하여 뼈를 재흡수한다. 파골세포의 작용으로 뼈의 칼슘이 순환혈액

표 1. 부갑상선 호르몬의 작용

기관	영향
뼈에서 높은 농도	골재흡수, 칼슘 유리
뼈에서 낮거나, 중간 농도	조골세포 활성화
신장	세뇨관 칼슘 재흡수 증가, 세뇨관 인 재흡수 증가, 1,25-비타민 D 생성 증가
장	1,25-비타민 D를 통해 칼슘 흡수 증가

Box 1 혈청 칼슘 측정

원칙: 50%의 칼슘은 단백질, 주로 알부민과 결합되어 있다. 총 칼슘농도는 반드시 알부민 농도를 고려하여 교정한다

방법: 총 칼슘에서 교정 칼슘 구하기 위해 알부민이 40 g/L 이하일때 1 g/L당 0.08 mg/dL 를 혈청 칼슘에 더해준다. 반대로 알부민이 40 g/L 이상일 때는 빼준다.

mg/dL를 주로 쓰는 경우에는 혈청 알부민이 4 g/dL 이하이면 1 g/dL당 1 mg/dL를 혈청 칼슘치에 더해준다.

주의. 정상 이온화 칼슘은 4.8 mg/dL 이고, 혈액가스 검사기에서 측정한다. 골수종에서 고농도의 칼슘 결합 단백질이 혈청 칼슘을 높일 수 있다.

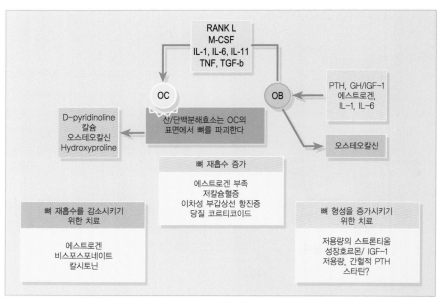

그림 2. **골 재형성 단위.** PTH 부갑상선 호르몬, OC 파골세포, OB 조골세포, RANK L receptor activator of nuclear factor kB ligand, M-CSF 대식세포 콜로니형성인자, IL 인터루킨 TNF 종양괴사인자, TGF 전환증식인자, GH 성장호르몬, IGF-1 인슐린양 성장인자-1

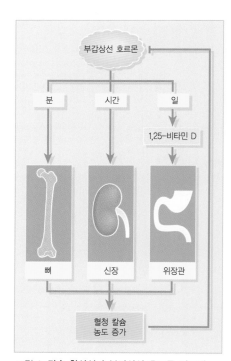

그림 1. **칼슘 항상성과 부갑상선 호르몬 피드백.**

으로 이동된다. 골 재흡수 증가의 원인은:

- 에스트로겐 결핍
- 부갑상선 기능항진
- 당질 코르티코이드
- 저칼슘혈증

골재형성 단위에서 PTH의 작용은 일차적으로 조골세포를 통해 일어난다. 고농도의 PTH에 반응하여 조골세포는 억제되며 파골세포를 자극하는 중개 물질을 분비한다. 저농도나 중간 농도의 PTH는 조골세포를 자극하며 파골세포에는 작용하지 않아 결과적으로 골 형성을 일으킨다.

다른 호르몬

비타민 D 대사체는 장에서 칼슘과 인 흡수를 증가시킨다. 이들은 골 미네랄화의 시작과 유지에 필요하다(p 51) 칼시토닌은 갑상선 C세포에서 분비되는 펩티드 호르몬이다. 생리적 역할은 불분명하다. 칼시토닌 결핍에 의한 뼈의 질환은 없다(예, 갑상선 전절제술). 그러나 약리적 용량의 칼시토닌은 파골

세포를 억제하고, 뼈의 재흡수와 혈청 칼슘을 감소시킨다. 이런 작용은 파젯병 치료에 유용하다. PTH 관련 펩티드는 폐의 편평세포암 같은 일부 암에서 고농도로 분비되는 펩티드 호르몬이다. PTH와 비슷한 작용을 하여 고칼슘혈증을 일으키는 원인이 된다. 사람의 태아에서는 생리적 기능이 있으나 성인에서 특별한 내분비 작용은 없다.

파젯병

병태생리

파젯병은 전형적인 골 재형성 이상에 의한 병이다. 원인은 불명하며 영국에서 흔하여 인구의 3%에서 발생한다. 병태생리는 파골세포의 과도한 활성으로 뼈의 용해를 일으킨다. 손상 부위는 혈관이 풍부한 섬유조직으로 대치된다. 그후 조골세포의 높은 활성화에 의해 경화 반응이 일어난다. 그 결과 골형성의 부조화가 발생한다.

증상과 징후

많은 환자는 무증상이다. 그러나 가장 많은 증상은 통증이며, 그 외의 증상은:

■ 골 변형
■ 병적 골절
■ 난청
■ 신경 압박

합병증은:

■ 육종(드물다)
■ 고박출성 심부전(드물다)

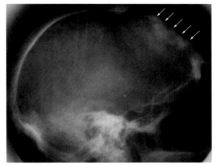

그림 3. **파젯병에서 두개골의 경화와 골확장.** 'cotton wool' 형상 (화살표)

■ 게대세포종(이탈리아 아벨리노 가계의 환자).

통증은 둔하고 지속적이며 밤에 나타난다. 그러나 움직이거나 운동시 악화된다. 동위원소 골스캔에서 25%는 하나의 뼈에 국한되나 보통 여러 뼈를 침범한다. 흔히 발생되는 부위는 두개골, 척추, 미추, 대퇴골이다. 혈청 알카리 포스파타제의 골형이 보통 상승한다. 일반 방사선 촬영에서 뼈의 용해와 경화의 무질서한 혼합이 특징적인 소견이다(그림 3). 또 하나의 특징적인 소견은 뼈의 확장이다. 작은 부분 골절(미세골절)이 있으며, 이것은 완전한 병적 골절의 위험을 나타낸다. 병의 분포는 동위원소 골스캔에서 흡수 증가 부위로 알 수 있다(그림 4와 5).

치료

비스포스포네이트가 가장 효과적인 치료제다. 최근에 개발된 제제는 파골세포를 선

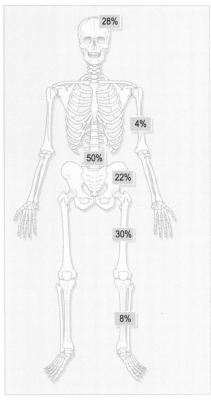

그림 5. **골격계의 파젯병 빈도**

택적으로 억제한다. 심한 증상이 있는 환자는 주기적으로 주사 치료를 받을 수 있다. 연어 칼시토닌은 뼈의 통증을 감소시키며, 파골세포 활성 감소에 효과적이다. 불안정 골절이나 골반 골절에는 정형외과 수술이 필요하다. 수술 합병증으로는 혈관이 많은 뼈에서 심한 출혈이 있을 수 있다.

> **칼슘과 뼈**
>
> – 부갑상선 호르몬은 칼슘 항상성을 급성으로 조절하는 물질이다.
> – 칼슘은 뼈에 축적된다.
> – 식이 칼슘은 대부분 부족하다.
> – 뼈는 지속적으로 재구축된다.
> – 조골세포는 뼈를 만든다.
> – 파골세포는 뼈를 재흡수한다.
>
> **파젯병**
>
> – 파젯병은 뼈의 재구축 이상에 의한 병이다.
> – 주 증상은 통증이다.
> – 방사선 소견에서 뼈는 무질서하고 확장되어있다.
> – 동위원소 골스캔은 가장 예민한 검사이다.
> – 혈청 알카리 포스파타제가 증가된다.
> – 치료는 비스포스포네이트와 칼시토닌이다.

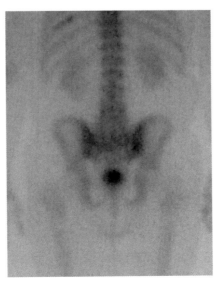

그림 4. **파젯병의 동위원소 골스캔** (a) 미추의 후면 스캔 (b) 치료후 스캔

고칼슘혈증

기본 개념

부갑상선 항진증과 악성종양이 고칼슘혈증 원인의 90%이다(표 1). 부갑상선 항진증은 때로 장기간 지속되며, 특징적 증상 보다는 일상적 생화학 검사에서 발견된다. 악성종양과 관련된 고칼슘혈증은 골수종, 림프종, 유방암 등에서 사이토카인에 의한 뼈의 용해나 암 전이에 의해 발생한다. 기저 질환과 골전이가 임상적으로나 방사선학적으로 명확하게 있다. 체액성 고칼슘혈증은 편평세포암, 신장암, 방광암, 난소암, 유방암 등의 고형암에서 부갑상선 관련 펩티드(PTHrP) 분비에 의해 발생한다. 인간 T세포 백혈병 바이러스(HTLV-1) 관련된 림프종의 아형과 신경내분비종에서도 PTHrP가 분비된다. PTHrP에 의한 고칼슘혈증의 생화학적 소견은 혈청 PTH가 검출되지 않는 것을 제외하고 일차성 고칼슘혈증과 비슷하다. 고칼슘혈증은 예를 들어 유육종증(그림 1)과 같은 육아종에서 1,25-하이드록시 비타민 D 전환 증가에 의해서도 나타날 수 있다.

증상과 징후

혈청 칼슘은 소변으로 여과되며 고농도가 되면 삼투압성 이뇨 작용을 한다. 질병 발생 초기에 나타나는 증상은:
- 다뇨
- 야뇨
- 갈증
- 탈수
- 신장결석
- 신부전

혈청 칼슘 증가에 의한 복부 및 전신 증상은:

- 변비
- 복통
- 기면
- 혼돈
- 혼수

매우 높은 혈청 칼슘(부갑상선 발증과 같은)은, 특히 환자가 탈수 상태일 때 심폐 부전과 혼수를 일으킬 수 있다.

검사

고칼슘혈증의 진단적 접근에는 혈청 PTH의 정확한 평가가 필요하며, 이에 더하여 다음과 같은 임상 소견 및 방사선 검사가 중요하다:

- 피부, 입, 림프절, 유방, 회음부 등이 포함된 전반적인 진찰
- 혈액 검사와 적혈구 침강속도
- 혈청 요소와 전해질, 간기능검사, 칼슘, 인, 중탄산나트륨
- 혈청 PTH
- 혈청 단백질 전기영동
- 티록신과 갑상선 자극 호르몬
- 24시간 소변 칼슘, 인
- 흉부 방사선

다음과 같은 사항도 고려한다:
- 유육종증 진단을 위한 혈청 안지오텐신 전환효소 측정
- 흉부, 복부, 골반의 컴퓨터촬영

PTH의 반감기는 혈청에서 약 5분이며, 채혈 후 신속하게 4℃에서 원심분리하여 냉동 보관한다. 비스포스포네이트 정맥 주입 직후나 칼슘이 급속히 떨어진 후에 채혈하여 PTH를 측정하면 높게 나올 수 있다. PTH 측정용 채혈은 치료 시작되기 전에 해야 한다.

고용량의 코르티코스테로이드는 비타민 D 과잉이나 일부 악성 종양에 의한 고칼슘혈증을 신속히 정상화 한다. 이것은 고칼슘혈증의 감별 진단과 치료에 이용되어 왔다(예, 1일 120 mg의 하이드로코르티손 10일간 경구 투여, 3일마다 혈청 칼슘 측정).

부갑상선 기능항진증

원발성 부갑상선 기능항진증은 단일 선종, 다발성 선종, 증식증, 암 등에 의해 발생된다. 단일 선종이 가장 흔한 원인이다. 일부에서 유전적이며 다발성 내분비 선종증과 관련이 있다(표 2와 그림 2). 이차성 부갑상선 항진증은 신부전에서 저칼슘혈증과 고인산혈증에 대한 반응이다. 삼차성 부갑상선 항진증은 장기간의 중증 이차성 부갑상선 항진증에서 증식성 결절이 자발성을 가져 고칼슘혈

표 1. 고칼슘혈증의 원인

	원인
부갑상선항진증	일차성
암	골수종, 혈액암, 다발성 골전이
체액성	고형암과 일부 림프종에서 부갑상선 관련 펩티드 분비
저칼슘뇨성 고칼슘혈증	양성 가족성
비타민 D 과잉	중독, 유육종증
골재흡수 증가	약물(thiazide), 비타민 A 중독, 부동, 갑상선 중독증
신부전	삼차성 부갑상선항진증, 비타민 D 중독, 우유-알칼리 증후군

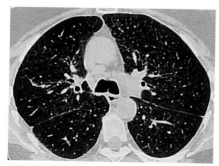

그림 1. 육아종에서 1,25-하이드록시 비타민D 생성 증가로 고칼슘혈증을 일으킨 환자의 폐 유육종증 결절

표 2. 부갑상선 기능항진증을 일으키는 유전질환

유전질환	결과
다발성 내분비 선종증 I	부갑상선 기능항진증, 췌도 종양, 뇌하수체종양, 흉부/위 카르시노이드
다발성 내분비 선종증 II	갑상선 수질암, 갈색세포종, 부갑상선 기능항진증
부갑상선 기능항진증-턱종양 증후군	부갑상선 기능항진증, 턱의 동심성 섬유종(그림 2)

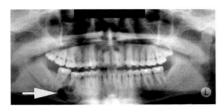

그림 2. 유전성 부갑상선 기능항진증–턱종양 증후군을 가진 환자 하악골의 동심성 섬유종(화살표)

증을 만든 상태이다.

　감별 진단에 중요한 질환은 가족성 양성 저칼슘뇨성 고칼슘혈증이다. 이 유전 질환은 칼슘 감수성 수용체 유전자의 비활성 변이에 의한다. 고농도 칼슘에 세포가 반응하지 않지만 환자에게 증상은 거의 없다. 생화학적 양상에서 소변 칼슘이 매우 낮은 것을 제외하고 일차성 부갑상선 기능항진증과 비슷하며, 가족 구성원 역시 고칼슘혈증을 보인다. 이 질환에서 주된 위험은 불필요한 부갑상선 절제이며 수술로 치료되지 않는다.

　부갑상선은 해부학적으로 갑상선 뒤에 있으며 둘은 우측 뒤에 둘은 좌측 뒤에 있다. 아랫쪽 부갑상선은 흉선과 발생학적으로 같아 앞쪽 종격동에서 발견된다. 인구의 5%에서는 4개 이상의 부갑상선이 있다.

증상과 징후

　보통 50세에서 70세 사이에 발생한다. 약 50%는 증상이 없으며, 대부분의 환자는 일상적인 선별검사에서 발견된다. 부갑상선 기능항진증에서 전통적으로 뼈(bone), 결석(stone), 고통(moan), 통증(groan)의 원인이 된다:

■ 고칼슘혈증의 증상(위에서 설명한 –oan)
■ 우울, 피로
■ 근육 쇠약
■ 소화성궤양
■ 췌장염
■ 신석과 산통
■ 골절
■ 가성통풍(그림 3)
■ 고혈압
■ 각막 석회화

검사

　혈청 PTH는 증가되나 정상의 윗쪽 상한선이다. 혈청 PTH가 낮으면 다른 진단 또는

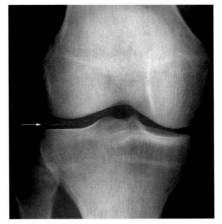

그림 3. 가성통풍에서 연골 석회화증(화살표)

PTH 측정 잘못을 고려한다. 중요한 문제는 병변 위치의 발견이다. 초음파, 컴퓨터촬영, 자기공명영상으로 갑상선 뒤에서 종괴를 볼 수 있다. 갑상선 결절이 없으면 방사선 동위원소 세스타미비 스캔이 유용하다(그림 4). 여러 검사 결과가 일치하지 않는 경우에는 경정맥과 종격동 정맥에 카테터를 삽입하여 채혈한 PTH 측정이 도움이 된다.

치료

　동반 질환이 있으면 금식하고 생리식염수 정맥주사로 수액 공급을 유지한다. 이는 탈수에 의한 중증 고칼슘혈증을 방지한다. 중증 고칼슘혈증에서(> 14 mg/dL) 생리식염수 정맥주사로 치료를 시작하여 탈수를 교정하고 다뇨를 보상한다. 비스포스포네이트는 체액 상태가 정상된 후 사용한다. 궁극적인 치료는 목에 대한 수술적 접근이다. 단일 선종은 제거하고 남아있는 부갑상선을 찾아 조사하고 표시하여 남겨둔다. 다발성 선종, 증

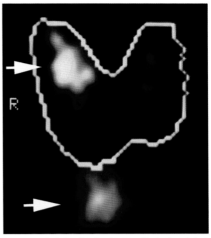

그림 4. 다발성 내분비 선종증 1형의 세스타미비를 이용한 부갑상선 동위원소 스캔에서 우측 위와 아래에 위치한 2개의 선종.

식증, 유전적 선종, 부갑상선 암은 부갑상선 전절제를 시도한다.

　수술 치료의 적응은:

■ 증상이 있는 경우
■ 젊은 나이
■ 혈청 칼슘 > 12 mg/dL
■ 소변 칼슘 > 40 mg/dL
■ 골다공증
■ 신장 석회화/신석

　부갑상선 절제가 성공적이면 대부분의 환자에서 칼슘과 비타민 D 유사체 보충이 필요하다. 부갑상선 절제 후 고칼슘혈증 치료에 실패하면 가족성 양성 저칼슘뇨성 고칼슘혈증에 대한 고려가 필요하다. 칼슘 감수성 수용체 작용제(cinacalcet)를 수술 치료에 실패한 부갑상선 기능항진증 조절에 사용한다.

고칼슘혈증

– 고칼슘혈증 원인의 90%는 부갑상선 기능항진증과 암이다.
– 부갑상선 기능항진증은 흔히 장기화된다.
– 다뇨와 야간뇨가 흔하다
– 탈수를 반드시 피해야 된다.
– 치료 시작 전 PTH를 측정 한다.
– 비스포스포네이트 투여 전 수분을 공급해야 한다.

저칼슘혈증

저칼슘혈증의 흔한 원인은 비타민 D 결핍과 수술에 의한 부갑상선 기능저하증이다(표 1). 저칼슘혈증은 혈청 마그네슘 저하, 혈청 칼륨 증가, 알칼리증 등에서 악화된다. 부갑상선 기능저하증은 기관 특이성 자가면역질환의 한 부분이다. I형 다선성 자가면역 증후군(polygrandular autoimmune syndrome type I)은 캔디다증, 애디슨병, 부갑상선 기능저하증으로 구성된다. 가성 부갑상선 기능저하증은 PTH 저항성이 원인이며, 혈청 칼슘 저하와 혈청 PTH가 증가된다. 이런 환자에서는 짧은 중수골 같은 골격 이상이 있다(올브라이트 유전적 골이영양증, 그림 1). 저칼슘혈증이 없이 골격 이상만 있으면 가성가성 부갑상선 기능저하증이라고 부른다.

증상과 징후

급성 상태
급성 저칼슘혈증에서 나타나는 전형적인 근신경 증상은:
■ 감각이상
■ 근육 경련
■ 불안정한 기분, 피로
■ 손목과 발의 연축(Trousseau 징후, 그림 2)
■ 발작
■ 호기성 및 흡기성 천명
■ 복통
■ Chvostek 징후
■ 심전도에서 QT 간격 연장

만성 상태
만성 또는 점진적인 저칼슘혈증에서는 비특이적 징후를 보이며 전형적으로 피부에 나타난다. 피부는 건조하고 건선이나 피부염 같은 병변을 보인다. 부서지기 쉬운 손톱, 거친 모발, 이소성 석회화(전형적으로 각막과 기저핵)가 나타난다.

검사
저칼슘혈증에서 필요한 검사는:
■ 혈청 칼슘, 인, 알부민
■ 혈액검사와 적혈구 침강속도
■ 요소와 전해질 마그네슘
■ 간기능 검사
■ 혈청 25-하이드록시 비타민 D
■ 혈청 PTH
■ 혈청 코르티솔
■ 24시간 소변의 칼슘과 인

치료
저칼슘혈증이 만성적이며 가벼우면 대부분의 환자에서 칼슘을 보충하고 식이 칼슘을 충분히 섭취하도록 한다. 수술에 의한 부갑상선 기능저하증에서는 비타민 D 유사체가 필요하다(예, alfaclcidol, 1α-

표 1. 저칼슘혈증의 원인	
원인	
부갑상선 기능저하증	의인성, 자가면역성, 패혈증, 마그네슘 불균형, 술, 유전성
비타민 D 부족	섭취 부족, 부족한 태양광
저항 증후군	가성 부갑상선 기능저하증, 비타민 D 저항성 구루병
유전적	칼슘 감수성 수용체의 활성화 변이

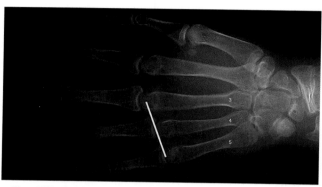

그림 1. **짧은 네번째 중수골.** 네번째 중수골이 짧아 5번째와 4번째 끝을 연결한 선이 3번째 중수골 끝에 닿지 않는다.

그림 2. **Trousseau 검사에서 손목의 연축.** 혈압기의 기낭을 수축기 혈압보다 30mmHg 이상 올린다. 손가락이 측정자나 환자에 의해 쉽게 펴지지 않는다. 손목 연축 시간을 기록한다. 정상에서는 동맥혈을 차단하고 3분 동안에는 연축이 없다.

> **Box 1 저칼슘혈증의 응급 치료**
> 적응증: 혈청 칼슘 < 8mg/dL 이고 증상이 있을 때
> 생리식염수 1 L에 15mg/kg의 칼슘을 섞어 4시간 동안 투여한다.
> 실제 처방: 10% 글루콘산 칼슘 필요량(mL) = 1.7×체중(kg)

hydroxycholecalciferol). 치료 목표는 혈청 칼슘을 정상의 하한선까지 유지이다. 24시간 소변 칼슘이 20 mg/dL 를 넘지 않도록 하며 그 이상에서는 신석의 위험이 증가된다. 중증 저칼슘혈증에서는 정맥으로 칼슘보충이 필요하다(Box 1). 재조합 부갑상선 호르몬(teriparatide)을 피하주사로 매일 투여할 수 있다

비타민 D 결핍

비타민 D는 피부에서 합성되고 간과 신장 효소에 의해 활성화되는 호르몬이다(그림 3). 자외선은 콜레스테롤 대사물을 비타민 D 전구체로 변화시킨다. 피부에서 만들어지는 비타민 D는 겨울철에 북쪽

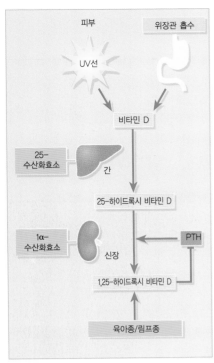

그림 3. **비타민 D의 대사경로**

지방주민에서 낮거나 측정되지 않는다. 비타민 D의 다른 공급원은 식품이나, 제한된 식품(예, 어류, 간, 계란 노른자)에만 고농도로 들어있다.

비타민 D 결핍의 위험인자는:
■ 고위도지역 거주
■ 채식
■ 고령 또는 집안 거주
■ 입원 또는 만성질환
■ 상부 위장관 수술
■ 소장질환
■ 페니토인 사용
■ 만성 간질환과 신질환

비타민 D 결핍 위험성이 높은 환자에는 고령자와 장에서 칼슘 흡수를 저하시키는 식물산이 많은 식품(예, chapattis)을 먹는 사람이 포함된다.

1,25-하이드록시 비타민 D의 역할은:
■ 식이 칼슘과 인 흡수
■ PTH 생산 억제
■ 골 재형성 단위 형성

증상과 징후
비타민 D 결핍 성인에서 근육통이 가장 흔한 증상이며, 때로 다음과 같은 전형적인 증상

없이 나타난다:
■ 근육 통증/쇠약
■ 골 통증/변형
■ 병적 골절(Looser's zones)
■ 골단 분리증(구루병)
■ 오리걸음
■ 피곤한
■ 저칼슘혈증의 증상

근육 쇠약이 근위부에 나타나며, 특히 골반에 영향을 주어 전형적인 오리걸음을 걷는다. 골격 변형과 골절은 골기질의 미네랄화(칼슘) 부족에 의한다. 구루병은 소아에서 나타나고 골연화증은 성인에서 발생한다. 작은 가성골절이나 미세골절은 Looser 영역이라고 부른다(그림 4).

구루병의 전형적인 징후는 소아의 발달 단계에 따라 다르다. 신생아 구루병은 두개골(탁구공 두개골)에 영향을 주고 늑골 골단을 팽창시킨다(구루병 염주). 나이든 소아에서는 활모양 다리나 안짱다리가 된다.

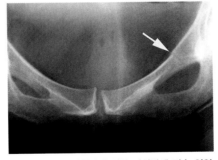

그림 4. **골대사질환에서 치골 좌상방에 결손 영역이 있다.**

검사
일부 질환에서는 혈청 25-하이드록시 비타민 D, 칼슘, 인이 낮고, 혈청 알칼리 포스파타제와 PTH는 상승된다. 혈청 비타민 D가 측정되지 않는 많은 환자에서 혈청 알칼리 포스파타제 농도가 정상이라는 점에 주의할 필요가 있다. 골조직검사로 골연화증을 증명한 적은 수의 환자에서 측정한 혈청 25-하이드록시 비타민 D 농도는 8~20 ng/mL이었다.

치료
많은 비타민 D 치료제가 있다(표 2). 비타민 D 결핍증에 에르고칼시페롤(ergocalciferol) 800U 경구 투여는 싸고 효과적이다. 중증 골질환이나 증상이 있는 환자는 고용량이(10,000U, 매주) 필요하다. 치료 효과는 임상적으로나 혈청 칼슘과 25-하이드록시 비타민 D 농도(목표 >20 ng/mL)로 측정한다. 수산화 과정이 필요없는 유사체(예, 1,25-하이드록시 비타민 D)는 간이나 신장 질환 환자에 사용한다.

표 2. **비타민 D 약제**	
약제[a]	비타민 D 형태
Ergocalciferol (calciferol)	비타민 D_2
Cholecalciferol	비타민 D_3
Alfacalcidol(1α-hydroxy cholecalciferol)	1-하이드록시 비타민 D
Calcitriol(1,25-dihydroxy cholecalciferol)	1,25-디하이드록시비타민 D
[a](괄호 안은 미국 명칭)	

> ### 저칼슘혈증
> – 저칼슘혈증의 흔한 원인은 비타민 D 결핍과 수술후 부갑상선 기능저하증이다.
> – 비타민 D 결핍은 태양광 부족과 식이 요인으로 생길 수 있다.
> – 근육 통증과 쇠약은 비타민 D 결핍에서 흔하다.
> – 혈청 칼슘과 알칼리 포스파타제는 비타민 D 결핍에서 때로 정상이다.
> – 경구 ergocalciferol 치료는 효과적이고 저렴하다.
> – 비타민 D 유사체는 부갑상선 기능저하증, 신장 또는 간 질환에 사용된다.

골다공증

기본개념

골다공증에서는 골량이 감소된다. 골기질 사이의 구멍과 공간이 늘어나서 뼈는 다공화된다. 따라서 골밀도가 감소한다. 남아있는 골기질에는 정상적으로 미네랄화(칼슘)되며, 골기질의 미네랄화가 감소된 골연화증과 다르다(p 51). 골량 감소 결과로 부서지기 쉽고 골절이 생긴다. 골다공증성 골절은 여성의 40%, 남성의 13%에서 발생한다.

골감소증(osteopenia)은 다음과 같이 다양하게 사용된다. 방사선학적으로 방사성 투과성인 뼈에 대해 중증도의 정량화 없이 일반적 용어, 골밀도 검사(DEXA: dual energy X-ray absorptiometry)에서 골다공증 전 중간단계의 정의이다.

골다공증은 다음과 같은 다양한 원인으로 발생되는 진단명이 아니라 기술적 용어이다:

- 연령 증가
- 에스트로겐이나 테스토스테론 결핍
- 알코올 과다
- 칼슘 섭취 저하
- 비타민 D 결핍

다른 중요한 위험인자는:

- 가족력
- 부동
- 헤파린
- 흡연
- 만성 폐쇄성 폐질환
- 내분비 질환: 당질 코르티코이드 과잉, 갑상선 중독증, 부갑상선 기능항진증, 고프로락틴혈증
- 위장 질환
- 골수/결체조직 질환

대부분의 환자는 골다공증의 위험을 높이는 여러 인자를 가지고 있다. 여성에서 폐경 후 골다공증이 가장 많다. 흡연, 운동부족, 과음, 식이 칼슘부족, 가족력 등이 동반된다. 많은 위험인자는 가역적이며, 예를 들어 비타민 D 부족은 제외되어야 한다.

기본적인 병태생리는 골 재형성 단위의 불균형이다(그림 2, p 46). 즉 골형성에 비해 골 재흡수가 비정상적으로 증가된다. 골형성은 사춘기에 정상적으로 증가하여 20세경에 최고에 이른다. 성선기능 저하증이나 사춘기 지연에 의해 최고 골량 도달 실패는 골다공증에서 드문 기전의 하나이다.

증상과 징후

골절이 일어나기 전 까지 증상이 없다. 작은 외상에 의한 골절은 골다공증이나 골감소증을 의미한다:

- 전신으로 넘어짐
- 13cm 이하에서 떨어짐
- 달리기보다 적은 속도로 감속

골절은 여러 부위에서 나타난다:

- 척추(가장 많다)
- 대퇴 경부
- 손목
- 발목

환자는 키가 점차 줄어들고 구부정하게 되는 것을 느낀다. 전체적인 월경력과 약제 복용력을 알 필요가 있다. 헤파린은 치료 후 몇 주내에 골 재흡수를 증가시키는 원인이다.

검사

검사는 가역적인 위험인자 발견이 목표이다:

- 혈액 검사와 적혈구 침강속도
- 신기능의 혈청 검사
- 혈청 칼슘
- 혈청 25-하이드록시 비타민 D
- 혈청 PTH
- 혈청 테스토스테론 또는 에스트로겐
- 혈청 갑상선 호르몬, 갑상선 자극 호르몬
- 혈청 프로락틴
- 24시간 소변의 칼슘과 인
- DEXA 골밀도

단순 방사선은 뼈에 골절이 없으면 골다공증 진단에 충분하지 못하다. DEXA는 골밀도를 정량화하는 일반적인 방법이다. 이는 미래의 골절을 예측한다(표 1). DEXA 스캔은 장기간에 걸친 작은 미세 골절이 이미 발생된 환자에서는 유용성이 없으며 이들은 대부분 치료가 필요하기 때문이다.

치료

흡연, 음주, 운동 부족 같은 위험인자를 환자에게 설명한다. 약물치료는 뼈의 재흡수를 감소하거나 골형성을 증가시키는 치료에 기반을 둔다(표 2). 대부분의 진행된 골다공증

표 1. DEXA를 이용한 골밀도 측정

언급사항	
이득	골절위험 예측
	치료 반응 모니터
함정	골절/경화성 골에서 오류
	원인질환을 나타내지 않는다.
	기계에 따른 상이한 결과
해석	젊은 연령층의 골밀도와 비교(T-score)
T-score에 따른 WHO 분류	정상 0~1
	골감소증 -1 ~ -2.5
	골다공증 -2.5 이하

표 2. 골다공증의 치료

치료	내용
원인 규명과 제거(가능하면)	예를 들어 비타민 D 결핍, 위장질환
위험인자 감소	흡연, 음주, 운동부족
골재흡수 감소 치료	에스트로겐, 비스포스포네이트, 칼시토닌
골형성 증가 치료	저용량 부갑상선호르몬, HMG-coA reductase inhibitors(스타틴), 저용량 불소, 성장호르몬/인슐린양 성장인자, 스트론티움
HMG-CoA: 3-hydroxy-3-methylglutaryl coenzyme A	

환자에서 칼슘과 비타민 D 그리고 비스포스포네이트가 도움이 된다. 경구 비스포스포네이트는 위장 부작용이 있을 수 있으며, 1년 이상 작용하는 강력한 정맥주사 비스포스포네이트는 비슷한 가격에 사용할 수 있다. 폐경후 골다공증 치료가 증가하고 있다(Box 1). 폐경후 골다공증에 에스트로겐 사용은 심혈관질환과 유방암 위험에 대한 평가가 필요하며, 이러한 질환이 호르몬 보충요법에 의해 증가하기 때문이다(p 38~39).

골밀도 검사에서 골감소증으로 판정된 환자에서도 골절 위험이 높다. 이들도 치료가 필요하며, 특히 위험인자가 지속되는 경우이다. 이러한 상황의 흔한 예로 당질 코르티코이드 사용이 있다. 당질 코르티코이드를 사용하고 있는 환자에서 효과적인 치료는 알렌드론산이나 리세드로네이트 같은 강력한 비스포스포네이트 투여이다. 매우 소량의 당질 코르티코이드를 사용하고 있으며 골밀도가 정상인 환자는 칼슘과 비타민 D 보충만으로도 충분하다.

골다공증 치료를 시작한 환자는 치료 수주 후 순응도와 부작용을 확인하기 위해 임상적으로 재평가해야한다. 생화학 검사로 칼슘, 전해질, 신장과 간기능을 조사한다. 다음의 추적 평가는 치료 1년에 시행하며 상태가 악화되지 않았는지 확인하기 위해 DEXA 골밀도 검사를 시행한다. 그 후의 임상 및 골밀도 평가는 2년 간격으로 시행하며, 골농도 변화는 느리기 때문이다. 골다공증이나 골감소증의 위험인자가 있는 환자에서는 요추와 골반의 골밀도를 측정하며, 이것은 임상적으로 중요한 골절이 생기기 쉬운 부위이고 치료에 반응하는 부위이기 때문이다. 발뒷꿈치나 전완의 골밀도 측정은 저위험군에서 값이 싸고 검사가 편리하여 시행할 수 있다.

골다공증성 골절

골절은 주로 손목, 골반, 척추에서 일어난다. 골반 골절의 예후가 가장 나쁘며 수술적으로 치료하고, 골절 재발을 방지하기 위한 운동과 치료가 필요하다. 급성 척추 압박 골절(그림 1)은 보통 내과적으로 치료하며, 침상안정, 진통제, 칼시토닌 투여이다.

최근 경피적 기법이 이용되어 신속한 통증 감소와 환자의 활동이 가능하게 되었다. 이러한 경피적 척추성형은 방사선으로 보면서 압박 골절된 척추체 안에 바늘을 찔러 아크릴 시멘트를 투여한다. 경피적 척추후굴 풍선 복원술은 척추체내 바늘을 통해 풍선을 삽입하여 압박 뼈를 펴고 아크릴 시멘트로 고정한다(그림 1). 약 80%의 환자가 시술 후 24시간 내에 움직일 수 있으며, 환자의 치료 만족도는 매우 높다. 위험성은 색전, 신경 압박, 다른 척추체의 골절 위험 증가이다(특히 당질 코르티코이드 사용 골다공증에서).

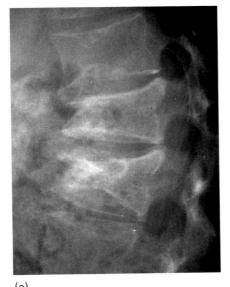
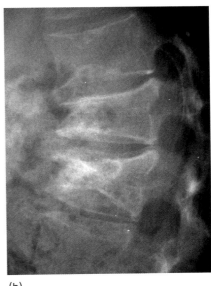

(a)   (b)

그림 1. **골다공증에 의한 척추 압박골절(a)과 경피적 풍선 성형술 치료.** 풍선 카테터를 척추체에 유도하여 확장한다. 그후 아크릴 시멘트를 주입한다. (b) 이 치료는 통증 조절에 특히 효과적이다.

골다공증

- 골다공증은 골량 감소에 의해 골절되기 쉬운 상태이다.
- 흔한 위험인자는 연령 증가, 성 호르몬 부족, 음주, 흡연이다.
- 치료 전에 비타민 D 결핍을 제외한다.
- 골절 위험 감소에 비스포스포네이트 치료가 가장 효과적이다.
- DEXA 골밀도 검사로 감시한다.

당뇨병

당뇨병이란?

배경

우리가 오늘날 당뇨병이라고 부르는 질환의 양상은 고대 이집트인이 처음 발견했다(그림 1). 그 후 수 세기에 걸쳐 많은 연구자가 전형적인 임상 증상으로 소변양, 혈당, 갈증의 증가를 기록했으며, 인슐린의 결정적인 역할과 인슐린을 분비하는 췌장을 알아냈다. 최근에는 인슐린의 2차원 및 3차원 구조를 알게 되었으며, 인슐린 분자를 합성하게 되었다(표 1).

당뇨병이란 무엇인가?

당뇨병은 고혈당에 의한 만성 질환이다. 우리 모두는 혈액 내에 포도당이 있으며, 당뇨병으로 정의하기 위한 역치가 있다. 이 정의는 지난 수년 동안 바뀌어 왔으며, 최근에는 공복 혈당 증가 또는, 경구용 포도당 부하 후 혈당 증가로 결정한다(표 2). 당뇨병은 원발성이거나 다른 질환에 의한 이차성이다. 원발성 질환의 형태에는:

- 1형(인슐린 의존형 당뇨병: IDDM)
- 2형(인슐린 비의존형 당뇨병: NIDDM)
  - 비만하지 않은
  - 비만한
- 영양실조형 당뇨병(드물다, 열대지방)
- 임신성 당뇨병(임신에서 처음 발생)

이차성 당뇨병(표 3)은 새로 진단되는 당뇨병의 1~2%에 불과하나, 다른 치료가 필요하므로 발견이 중요하다.

1형과 2형 당뇨병은 각각 다른 질환이지만 임상적 구분은 때로 확실하지 않고 잘못되는 경우도 있다. 예를 들어, 인슐린 분비 소실은 1

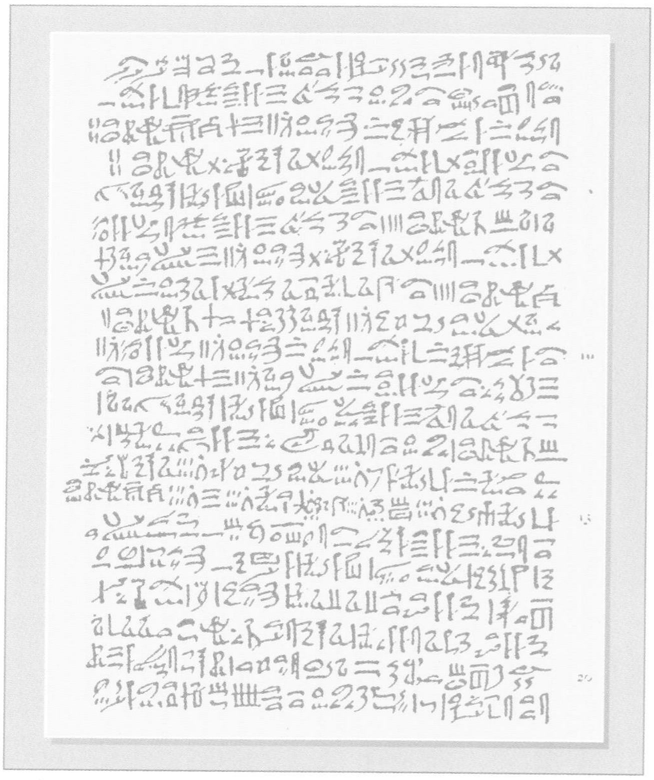

그림 1. **BC 1550년의 에버스 파피루스**

표 1. 당뇨병의 중요 역사

연대	출처	내용
BC 1550	이집트 파피루스(그림 1)	소변양의 증가
1~2세기	Galen(로마), Aretaeus(그리스)	다뇨, 갈증
5세기	Susruta, Charuka(인도)	단 소변 기술, 비만과 마른 환자 구분
10세기	Avicenna(아랍)	소변의 당; 합병증으로 괴사와 발기부전
17세기	Willis(영국)	당뇨병 환자의 소변에 당 존재
18세기	Dobson, Cawley(영국)	당뇨병 환자의 혈액에 당 존재; 췌장손상에 의한 당뇨병.
19세기	Bernard(프랑스)	혈당은 간에서 글리코겐으로 저장되어 있다; 췌장관을 묶으면 췌장 외분비 변성이 일어난다.
19세기	Langerhans, Minkowski, von Mering(독일)	췌도 발견; 췌장 절제로 당뇨병 발생
20세기	Banting, Best, MacLeod, Collip(캐나다)	인슐린 발견
20세기	Hodgekin, Sanger(영국)	인슐린 구조 결정

표 2. 경구 당부하 검사의 해석

	정맥 혈당 농도, mmol/L(mg/dL)	
	공복	75g 당부하 후 120분
정상	<6.1(110)	<7.8(140)
공복혈당 장애	≥6.1(110)(110~125)	
내당능 장애	–	7.8~11.1(140~199)
당뇨병	>7.0(126)	≥ 11.1(200)

증상이 없으면 당뇨병 진단은 각각 다른 날에 시행한 두번의 검사(예, 공복, 무작위 또는 반복된 당부하 검사)로 확진해야 한다.

표 3. 이차성 당뇨병

상태	
췌장 질환	만성 또는 재발성 췌장염, 혈색소증
다른 내분비 질환	쿠싱 증후군, 말단비대증, 갈색세포종, 글루카곤종
약제	당질 코르티코이드, 부신피질 자극호르몬, 이뇨제, 베타-차단제
인슐린 또는 인슐린 수용체 이상	비정상 인슐린, 인슐린 수용체 결핍, 혈중 항수용체 항체
유전	DIDMOAD 증후군, 지방위축 당뇨병, 섬유낭종증

형 당뇨병에서 가장 심하지만, 모든 당뇨병에서 나타날 수 있다. 흔하지는 않지만 인슐린 분비 소실이 2형 당뇨병의 양상이 되기도 한다. 인슐린 감수성 저하는 2형 당뇨병 환자에게 현저하지만 다른 형태에서도 볼 수 있다.

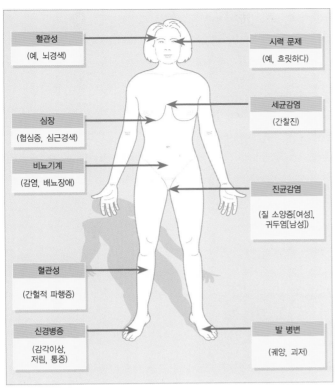

그림 2. **당뇨병 합병증에 의한 당뇨병의 발견**

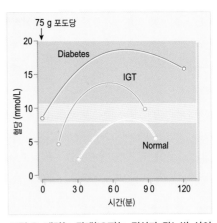

그림 3. **내당능 장애(IGT)는 정상과 당뇨병 사이에 있다.**

임상 증상

당뇨병 환자에서는 고혈당에 의해 증상이나 임상적 문제가 나타난다. 1형 당뇨병 환자는 흔히 고혈당에 의해 심한 증상을 보인다. 이런 심한 증상은 혈중 케톤 증가 및 체중 감소 때문이기도 하다. 1형 당뇨병 소아에서 흔한 증상은:

■ 다뇨
■ 야뇨
■ 갈증
■ 체중 감소
■ 탈수
■ 혼수

나이 많은 환자에서는 대사이상과 직접 관련 없는 증상으로 발견되거나(그림 2), 다음과 같은 일상적 선별검사에서 진단된다:

■ 보험 가입 검사
■ 임신
■ 국민보험 검진
■ 위험군의 정기 검사

케토산혈증이 처음 나타나는 증상일 수 있다. 소변에 당이 나온다고 당뇨병으로 진단할 수는 없으며 정밀검사가 필요하다. 인구의 약 1%가 신성 당뇨를 가지고 있으며, 포도당의 신 역치 저하가 상염색체 우성이나 열성으로 유전된다.
전형적인 당뇨병의 3가지 증상은:

■ 다뇨: 신 역치를 넘는 혈당이 삼투압 이뇨를 일으킴
■ 갈증: 체액 및 전해질 소실에 의해
■ 체중 감소: 체액 소실과 인슐린 결핍에 의한 지방 및 근육 분해 가속화로 나타나며, 2형 당뇨병에서는 현저하지 않다.

고혈당에 의한 임상적 문제는:

■ 기력 부족
■ 흐린 시야(망막증이나 고혈당에 의한 굴절 이상)

■ 진균 감염(질 소양증 및 귀두염)
■ 세균 감염(포도구균 피부 감염)
■ 다발성 신경병증(발의 저림이나 감각이상 또는 발기부전)

내당능 장애는 정상과 당뇨병 사이의 상태이다(그림 3). 이것은 비만과 비비만 모두에서 나타날 수 있으며, 다음과 관련이 있다:

■ 2형 당뇨병 가족력
■ 연령
■ 복부 비만 및 전신 비만
■ 신체적 비활동
■ 태아의 영양실조
■ 인종

내당능 장애가 있는 사람에서는 대혈관 질환의 위험이 있으며, 심근경색이나 괴저와 같은 동맥 질환을 이미 가지고 있을 가능성도 있다.

당뇨병

– 전형적인 증상은 다뇨, 갈증, 체중 감소이다.
– 일차성 당뇨병은 1형과 2형으로 나눈다.
– 1형(인슐린 의존형)은 케토산혈증 발생과 관계가 있으며, 절대적 인슐린 부족에 의한다.
– 2형(인슐린 비의존형)은 대부분 40세 이상에서 나타나며, 인슐린 저항성과 관계가 있고, 상대적 인슐린 부족으로 케토산혈증이 대부분 일어나지 않는다.
– 내당능 장애는 중간 단계이며 건강의 위험을 동반한다.

포도당 항상성과 인슐린의 작용

포도당 항상성

부적절하게 높은 혈당을 이해하기 위해서 신체 내에서 어떻게 정상 혈당을 엄격하게 유지하는지 이해해야 한다. 전혈 또는 혈장의 혈당은 보통 3.5~8.0 mmol/L (63~144 mg/dL)의 범위를 유지하며, 건강한 사람에서는 식사나 공복, 운동과 관계없이 2.5~11.0 mmol/L(45~200 mg/dL)을 유지한다. 포도당 항상성은 포도당을 흡수하여 글리코겐의 형태로 저장하는 간에서 대부분 이루어진다. 식사 사이에는 포도당이 순환 혈액으로 방출된다(그림 1). 항상성을 유지하기 위해서는 말초조직에서 포도당 이용속도와 포도당 생산속도가 일치해야 한다. 간은 당신생 과정을 통해 6개의 탄소로 된 포도당을 생산한다(그림 1). 이 과정에서 2분자의 3탄당이 6탄당으로 합성된다. 3탄당 분자는 지방(글리세롤), 근육의 글리코겐(젖산), 단백질(알라닌 등)을 분해한 산물이다.

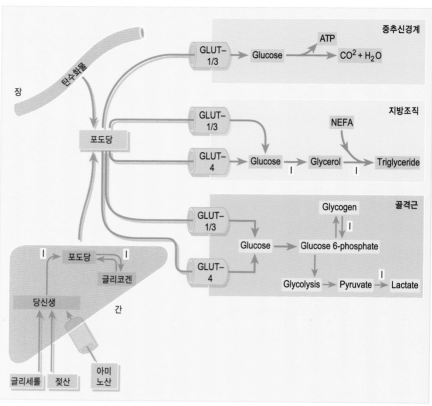

그림 1. **탄수화물 대사 과정의 개요.** GLUT는 포도당 수송체이다. I, 인슐린 작용 부위를 표시한 것이다.

포도당 합성

매일 약 200 g의 포도당이 합성된다. 간의 포도당 생산이 매일 합성하는 양의 90%를 차지하며, 1차적으로는 간의 글리코겐 분해이며, 2차적으로 당신생이다. 나머지는 신장의 당신생이다.

포도당 이용

매일 약 200 g의 포도당이 이용된다. 뇌는 포도당을 소비하는 주요 기관이며 하루 100 g을 사용한다. 뇌의 포도당 섭취는 필수적이며, 인슐린에 의존하지 않는다. 이용된 포도당은 이산화탄소와 물로 산화된다. 근육과 지방 같은 다른 조직에서 포도당 섭취는 조직 상태에 따라 다르다. 근육에 유입된 포도당은 글리코겐으로 저장되거나 젖산으로 분해되어 순환 혈액으로 다시 들어가 간에서 당신생의 기질이 된다. 지방조직에 유입된 포도당은 에너지원이 되거나 중성지방을 합성하는 기질이 된다.

인슐린 합성, 분비와 작용

인슐린은 식품에서 얻은 화학 에너지의 보관과 방출을 조절하는데 중요한 호르몬이다. 인슐린은 51개의 아미노산으로 이루어진 펩티드(그림 2)이며, 췌도의 베타 세포에서 합성이 된다. 일단 전구체로 합성이 되며, 단백분해를 통해 인슐린과 C-펩티드(연결 펩티드)가 만들어진다. 이들은 과립으로 보관되며 문맥순환으로 같은 양이 분비된다. 인슐린은 주된 표적 기관인 간으로 들어가서 사용된다. 같이 분비된 C-펩티드도 간으로 가지만, 간에서 사용되지 않고 순환혈액으로

나오므로 C-펩티드 농도를 측정하면 인슐린 분비능의 지표로 이용할 수 있다. 베타 세포에서 인슐린 생산과 방출 과정은 그림 3과 같으며, 분비성 과립에서 인슐린을 방출하는 세포 내 과정이 포함되어 있다. 인슐린 분비에는 지속적으로 나오는 기저 분비와 혈당 증가에 대한 반응으로 나오는 추가 분비가 있다. 분비된 인슐린의 약 50%는 간에서 추출되어 분해되며 나머지는 신장에서 분해된다.

인슐린은 대사의 주된 조절 인자이지만 그 작용은 다른 호르몬에 의해 변화 될 수 있다. 일정한 수준의 인슐린 농도에서 길항조절 호르몬(글루카곤, 아드레날린, 코르티손, 성장호르몬)은 간에서 포도당 생

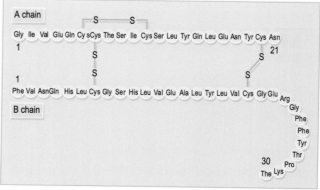

그림 2. **사람 인슐린의 일차 구조(아미노산 배열).** S-S는 이황화 결합을 나타낸다.

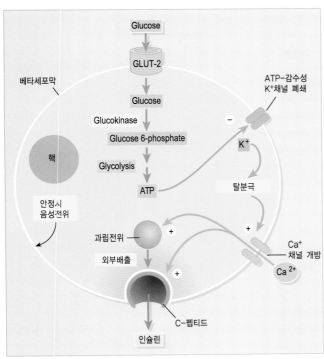

그림 3. **인슐린의 합성과 분비**

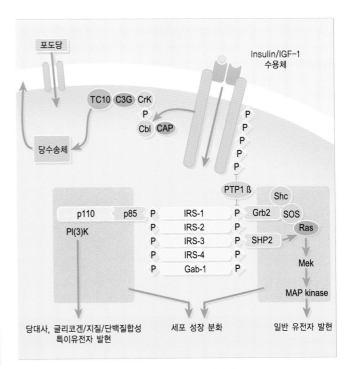

그림 4. **인슐린 수용체와 인슐린 작용의 신호 전달체**

산을 증가시키고, 지방과 근육에서 포도당 이용을 저하시킨다. 인슐린의 작용은 금식과 식후 상태에 따라 다르다. 금식하는 동안 신체 에너지 수요는 주로 지방산 산화에 의해 공급된다. 식사 섭취 후 췌도에서 인슐린이 신속히 분비되어 최고에 도달하여 문맥 순환으로 들어간다. 순환하는 인슐린은 세포로 들어가는 포도당 역치를 낮춘다.

세포 내로 들어와 인슐린은 분해되고 수용체는 세포 표면으로 이동하여 재활용된다. 인슐린은 많은 작용을 한다(표 1, 그림 5).

인슐린 수용체

인슐린 수용체는 많은 세포의 세포막에 발현되는 큰 당단백이다. 수용체는 이량체이며, 인슐린 결합 부위를 가진 두 개의 알파-단위와 세막을 가로지르는 두 개의 베타-단위로 구성되어 있다(그림 4). 인슐린이 알파-단위에 결합되면 베타-단위의 입체구조에 변화가 일어난다. 이 변화가 세포내 티로신 키나아제를 활성화시키고 세포내 연속반응을 시작한다. 이러한 반응의 하나는 세포표면으로 당수송체 GULT-4의 이동이며, 이것은 포도당 운반체로 작용하여 포도당의 세포내 이동을 증가시킨다. 그 다음에 인슐린과 수용체의 복합체는

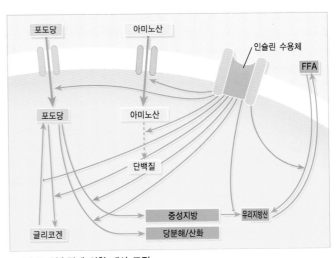

그림 5. **인슐린에 의한 대사 조절**

표 1. 인슐린의 생리 작용	
작용의 종류	영향
대사 작용	간의 당 생성 억제
	근육과 지방 조직에서 당 유입 자극
	글리코겐으로 당 저장 촉진
	지방분해와 간 케톤 합성 억제
	단백 회전율 조절
	전해질 균형에 영향
다른 지속적 작용	성장과 발달 조절(자궁내와 출생 후)
	일부 유전자의 발현 조절

포도당 항상성과 인슐린 작용

– 간에서 당신생은 지방, 글리코겐, 단백질에서 포도당 생산이다.
– 인슐린은 포도당 항상성의 중요한 조절인자이다.
– 인슐린은 식후에 주로 작용한다.
– 인슐린 수용체는 광범위한 인슐린의 작용을 일으킨다.

1형 당뇨병

역학

1형 당뇨병은 심한 인슐린 부족에 의한 인슐린 의존 상태이다. 다음과 같은 변이형이 있다:

- 1A형: 자가면역성
- 1B형: 일본의 아급성 췌장염
- LADA: 성인의 잠재적 자가면역성 당뇨병(latent autoimmune diabetes in adults)

서구의 거의 모든 환자는 면역 관련 질환을 동반하고 있다. 1형 당뇨병은 소아에서 천식 다음으로 흔한 질환이다. 사춘기 부근에 최고 발병 빈도가 가장 높지만 어느 연령에서나 나타난다. 1A형 당뇨병 발생이 세계에서 가장 높은 지역은 핀란드와 기타 북유럽 국가(그림 1)이며, 원인은 알 수 없지만 사르디니아 섬이 세계에서 두번째이다. 대부분 유럽 국가에서 발생 빈도가 증가하고 있으며, 특히 5세 이하 소아에서 나타난다.

1형 당뇨병의 한 변이형인 LADA는 인슐린 결핍이 서서히 진행하는 특징이 있다. 이 변이형은 처음에 인슐린 비의존형 당뇨병으로 시작한 성인 환자의 약 10%에서 나타난

다. 이러한 성인의 대부분은 인슐린 의존으로 진행된다. LADA는 GAD(glutamic acid decarboxylase)에 대한 항체 존재가 특징이다. 1B형 당뇨병은 일본 환자에서 알려졌다. 이러한 환자는 당뇨병에 관련된 항체가 없이 인슐린 의존 상태로 빠르게 진행된다. 혈청 아밀라제가 증가되어 아급성 췌장염에 해당된다.

병태생리

1형 당뇨병은 장기 특이성 면역질환이다. 면역 손상은 환경인자와 유전적 감수성을 가진 사람에서 일어난다(그림 2). 유전적 감수성은 다인자성(여러 유전자가 영향을 주는)이며, 6번 염색체 단완에 있는 조직적합성(HLA, histocompatability) 유전자 영역과 관계있고, 이 부분은 체내에 침입된 인자에 대한 면역 반응에 관여한다(표 1). 20세까지의 당뇨병 위험은 당뇨병 모친(2~3%) 보다 당뇨병 부친(3~6%)의 영향이 크다. 가장 많이 발병하는 시기는 청소년기이지만 어느 연령에서나 나타날 수 있다(그림 3). 당뇨병 발생 위험은 일반 인구에서 약 1:400, 당뇨병이 있는 일란성 쌍둥이 소아에서 1:2, 당뇨병이 있는 일란성 쌍둥이 성인에서 1:10, 1형 당뇨병이 있는 형제에서 1:17, HLA가 같은 형제에서 1:5 이다(표 2). 일란성 쌍둥이 사이의 현저한 불일치는 비유전적, 아마도 환경인자의 결과이다. 소아기에 당뇨병이 나타난 경우에 환경인자는 자궁 내 까지를 포함

표 1. 1형 당뇨병에서 HLA 유전형의 위험도	
1형의 유전적 위험	유전형
높음	DR3/4,DQB1*0302
	DR4/4,DQB1*0302
	DR3/3
	DR4/X,DQB1*0302
중간	DR3/X
	DQB1*0302가 아닌 DR3/4
	DQB1*0302가 아닌 DR4/X
	DQB1*0302가 아닌 DR4/4
	DR2/4,DQB1*0302
	DQB1*0302가 아닌 DR2/4
낮음	DR2/3
	DRX/X, 2/XO 2/2
	DR4*0403/X,DQB1*0302
DRX는 DR3, DR4, DR2가 아님.	

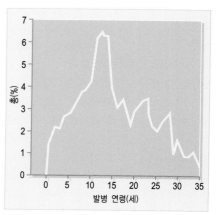

그림 3. **30세까지 1형 당뇨병 발병**

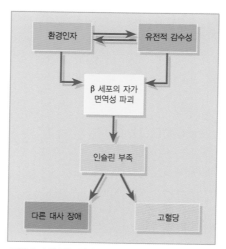

그림 2. **1형 당뇨병의 병인**

그림 1. **유럽에서 1형 당뇨병(0~14세에 발생)의 유병율(연간 1000,000명 당)**

하는 생명 초기부터 작용할 수 있다. 환경인자의 본질은 알려지지 않았지만 다음과 같은 가능성이 있다:

- 일반 요인
  - 위생
  - 기생충
  - 공존 감염(결핵, 말라리아)
- 특별 요인
  - 바이러스(예, enterovirus)
  - 세균
  - 우유(초기 노출을 통한)
  - 독소

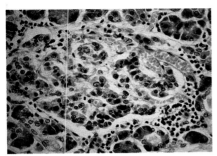

그림 4. **새로 발생된 1형 당뇨병 소아의 췌도 인슐린염**

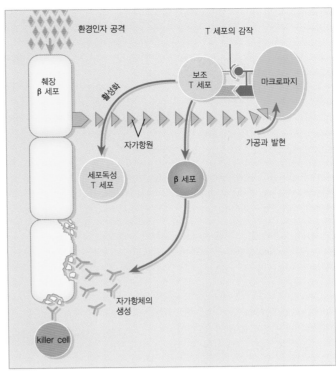

그림 5. **췌장에 대한 환경 인자가 자가항체, killer cell, 항체 의존성 보체(C), T세포에 의해 췌장 베타 세포를 파괴하는 이론적 모델**

환경과 유전적 요인의 상호작용은 면역 반응을 일으켜 T 림프구를 활성화하여 자가항체를 생산한다. 면역 반응 변화는 췌도를 표적으로 하며, 소아에서 진단 시 췌도에 림프구와 마크로파지가 둘러싸고 침투하여 인슐린 분비 세포를 직접 또는 간접적으로 파괴하는 것으로 생각된다(그림 4). 자가면역 발생의 한 모델은 그림 5와 같다. 1형 당뇨병을 예측하고 선별할 수 있는 자가항체는 66페이지에서 설명한다.

자가항체는 1형 당뇨병의 원인이 아니며, 질병을 발생하는 자가면역 과정을 반영한다. 자가항체가 초기 연령에서 유발될 수 있으므로 그 영향에 의한 질병을 예상할 수 있고, 그 과정이 만성적이므로 자가항체는 임상적 질환 발생을 예측할 수 있다. 성인에서 인슐린 비의존성 당뇨병 환자의 일부는 GAD에 대한 자가항체를 가지고 있다. 이러한 환자는 처음에 2형 당뇨병으로 진단되나 인슐린 비의존성인 자가면역성 LADA이다. 이러한 자가면역 당뇨병은 유럽 성인에서 새로 진단된 인슐린 비의존성 당뇨병의 약 10%를 차지하며 소아의 1형 당뇨병보다 빈도가 높다. LADA 환자의 약 90%는 6년 이내에 인슐린 의존성으로 진행되며, 인슐린 의존성으로 진행을 제외하고 성인 발병 1형 당뇨병과 LADA를 구별하기는 어렵다.

표 2. **당뇨병 친척에서 당뇨병 발생 위험도**

	추정 위험도(%)	
	1형	2형
당뇨병 양친의 소아		
당뇨병 아버지	8	? ~ 15
당뇨병 어머니	2	? ~ 15
양친 모두 당뇨	30 이상	75 이상
당뇨병 환자의 형제		
2개의 HLA 동일	16	–
1개의 HLA 동일	9	–
불일치	3	–
당뇨병 관련 자가항체 증가	90 이상	–
다른 형제	–	~ 10
당뇨병 쌍둥이의 동반		
같음	40	~ 90
다름	15	10

1형 당뇨병

- 1형 당뇨병은 만성적으로 진행하는 자가면역 질환이다.
- 1형 당뇨병의 발생율은 소아에서 높다.
- 1형 당뇨병은 자가면역 양상과 관련있고, 모든 나이에서 다양한 임상 소견을 나타낸다.
- 일반 집단에서 자가항체 존재는 1형 당뇨병을 예측할 수 있다.

2형 당뇨병

역학

2형 당뇨병은 세계적인 질병이며, 급속한 증가에 의해 전세계의 유행병이 되었다. 대부분의 당뇨병 환자는 2형이다. 세계보건기구는 1985년 당뇨병 환자를 3천만명으로 추산했으며, 현재는 1억명 이상으로 추산되고 2020년까지 2배로 증가하여 2억명이 될 것으로 예상하고 있다(그림 1). 전세계에서 당뇨병의 빈도는 큰 차이가 있다. 일반적으로 개발도상국, 유럽, 북미에서 빈도가 높다. 앞으로 25년에는 산업 국가에 인접한 개발도상 국가인 멕시코, 이집트, 페르시아만 연안 제국, 러시아, 우크라니아 등에서 크게 증가할 것으로 생각된다. 2형 당뇨병은 인종적 요인 이외에 고령화, 칼로리 섭취 증가, 칼로리 소비 감소, 비만, 임신, 일부 약물요법, 동반된 질환과 관계 있다. 영국에서 WHO 기준을 이용한 발병률은 약 2%이고, 그 가족의 약 30%가 당뇨병이다. 최근에 서구의 생활습관에 노출된 수렵민족인 피마인디언, 미크로네시아의 나루족에서는 유병률이 80%에 달했다.

2형 당뇨병의 유전인자

일란성 쌍둥이에서 2형 당뇨병의 전향적 연구는 90% 가능성으로 당뇨병이 발생되었다. 집단의 종단 연구에서 이란성 쌍둥이의 위험은 50%나 그 이하였고, 형제에서 위험은 15~25% 순위였다(표 2, p 61). 이러한 결과는 질병에 대한 유전인자 존재를 명확히 한다. 2형 당뇨병은 다유전자 이상이며 책임유전자는 아직 불명하다.

그러나 드문 형태의 2형 당뇨병에서 유전

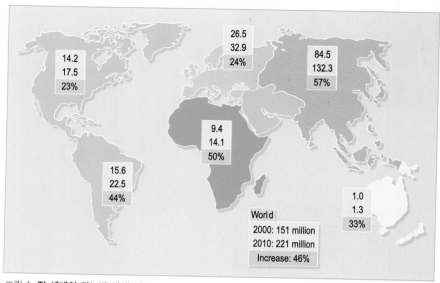

그림 1. **전 세계의 당뇨병 발생 지도.** 2000년과 2010년에 환자 수와 퍼센트 증가.

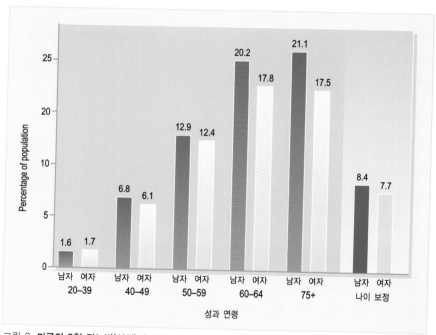

그림 2. **미국의 2형 당뇨병(성인)의 발병 연령**

표 1. MODY 아형의 임상적 특징						
	HNF-4α(MODY 1)	Glucokinase(MODY 2)	HNF-1α(MODY 3)	IPF-1(MODY 4)	HNF-1β(MODY 5)	MODY-X
영국 집단의 빈도(%)	2	20	64	<1	2	12
40세에서 변이의 빈도(%)	>80	45(공복혈당>6mmol/L에서 90%)	>95	>80	>95	불명
고혈당 발병	청소년기, 성인 초기	소아 초기(태생부터)	청소년기, 성인 초기	성인 초기	HNF-1α와 비슷	확실하지 않음
고혈당 중증도	진행성;점차 심해짐	가벼움, 나이에 따라 약간 악화	진행성;점차 심해짐	HNF-4α와 비슷	HNF-1α와 비슷	다양
미세혈관합병증	흔함	드묾	흔함	증례가 거의 없음	흔함	다양
병인	베타세포 장애 (혈당 감지)	베타세포 장애	베타세포 장애	Sulfonylurea에 민감	베타세포 장애	베타세포 장애
다른 특징		저체중아	신장 역치 저하; Sulfonylurea에 민감	동형접합에서 췌장 미형성	신장 낭종, 단백뇨, 신부전	

적 원인이 최근 규명되었다. 인슐린 수용체 변이는 인슐린 감수성을 저하시키지만 이러한 환자는 전체 당뇨병의 1% 이하이다. 인슐린 저항성 증후군은 비만, 여성에서 안드로겐 과잉, 피부 착색(흑색 극피증)과 동반된다. 미토콘드리아 DNA의 변이나 결손이 있는 사람은 2형 당뇨병이나 내당능 장애가 발생되며 드문 신경 증상이 동반된다.

인슐린 분자 구조에 영향을 미치는 드문 유전적 이상에서 인슐린 작용이 변화 된다. 이러한 인슐린 분자 변이는 고인슐린혈증과 다양한 당내인성을 일으킨다.

2형 당뇨병의 드문 변이에 젊은 성인형 당뇨병(MODY)이 있다. 이런 형태는 우성 유전되며 항상 소아에서 발병하는 것은 아니다. 5종의 변이가 발견되었다. MODY 유전형에 따라 임상과 대사 표현형이 다르다(표 1, 2, 그림 3). 전형적인 가족력이 있는 젊은 사람에서 MODY를 고려해야 한다(부모에 당뇨병이 있고 가족의 50%가 당뇨병).

환경과 기타 요인

2형 당뇨병과 내당능 장애의 위험은 출생시 및 생후 12개월의 저체중과 관련이 있으며, 특히 성인이 되면서 체중의 증가와 관련이 있다. 태생 초기의 영양 부족은 베타 세포 발달과 기능에 장애를 주어 나중에 당뇨병의 소인이 된다. 출생시 저체중은 또한 성인이 되어 심장 질환과 고혈압이 되기 쉽다(표 3).

면역학

2형 당뇨병의 병인에 면역성이 관여한다는 증거는 없지만 인슐린 비의존형 환자의 약 10%는 진단 시 자가항체–인슐린종 관련 항원(insulinoma-related antigen, ICA)와 GAD(p 61 참조)–을 가지고 있으며 이들은 인슐린 치료가 필요한 상태로 진행될 가능성이 높다. 이런 증례는 2형 당뇨병 형태로 위장된 1형 당뇨병일 수 있다.

인슐린 분비와 작용 이상

2형 당뇨병에서는 인슐린의 정상적인 작용에 대한 저항성과 관련이 있다. 인슐린은 세포 표면의 인슐린 수용체에 결합되지만 당뇨병과 관련된 유전자 이상이 세포 내에서 인슐린 신호 전달을 감소시켜 '인슐린 저항성'을 일으킨다. 인슐린 저항은 간에서 당생산 증가(인슐린에 의한 당신생 억제의 불충

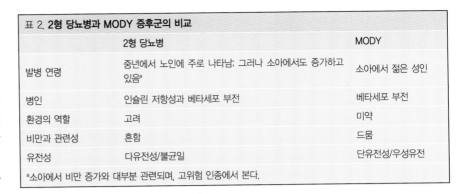

표 2. **2형 당뇨병과 MODY 증후군의 비교**

	2형 당뇨병	MODY
발병 연령	중년에서 노인에 주로 나타남; 그러나 소아에서도 증가하고 있음[a]	소아에서 젊은 성인
병인	인슐린 저항성과 베타세포 부전	베타세포 부전
환경의 역할	고려	미약
비만과 관련성	흔함	드뭄
유전성	다유전성/불균일	단유전성/우성유전

[a]소아에서 비만 증가와 대부분 관련되며, 고위험 인종에서 본다.

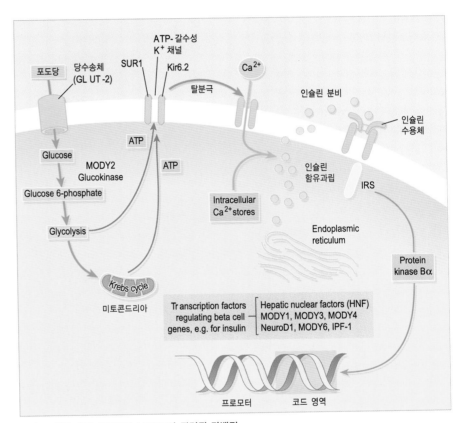

그림 3. **췌장 베타 세포에서 MODY와 관련된 단백질.**

표 3. **2형 당뇨병의 결정인자와 위험인자**

종류	인자
유전성	유전지표, 가족력, '절약유전자(thrifty gene)'
지역	지역적 특징
	성별, 나이, 인종
행동과 생활습관	비만(비만 분포와 기간)
	신체 활동 저하
	식이
	스트레스
	'서구화, 도시화, 현대화'
대사인자와 중등도 위험인자	내당능 장애
	인슐린 저항성
	임신 관련 인자(분만력, 임신성 당뇨병, 임신성 당뇨병에서 태어난 아이, 자궁 내 영양 결핍 또는 과다)

분)와 골격근 및 다른 말초 조직에서 포도당 유입 저하로 이어진다(그림 4, 5, p 59). 2형 당뇨병 환자는 또한 췌장에서 인슐린 생산과 분비에 결함이 있다. 그러나 1형 당뇨병 환자와 달리 췌장 베타 세포 용적을 약 50% 유지하고 있다. 거의 모든 환자의 부검에서 췌도에 아밀로이드 침착이 있으며, 이는 아밀린(amylin) 또는 췌도 아밀로이드 폴리펩티드(islet amyloid polypeptide, IAPP)에서 기원한 펩티드이다. 당뇨병 발생에 이 펩티드의 역할은 아직 알려지지 않았다. 인슐린 분비 이상은 2형 당뇨병 경과의 초기에 시작되며, 일부에서는 인슐린 분비에 중요한 칼륨 이온 채널과 관련이 있다. 대부분의 환자는 여러 해에 걸쳐 췌장 베타 세포 기능이 점진적으로 저하된다(그림 5). 이러한 기능 저하가 남아있던 베타 세포의 소진 결과인지, 아니면 별도의 손상 과정인지는 불명하다. 그림 6은 인슐린 저항성 증후군에 관여하는 중요 요인의 상호관계이다.

후천적 인슐린 저항성의 원인:
- 당 독성
- 지방 독성
- 국소 지방 축적

인슐린 저항 상태는 당뇨병이 없는 집단의 25%에서 나타나며, 인슐린 저항 상태에서 2형 당뇨병으로 전환은 연간 2~12%가 된다. 2형 당뇨병 환자에서 인슐린 저항성은 예상보다 더 많이 나타나며, 또한 고혈압, 이상지질증, 비만, 죽상 동맥경화증, 다낭성 난소 증후군과 관련이 있다. 지속적인 고혈당은 그 자체로 인슐린 작용을 저하시키며 이것은 인슐린 수용체에서 인슐린 자극에 대한 티로신 키나제 활성화가 저하되기 때문이다. 지방산 증가는 인슐린 분비와 인슐린을

통한 당 유입 및 산화 작용에 지장을 주고, 간에서 당 생산을 증가시킨다. 전신 비만보다 복부 비만은 당뇨병 발병 위험과 관련이 있다. 내장 지방이, 특히 인슐린 작용에 저항성을 나타낸다. 간의 지방 침윤도 인슐린 저항성을 일으키며 비알콜성 지방 간염(NASH)으로 알려져있다.

대사증후군

심혈관 위험인자가 우연한 중복보다 무리지어 나타난다는 개념을 대사증후군(X 증후군, Reaven 증후군)이라고 부른다. 대사증후군을 구성하는 위험인자는 다른 위험인자를 가진 사람에 대한 영향 보다 더욱 강력하게 연계하여 작용한다. 대사증후군의 정의에 따라 다소 차이가 있으나, 2형 당뇨병 환자의 10~20% 정도가 이 증후군을 가지고 있다. 대사증후군의 구성 인자는 다음과 같다:

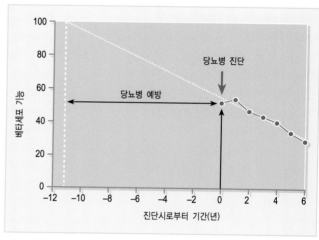

그림 5. **인슐린 분비 부족의 진행.** 진단 전 기간의 예방이 이론적으로 고려될 수 있다.

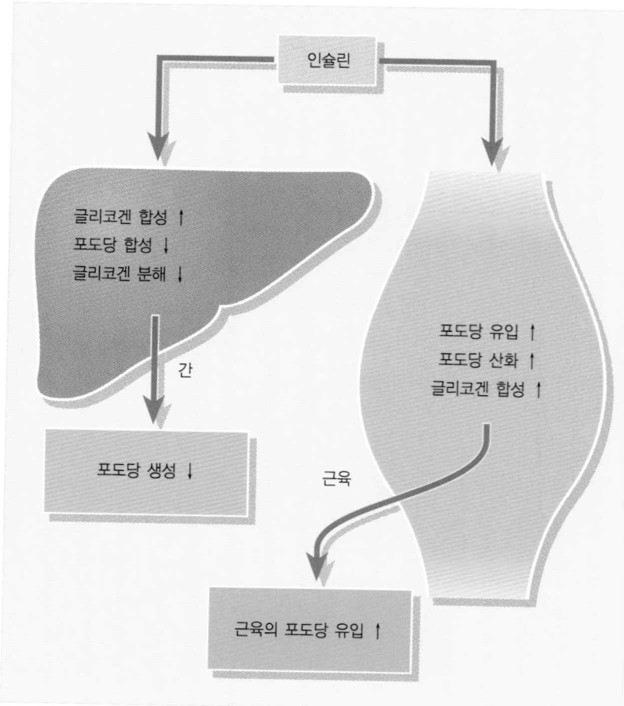

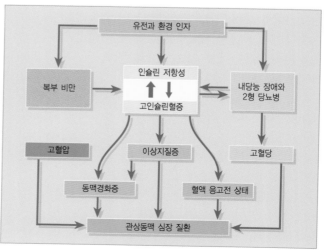

그림 4. **포도당 대사에 대한 인슐린의 직접 작용**

그림 6. **인슐린 저항성 증후군의 중요 요인의 상호관계**

표 1. NCEP, ATPIII의 대사증후군 정의; 다음 중 3개 또는 그 이상의 위험 인자 포함	
위험인자	**정의**
– 허리둘레에 의한 복부비만	남성 >102cm(> 40인치)
	여성 > 88cm(> 35인치)
– 중성지방	> 150mg/dL(≥ 1.7mmol/L)
– HDL 콜레스테롤	남성 <40 mg/dL(<1.04mmol/L)
	여성 <50 mg/dL(<1.29mmol/L)
– 혈압	≥ 130/85 mmHg
– 공복 혈당	≥ 110 mg/dL(≥ 6.1mmol/L)

다낭성 난소 증후군

다낭성 난소 증후군(PCOS)은 젊은 여성에서 가장 흔한 내분비 질환이다. 이 질환에서는 다모증, 여드름, 월경 이상, 불임 등이 나타난다. 이 증후군은 비만, 인슐린 저항성과 관련 있으며, 또한 2형 당뇨병 발병의 위험인자이다. 인슐린 저항성은 고인슐린혈증을 일으키고 이는 성선 자극호르몬으로 작용하여 난소에서 안드로겐 생산을 자극한다. 가능한 치료는 메트포르민과 티아졸리디네디온이며, 두 약제는 당뇨병에서 인슐린 감수성 증진에 사용된다.

■ 고혈압: 고혈압 치료를 받고 있거나, 혈압이 160/90 mmHg 이상.

■ 이상지질혈증: 혈장 중성 지방 상승(150 mg/dL 이상) 또는 고밀도 지단백 콜레스테롤 저하(남성: 40 mg/dL 미만, 여성: 50 mg/dL 미만)

■ 비만: 체질량지수 증가(30 kg/m² 이상) 또는 허리/엉덩이 둘레 비 증가(남성: 0.90, 여성: 0.85 이상)

■ 미세알부민뇨(microalbuminuria): 아침 소변의 알부민 배출량 20 μg/분 이상

2형 당뇨병

– 2형 당뇨병은 인슐린 분비능이 일부 유지된 상태에서 만성적으로 진행되는 질환이다.
– 2형 당뇨병의 발병률은 성인에서 높다.
– 2형 당뇨병은 인슐린 분비 및 인슐린 감수성 감소와 관련이 있다.
– 2형 당뇨병은 모든 연령에서 나타나는 다양한 임상 증후군을 포함한다.

당뇨병의 예방과 선별

검사 기준

당뇨병과 관련 증상이 나타나기 훨씬 전에 발견되는 변화가 존재하여, 당뇨병 전 단계가 있다고 알게 되었으며, 이렇게 무증상인 사람에서 당뇨병을 진단하기 위한 검사 기준이 발전되었다. 45세 이상인 사람에서 이 기준은 다음과 같다:

- 1촌 가족의 당뇨병
- 과체중 또는 비만(특히 복부 비만)
- 내당능 장애(과거의 검사에서 발견)
- 공복 내당능 장애
- 임신성 당뇨병의 병력 또는 거대아(4.5 kg 이상) 출산
- 다낭성 난소 증후군
- 본태성 고혈압
- 고중성지방혈증
- HDL 콜레스테롤 저하
- 고위험 인종
- 조기 심혈관질환
- 코르티코스테로이드 투여, 고용량의 티아지드, 베타-차단제제 치료
- 고뇨산혈증 또는 통풍
- 특정 내분비 이상(예, 쿠싱 증후군, 말단비대증, 갈색세포종)
- 특정 선천적 이상(예, 터너증후군, 다운증후군)

1형 당뇨병

예측

1형 당뇨병과 관련된 면역 체계 변화는 임상적 증상이 나타나기 수 개월 때로 수 년 전부터 검출할 수 있다. 가장 현저한 변화는 항

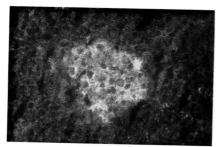

그림 1. 췌도 세포에 결합된 자가항체

표 1. 1형 당뇨병 발생에 관련된 자가항체 지표

자가항체		진단(%)		예측 인자(%)	
	약자	민감도	특이도	1촌과의 관련	일반 인구
Islet cell antibodies	ICA	80~90	96~99	20~50	20~30
Insulin autoantibodies	IAA	40~70	99	<50	검출되지 않음
Glutamate decarboxylase	GAD	70~90	99	>50	검출되지 않음
Insulinoma-related antigen-2	IA-2	70-90	99	>50	검출되지 않음

체의 존재이며(그림 1), 일부 항체는 발병을 예측할 수 있고 특히 몇 종류의 항체를 조합하면 개개 인자보다 예측 능력이 뛰어난다(표 1).

선별검사

자가면역 질환은 미국에서 암과 심장병 다음으로 유병률과 사망률에서 3위를 차지하고 있다. 대부분 자가면역 질환은 환경인자와 하나 이상의 유전자가 상호작용하여 발생되는 복잡한 질환이라고 생각된다. 이러한 질환과 관련된 인자는 특정 자가면역 질환의 발생 위험 예측에 중요하다. 그러나 불과 몇 개의 인자가 발견되었으며, 알려진 인자조차 병인에 어떤 작용을 하는지 정확히 밝혀지지 않았다. 일반적으로 자가면역 질환은 수년간에 걸쳐 만성적으로 진행하며, 임상 증상이 나타나기 전부터 말초 혈액에서 자가항체가 발견되는 특징이 있다. 이러한 자가항체의 존재는 내재된 질환 진행 과정을 반영하므로 자가항체는 고위험 유전자보다 질환 예측에 신빙성 있는 지표가 된다.

질병 예측 지표로서 자가항체 선별 검사 가능성은 수 천 명의 피험자를 대상으로 한 연구에서 입증되었으며, 또한 자가항체가 일정한 수준까지 당뇨병을 예측할 수 있다는 것이 알려졌다. 이런 자가 항체는:

- 생애 초기, 때로 출생시에도 나타날 수 있다.
- 수년 전에 당뇨병의 임상적 발생을 예측할 수 있다.
- 일부 항체는 다른 항체 보다 예측도가 높다(표 1).

- 5년 내나 그 이상에서 양성 예측치는 항체 수를 하나에서 둘, 셋으로 늘리면 각각 10%에서 50%, 80%까지 증가한다.

1형 당뇨병 위험이 높은 대상에서 자가 항체에 대한 측정 결과는 다른 만성 자가면역 질환의 예측에서도 선별검사의 유용성을 시사한다. 만약 특정 자가항체가 질환을 예측할 수 있으면, 그것은 표준된 검사로뿐 아니라 직계 가족에서 질환 발병 위험 발견에 이용될 수 있을 것이다. 또한 치료 개입이 가능하면, 항체 검사를 통해 예방 치료가 가능한 대상을 발견할 수 있을 것이다. 민감도와 특이도가 높은 분석법과 효율성이 높은 처리 과정의 발전으로 불과 몇 마이크로리터의 혈청으로 분석이 가능해졌으며, 오늘날 1형 당뇨병의 예측 인자로 자가항체가 고려된다.

2형 당뇨병

1979년 WHO는 내당능 장애(p 57)를 규정했으며, 그 후 2형 당뇨병의 위험인자로 인식되고 있다. 이 정의는 1985년과 1999년에 개정되었으나, 내당능 장애가 당뇨병으로 진행하는 강력한 예측 인자이며, 대혈관 질환의 위험인자라는 사실은 변함이 없다. 내당능 장애는 흔하여 영국과 미국의 성인의 25%에 이른다. 2형 당뇨병으로 진행 위험은 당뇨병 가족력, 연령, 전신 및 중심 비만, 신체 비활동성, 태내 성숙, 인종 등에 따라 다르다. 공복혈당 장애는 내당능 장애보다 당뇨병으로 진행 위험이 적다. 내당능 장

애와 관련된 다양한 대사 질환은 2형 당뇨병에서 발견되는 질환을 반영한다. 내당능 장애는 인슐린 저항 상태이다. 이에 더해 내당능 장애에서는 당 부하에 대한 인슐린 반응이 저하되며, 특히 당 부하 후 처음 10분에 현저하다(처음 10분을 인슐린 초기분비 반응이라고 하며, 인슐린 분비 췌도 세포에서 저장되었던 인슐린의 분비이다). 또한 내당능 장애에서는 근육과 간에서 포도당 생산이 증가된다.

2형 당뇨병 예방

장기간의 생활습관 교정 연구 결과는(표 2) 약물 치료보다 2형 당뇨병 예방에 효과적이라고 한다. 핀란드의 당뇨병 예방 연구는 내당능 장애가 있는 과체중이며 중년인 522명(남성 172명, 여성 35명)을 대상으로 생활습관 교정군과 대조군으로 무작위로 나누었다. 생활습관 교정군은 체중 감량, 총 지방 섭취량, 포화 지방, 섬유소 섭취량 및 신체 운동 등에 대해 개별적으로 상담했다. 평균 3.2년 동안 추적하여 당부하 검사를 받았으며, 2형 당뇨병은 두 번의 검사로 확인하였다. 연구 결과는 그림 2와 같다. 결론은 다음과 같다:

- 생활습관 교정군에서 당뇨병 위험이 58% 감소했다.
- 이러한 위험 감소는 생활습관 변화와 직접 관련이 있었다.
- 체중 5% 감량으로 당뇨병 발병 위험이 74% 감소되었다.
- 권고된 일주일 4시간을 초과한 운동은 당뇨병 발병 위험을 80% 감소하였다.

이런 결과는 예상대로이며, 생활습관 교정이 2형 당뇨병 발생의 병인 기전, 특히 인슐린 저항성에 초점을 맞추고 있기 때문이다. 당뇨병 발생 위험이 증가된 사람에서 평생 동안 정상 체중을 유지하고 신체 활동을 계

속하면 이론적으로 70%까지 2형 당뇨병 발생을 예방할 수 있다. 건강한 식이와 생활습관은 당뇨병을 예방할 뿐 아니라 심장 질환을 예방하거나 지연시킨다. 중년의 내당능 장애에서 메트포르민, 아카르보스, 올리스타트, 트로글리타존, 심바스타틴 및 안지오텐신 전환효소 억제제 투여는 당뇨병을 예방한다(표 3). 인구 집단에서 내당능 장애의 선별 검사는 부담이 크지만 성공적인 치료의 잠재력 역시 중요하다.

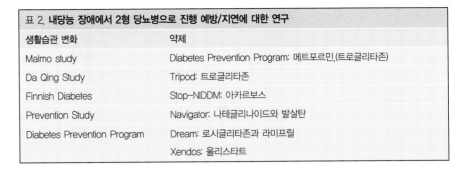

표 2. 내당능 장애에서 2형 당뇨병으로 진행 예방/지연에 대한 연구

생활습관 변화	약제
Malmo study	Diabetes Prevention Program: 메트포르민,(트로글리타존)
Da Qing Study	Tripod: 트로글리타존
Finnish Diabetes	Stop-NIDDM: 아카르보스
Prevention Study	Navigator: 나테글리나이드와 발살탄
Diabetes Prevention Program	Dream: 로시글리타존과 라미프릴
	Xendos: 올리스타트

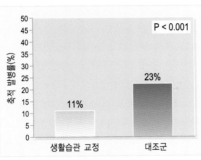

그림 2. **핀란드의 당뇨병 예방 연구 결과.** 약 4년의 중재 후 당뇨병 발병률이 생활습관 교정군에서 58% 감소되었다.

표 3. **당뇨병 예방 연구의 중재**[a]

중재	3년후 조절군에 비해 당뇨병 발생 감소(%)
철저한 생활습관 상담	58
메트포르민	31
트로글리타존	23(10개월 이상)[b]

[a]모든 등록된 참여자는 기준 생활습관을 추천받았고, 3개의 치료그룹으로 무작위 배정되었다(각 그룹당 1000명)
[b]약제는 10개월 후에 중단되었다.

예방과 선별

1형
- 1형 당뇨병의 예측은 정확도가 높다. 1형 당뇨병과 관련된 자가항체는 임상 증상 발병 수개월이나 수년전에 발견할 수 있다.
- 현재 예방치료는 없으나, 중재 연구가 진행중이다.

2형
- 예측이 정확하지 않다.
- 선택된 대상에서 생활습관이나 약제에 의해 예방될 수 있다.

합병증 I: 기본 개념

당뇨병은 시간 경과에 따라 조직 손상을 일으키며 임상적으로 합병증 형태로 나타난다. 당뇨병은:

- 기대 수명을 1/3 정도 감소
- 심장병 위험의 3배 증가
- 사지 절단의 가장 흔한 원인
- 선진국 중년 성인에서 가장 흔한 실명의 원인
- 선진국 중년 성인에서 가장 흔한 신부전의 원인

당뇨병에 의한 병태의 대부분은 적절한 내과적 치료를 통해 예방할 수 있으며, 특히 혈당 조절 과 합병증의 조기 발견으로 이루어 질 수 있다.

당뇨병의 합병증은:

- 조직 합병증: 대부분 대혈관 및 미세혈관 질환이 원인이다.
- 대사 합병증: 저혈당 및 고혈당
- 감염 감수성 증가
- 임신 관련 합병증
- 정신사회적 합병증

대혈관 합병증

대혈관 질환은 광범위하며 작은 동맥에서부터 큰 동맥에까지 영향을 준다. 합병증에는:

- 뇌혈관 질환
- 심혈관 질환
- 신혈관 질환
- 말초혈관 질환

이러한 합병증은 당뇨병에서 흔히 발생되나, 당뇨병에 특이적은 아니다. 당뇨병 환자에서는 보다 이른 나이에 발생한다.

미세혈관 합병증

미세혈관 합병증은 당뇨병에 특이적이며 당뇨병의 원인과 관계없이 발생한다. 전신에 걸친 작은 혈관이 영향을 받으며, 신경의 혈액공급에 영향을 주면 신경병증을, 망막에 영향을 주면 망막병증을, 그리고 사구체에 영향을 주면 신병증을 일으킨다. 미세혈관 합병증은 임상적 영향을 미치는 세부분은:

- 망막(망막병증)
- 신사구체(신병증)
- 신경덮개(신경병증)

여러 요인이 대혈관 또는 미세혈관 합병증의 발생 위험에 영향을 미친다.

- **당뇨병 이환 기간** 당뇨병이 없는 환자에 비해 대혈관 질환의 위험은 나이에 따라 증가하며, 즉 당뇨병 이환기관과 관계가 있다. 젊어서 진단된 당뇨병 환자에서 10~20년 후에 합병증이 나타나는 경향이 있다. 진단 30년 후에도 신병증이 발생되지 않은 환자에서 이러한 합병증이 발생될 가능성은 낮다. 신병증의 명확한 증거인 단백뇨가 있는 환자는 대혈관 합병증 위험이 증가한다. 심혈관 합병증은 알부민뇨가 있으면 2배 증가한다. 망막병증은 2형 당뇨병 진단 당시에 이미 존재할 수 있으며, 이것은 진단되기 수년전부터 인지되지 않은 당뇨병이 존재할 수 있기 때문이다.
- **유전인자** 심혈관 질환 위험은 당뇨병 여성에서 남성에 비해 높으며, 이는 당뇨병이 없는 여성에 존재하는 심혈관 질환 보호기전이 당뇨병에서 소실되기 때문이다. 눈과 신장 합병증이 있는 당뇨병 환자의 형제가 당뇨병에 이환되면 1형이나 2형과 관계없이 같은 합병증의 발생이 3~5배 증가한다. Glukokinase 다형성에 의한 당뇨병은 공복 혈당은 증가하나, 식후 혈당은 거의 증가하지 않으며 미세혈관 합병증은 거의 발생하지 않는다.
- **인종인자** 일부 인종은 대혈관 또는 미세혈관 합병증 발생 위험이 높다. 예를 들어, 미국에서 미세혈관 합병증 발생 위험은 피마 인디안>히스패닉/멕시코계>미국계 흑인>미국계 유럽인의 순서이다.

수정 가능한 위험인자

대혈관 및 미세혈관 합병증을 일으키는 다섯가지 위험인자는 수정이 가능하며, 예방 치료에 중요한 대상이 된다. 이러한 위험인자는 모든 미세혈관 합병증에 해당이 될 것이다:

- 운동
- 고혈압
- 이상지질혈증
- 흡연
- 고혈당

운동 운동량 감소는 2형 당뇨병 발생에 중요한 위험인자이다. 신체 활동의 증가는 인슐린 감수성과 혈당 조절을 좋게 한다. 이러한 효과는 체중 감소 전부터 볼 수 있다. 인슐린 감수성 호전 기전은 아직 불명하나, 가능한 기전으로 근육에서 포도당 유입을 결정하는 인자인 골격근의 혈류 증가를 생각할 수 있다. 운동은 대혈관성 합병증의 위험도 감소시킨다.

고혈압 높은 혈압은 대혈관 및 미세혈관 질환의 중요한 원인이 된다. 2형 당뇨병 환자의 50~80%에서 고혈압(140/90mmHg 이상으로 정의됨)을 가지고 있다. 고혈압의 이환율은 인구집단의 특성을 반영하며 아프리카계에서 흔하다. 고혈압과 당뇨병의 관련에 대한 본질은 아직까지 불명하나, 특히 비만 및 인슐린 저항성과 관계가 있다.

고지질혈증 당뇨병에서 혈중 지질 증가는 대혈관 및 미세혈관 질환 위험을 증가 시키며, 심혈관 질환 위험은 혈중 콜레스테롤 수준과 관계없이 당뇨병이 없는 사람에 비해 당뇨병에서 높다. 1형 당뇨병에서는 특정한 혈중 지질 이상과 관계가 없으나, 2형 당뇨병에서는 고중성지질혈증, HDL-콜레스테롤 저하와 관계가 있다. 혈당 조절 불량 당뇨병성 신병증이나 베타-차단제, 티아자이드 치료에서 혈중 지질 변화를 일으킨다.

흡연 흡연은 대혈관 및 미세혈관 질환, 특히 당뇨병 환자에서 신병증 위험을 증가시킨다. 매년 500만 명이 흡연으로 사망하고, 흡연자의 절반이 흡연의 결과로 사망한다.

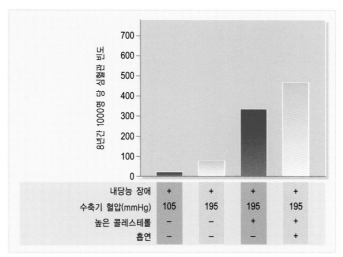

그림 1. **내당능 장애가 있는 선택된 인구집단에서 다양한 위험인자가 심혈관질환에 미치는 영향**

합병증의 여러 위험인자

　2형 당뇨병에서 유병률 및 사망률은 증가하는 대혈관 질환, 특히 심혈관 질환의 촉진과 관계가 있으며 미세혈관 질환 발생 위험도 증가한다. 고혈당, 고혈압, 비만 그리고 이상지질혈증은 모두 대혈관성 심혈관 질환 위험 증가와 관련이 있으며, 이러한 작용은 2형 당뇨병에서 위험인자의 네트워크에 의해 강화된다. 이러한 위험인자가 동시에 나타나면, 이러한 집합을 대사증후군 또는 인슐린 저항 증후군(p 64)이라고 한다. 이들은 모두 인슐린 저항성과 관련이 있으며 2형 당뇨병에 선행한다. 이러한 인슐린 저항성은 당뇨병이 없는 집단의 25%에서 나타나며, 성인에서 매년 2~12%가 당뇨병으로 진행한다.

　고혈당 고혈당은 당뇨병에서 대혈관 및 미세혈관 합병증 위험을 증가시킨다. 이러한 혈관 합병증 위험 증가는 내당능 장애에서도 나타난다. 실제로 대혈관 질환 위험 증가는 당화혈색소 및 혈당의 정상 상한치에서도 나타난다.

> ### 합병증 I: 기본 개념
> – 당뇨병은 대혈관과 미세혈관 합병증을 일으킨다
> – 아직 알려지지 않은 유전인자가 합병증 위험에 중요한 역할을 한다.
> – 대혈관과 미세혈관 합병증 위험인자는 비슷하다.
> – 위험인자는 대사증후군으로 묶을 수 있다.

합병증 II: 병태생리

대혈관 합병증

동맥경화의 병인에는 초기의 백혈구 동원에서부터 후기의 취약한 플라크의 파열에 이르기까지 모든 반응에 염증인자의 분비를 포함한 염증 반응이 관여한다. 정상 혈관의 항상성은 복잡하게 상호 연결된 내피 세포 및 횡문근 세포의 네트워크에 의해 유지된다. 내피 세포는 반투과성 통로이며, 혈액을 액체 상태로 유지하고, 혈관 항상성을 증진시키는 인자(주로 산화질소 및 prostacyclin I2 같은 지질인자)를 생산한다. 횡문근 세포 수축은 소동맥 벽의 혈관 긴장도를 조절하여 수축성 혈압 및 말초 혈관 혈류를 조절한다. 당뇨병 환자에서는 이런 복잡한 네트워크가 파괴되어 동맥경화를 일으킨다. 내피세포의 기능 이상은 동맥경화 병태생리의 초기에 시작하며, 전통적 위험인자를 가진 환자에서 공통적이고, 동맥경화 병변 출현 전에도 볼 수 있다. 이러한 내피세포 기능이상은 동맥경화 진행 및 심혈관 질환에 의한 사건의 발생을 예측할 수 있다.

동맥경화가 있는 환자와 2형 당뇨병 환자군에서 염증 반응 지표가 혈중에 증가한다. C-반응단백(C-reactive protein, CRP)은 급성기 반응물질이며 혈관 염증의 지표이다. CRP는 동맥경화 플라크 내에 존재하며, 혈관벽 표면에 백혈구 동원 전에 발현한다. CRP와 fibrogen 같은 염증 인자가 당뇨병 환자의 혈중에 증가하며, 이들은 혈관합병증 위험의 지표가 될 수 있다.

미세혈관 합병증

당뇨병성 미세혈관 합병증의 원인은 불명하나 대혈관 합병증 관여가 알려진 일부 인자가 유사하게 적용된다. 가장 중요한 차이는 고혈당의 역할이며, 대혈관 합병증에서는 소인이지만 미세혈관 합병증 발생에는 결정적 역할을 한다. 고혈당은 내피세포 손상을 일으킬 뿐 아니라, 다른 합병증도 유발한다. 미세혈관 합병증의 병인에 관여하는 인자는:

- 고혈당
- 진행된 당화 종산물
- 반응성 산소종
- 전사인자 NFkB 활성화

- 세포내 소르비톨 축적
- Protein kinase-C 활성화
- 혈역학 변화

고혈당

고혈당은 당뇨병성 미세혈관 합병증 관련 인자이며, 고혈당 치료는 합병증 진행을 제한하며, 합병증 발생을 예방한다(당뇨병 조절과 합병증 연구, DCCT 및 영국 당뇨병 전향연구, UKPDS를 통해 밝혀졌다).

고혈당의 분자 기전

진행된 당화 종산물(AGE)

포도당 및 다른 당화 화합물은 단백질 및 핵산과 반응하여 당화 산물을 만들 수 있다. 당화 반응은 여러 단계에서 일어나며, 초기에는 가역적 산물이 생산되나, 마지막에는 진행된 당화 종산물이 만들어진다. 비효소적 당화 및 산화에 의한 장기간의 단백질 변성은 대혈관과 미세혈관 질환에서 광범위한 병태생리에 관여한다(그림 1). 진행된 당화 종산물이 변화하는 단백질 기능은:

- 세포내 단백질의 기능변화
- 세포외 기질 단백질 기능을 변화시켜 다른 기질 인자 및 기질 수용체와 비정상적 상호작용 유발
- 대식세포 결합과 활성화에 혈중 단백질 이상

반응성 산소종

반응성 산소종의 생성 증가는 산화질소 이용을 감소시켜 항염증, 항증식, 항결합 작용을 감소시키고, 염증 유발인자를 증가시킨다(그림 1).

NFkB 활성화

NFkB는 새포내 전사인자로서 염증 반응을 일으킨다. NFkB 활성화는 산화 스트레스 및 진행성 산화 종산물이 대식세포의 세포 수용체에 결합하여 일어난다. 이러한 활성화는 혈관을 수축하고, 염증 유발 사이토카인 및 혈액 응고 인자를 발현시킨다.

소르비톨 축적

소르비톨은 알도스 환원효소(폴리올 경로)에 의해 포도당과 NADPH에서 생성된다. 이 반응으로 필요한 NADPH가 감소되고, 세포 내에 소르비톨이 축적되어 해로운 작용을 일으킨다. 특히, 소르비톨 축적은 세포내 수분 불균형을 일으켜 세포 삼투압 조절 및 세포 기능에 장애가 된다. 신경이나 신장 세포 내

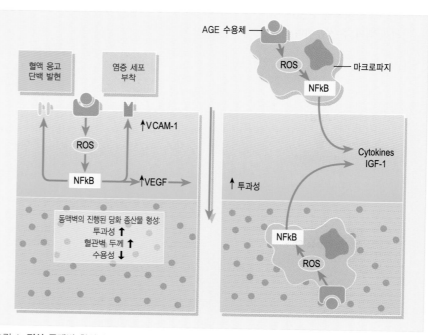

그림 1. **정상 동맥벽 항상성 유지에 진행된 당화 종산물의 영향.** 반응성 산소종(ROS); 진행된 당화 종산물(AGE), NFkB, 전사인자; 인슐린유사 성장인자(IGF-1); 혈관내피세포성장인자(VEGF); 혈관투과성 인자(VPF).

소르비톨 축적은 세포를 손상시킨다.

protein kinase Cβ 활성화.
　새포 내 포도당은 diacylglycerol을 축적시키고 이것은 내피세포에서 protein kinase Cβ를 활성화 시킨다. 이 효소는 혈관 투과성, 수축력, 증식을 조절한다(그림 2). 이 효소 활성화는 또한 혈관 내피세포 증식인자/혈관 투과성 인자 분비를 일으키며, 당뇨병성 망막병증의 중요한 요인이 된다.

당화혈색소를 이용한 평균 혈당 평가
　혈색소의 당화는 비효소적 2단계 반응으로 일어나며, 포도당 분자와 혈색소 분자 베타 고리의 말단 valine과의 사이에 공유결합을 만든다. 당화혈색소의 비율은 전반적인 포도당 농도와 관계가 있다. 당화혈색소는 정상 혈색소에 대한 비율로 표현한다(정상 범위는 약 4~8%이며, 측정 방법에 따라 다르다). 당화혈색소는 혈색소 분자의 수명 동안(6~12주 가량) 평균 혈당 농도의 지표를 제공하므로, 그 기간 동안의 고혈당과 당뇨병 조절 지표가 된다. 적혈구의 수명이 바뀌면 이 수치를 잘못 해석할 수 있으며 예를 들어, 신부전에서 적혈구 생존 기간의 변화나 탈라세미아와 같은 비정상 혈색소를 가진 경우이다. 당화혈색소가 평균 혈당 조절 정도를 반영하나, 매일의 혈당 조절을 반영하지 못하므로 혈중 포도당 농도 감시와 함께 이용해야 한다. 혈장 당화단백(fructosamine)도 조절 지표로 사용할 수 있다. 당화 알부민은 당화 단백의 주 성분이며 fructosamine

치는 2~3주 전 혈당 조절 정도와 관계가 있다. 이러한 지표는 혈색소 이상, 임신(혈색소 회전의 변화), 그리고 빠른 치료 효과 평가가 필요한 환자에서 유용하다.

혈역학 변화
　당뇨병에서는 혈관을 통해 많은 혈류 변화가 일어난다. 혈액 점도 증가, 전단력 증가, 활성화된 백혈구에 의한 모세혈관 폐색, 신

생 혈관의 증식 등이다. 이것은 만성적인 저산소 상태를 일으킨다. 이러한 기전은 특히 망막병증에서 잘 알려져 있다(그림 3). 신생 혈관이 망막 주변부에 혈액을 전달하기 위해 자라난다. 이러한 혈관은 기존 망막혈관의 특성이 없으며 허혈 부위의 재혈관화에 부적절하다. 이것이 망막 순환의 정맥쪽에서 발달하며, 쉽게 출혈이 발생하고, 반응성 섬유 조직이 증식한다.

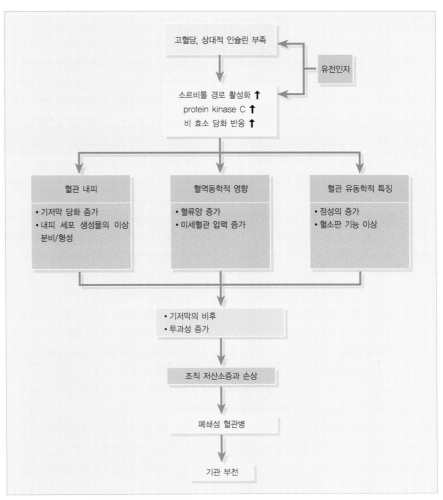

그림 3. **당뇨병성 미세혈관 합병증의 발생 경로**

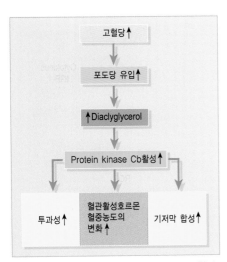

그림 2. **포도당 유도 protein kinase Cβ 활성도 증가가 혈관벽에 미치는 영향.**

혈관 합병증 예방

선진국에서 대혈관성 질환은 사망의 주요 원인이다. 대혈관 질환을 일으키는 위험인자로는 당뇨병, 내당능 장애, 고혈압, 비만, 고중성지방혈증, HDL 콜레스테롤 저하 등이다. 이러한 인자의 연합은 대사증후군으로 알려져 있다(p 64). 임상 의사에게 어느 환자가 이 증후군에 해당되는지 확인하는 것은 다음 3가지 의미가 있다:

- 대사증후군의 소견 중 하나라도 있으면 반드시 다른 소견을 찾아야 한다.
- 당뇨병 환자의 관리에서 혈당 조절과 더불어 관련 인자 즉, 고혈압, 이상지질혈증의 조절이 혈관 합병증 방지에 중요하다.
- 2형 당뇨병 환자의 치료는 개개 환자에서 확인된 특정 위험인자에 따라 맞춤치료가 이루어져야 한다.

즉 당뇨병을 단순한 고혈당에 의한 질환으로 인식하는 것이 아니며, 최근의 연구를 통해 알려진 정보를 이용하여 환자에게 도움을 주려면 당뇨병에 동반된 병태 전반에 대한 접근이 필요하다.

당뇨병에 동반되는 대혈관 또는 미세혈관 질환에서 교정 가능한 위험인자:

- 고혈당
- 고혈압
- 이상지질혈증
- 흡연

영국에서 시행된 UKPDS 연구 결과에서 혈당과 혈압 조절에 의한 위험 감소는:

- 당뇨병성 안구 질환 1/4 감소
- 중증 시력 저하 1/2 감소
- 초기 신손상 1/3 감소
- 뇌졸중 1/3 감소
- 당뇨병 관련 사망 1/3 감소

혈관 질환 예방을 위한 혈당 조절

스칸디나비아, 일본, 미국(DCCT), 영국(UKPDS)에서 시행된 연구 결과는 엄격한 혈당 조절이 당뇨병성 미세혈관 질환의 발생 및 진행을 제한하고 대혈관 질환을 줄이는 중요한 인자라고 하였다.

UKPDS

UKPDS는 2형 당뇨병 환자 5000명 이상을 대상으로 하였다. 약물 치료로 강화요법을 시행한 환자는 식이요법만 시행한 고식요법 환자에 비해 혈당 조절이 좋았고, 이러한 결과는 약물의 종류나 인슐린과 관계가 없었으며, 강화요법군에서 미세혈관 합병증 위험이 감소하였다(그림 1). 유의한 차이는 표 1과 같다.

DCCT

DCCT 결과는 1형 당뇨병에서 최적의 혈당 조절을 목표로 한 강화요법으로 미세혈관 합병증 발생 위험을 감소시켰다(그림 2와 3). 강화요법군에서 망막병증 발생 위험은 76% 감소하였고, 망막병증 진행은 50% 감소되었다. 흥미로운 사실은 연구를 끝내고 4년 후에 다시 조사한 연구에서 혈당 조절은 비슷했으나 망막병증의 위험은 크게 차이가 있었다(그림 4).

요약

UKPDS 및 DCCT의 결과, 그리고 다른 연구를 통해 합병증 발생에 대한 고혈당의 역할은 명확하게 밝혀졌다. 당화혈색소가

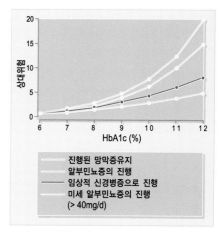

그림 2. **미세혈관 합병증 발생과 고혈당(HbA1C로 표현된)의 관계.**

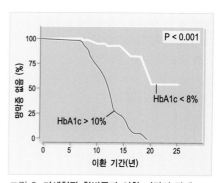

그림 3. **미세혈관 합병증과 이환 기간의 관계.**

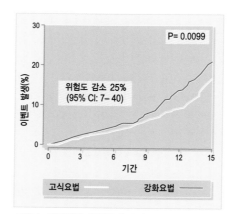

그림 1. **미세혈관 합병증의 발생.** 신부전, 사망 또는 초자체 출혈, 광응고술 등이 사건 발생에 해당된다.

표 1. **2형 당뇨병에서 강화요법을 이용한 혈당 조절의 효과**	
이벤트	위험도 감소(%)
모든 당뇨관련 종말점	12
심근경색	16
12년 추적에서 망막병증	21
백내장	24
미세혈관 합병증의 종말점	25
12년 추적에서 알부민뇨	33

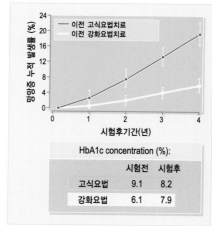

그림 4. **고혈당의 잔존 효과**

1% 감소할때마다 미세혈관 합병증 발생 위험은 1형이나 2형과 관계없이 약 25% 감소한다. 그러나 최적의 혈당 치료를 받는 모든 환자에서 합병증이 방지되는 것은 아니다.

DCCT나 UKPDS에서 혈당 조절의 강화요법으로 대혈관성 합병증에는 영향이 없었다.

혈압 조절

당뇨병 환자에서 고혈압 치료는 당뇨병이 없는 고혈압 환자에서 시행된 대규모 무작위 대조 연구결과를 기준으로 한다. UKPDS 연구에서 고혈압이 있는 2형 당뇨병 환자의 엄격한 혈압 조절이 당뇨병에 의한 사망 및 미세혈관 합병증 발생을 감소시켰다(표 2와 그림 5).

수축기 혈압>130 mmHg 또는 이완기 혈압이>80 mmHg에서 고혈압에 의한 합병증 위험이 증가한다. 따라서 현재의 치료는 이 정도의 혈압을 목표로 한다. MICRO-HOPE 연구에 의하면 하나 이상의 심혈관 위험인자를 가진 55세 이상 당뇨병 환자에서 안지오텐신 전환효소 억제제인 라미프릴(ramipril) 투여가 효과적이었다. 심근경색, 뇌졸중, 심혈관질환 사망의 복합적 위험이 25% 감소되었다.

혈중 콜레스테롤 조절

2형 당뇨병 환자의 혈장 지단백 조성은 당뇨병이 없는 건강인과 차이가 있다.

- 대형 VLDL-1 증가
- 소형 VLDL-2 감소
- 소형 LDL 증가
- 대형 LDL 감소
- 대형 HDL-2 감소
- 소형 HDL-3 증가

2형 당뇨병 환자에서 혈관 질환 치료 대상

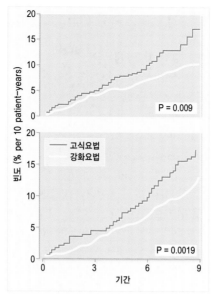

그림 2. **고혈압 치료.** 엄격한 혈압 조절에 의한 미세혈관 합병증(위)과 당뇨관련 사망(아래)의 추이.

은 이미 심혈관 질환 발생이 확정된 환자와 동일한 방법으로 치료하는 것이 합리적이다. 한 연구에 의하면, 과거에 임상적으로 심장 질환이 없는 당뇨병 환자에서 과거에 심근경색을 경험한 비당뇨병 환자와 심근경색 위험이 비슷하다고 한다. 피브레이트나 스타틴을 사용하여 혈중 콜레스테롤을 낮추면 사망률을 줄이는 확실한 이득이 있다.

- 심바스타틴은 LDL-콜레스테롤이 높거나 과거 관상동맥 심질환의 병력이 있는 당뇨병 남성에서 관상동맥 질환 발생을 55% 감소시켰다(평균 4.5년 추적).
- 프라바스타틴 5년 투여는 LDL-콜레스테

롤이 평균적이거나 과거 관상동맥질환이 있던 당뇨병 환자에서 유의하게 관상동맥 심질환 발생을 감소시켰다.

심장 보호연구(Heart Protection Study)는 10년후 심혈관 질환 위험이 20%인 당뇨병 환자에서 콜레스테롤이 정상(<200 mg/dL, LDL-콜레스테롤 < 115.8 mg/dL)이어도 심바스타틴의 효과가 있었다. 스타틴 대신 피브레이트를 사용할 수 있으며, 일부 환자에서는 중성지방 감소와 HDL 증가에 효과적이다.

흡연

흡연은 심혈관 질환에 가장 강한 위험인자이다. 당뇨병이 없는 집단에서 금연은 심혈관 질환 진행 위험을 70%까지 감소시켰으며, 당뇨병 환자에서 이러한 이득이 더 적을 것으로 믿을 어떤 이유도 없다.

고위험 환자에서 아스피린 사용

심혈관 질환 발생 위험이 향후 10년에 20% 이상인 환자에서 금기가 없을 때, 아스피린 복용은 사망률을 감소시킨다. 협심증이 있는 당뇨병 환자 연구의 메타분석에서 이차적 예방을 위한 아스피린 치료 효과는 당뇨병이 없는 환자와 같았다. 이러한 이득은 출혈 부작용에 의한 위험 이상이다. 불안정 협심증에서 클로피도그렐의 재발 예방 연구(clopidogrel in unstable angina to prevent recurrent events)에 의하면 아스피린을 사용할 수 없는 환자에 클로피도그렐을 사용할 수 있다.

표 2. 2형 당뇨병에서 혈압 조절 효과	
이벤트	위험도 감소(%)
모든 당뇨병 관련 종말점	24
당뇨병 관련 사망	32
망막병증 진행	34
미세혈관 질환	37
뇌졸중	44
시력 감퇴	47
심부전	56

혈당 조절

- 2형 당뇨병 환자에서 어떤 방법으로나 혈당 조절이 개선되면 대혈관 질환에 나쁜 영향이 없이 미세혈관 합병증 위험이 감소한다.
- 1형 당뇨병에서 인슐린 강화요법과 교육을 통한 혈당 개선은 미세혈관 합병증 위험을 감소한다.
- 고혈압이 있는 2형 당뇨병 환자에서 혈압 조절은 당뇨병 관련 합병증과 사망 위험을 감소한다.
- 스타틴과 아스피린은 당뇨병 환자에서 관상동맥 질환 감소에 효과가 있다.

당뇨병성 신경병증

고혈당은 미세혈관 질환의 원인으로 중요하나, 다른 위험인자로 고혈압(특히 신장 및 안질환에)과 흡연(특히 신질환)도 또한 중요하다. 미세혈관 질환은 특히 임상적 의의가 있으며 신경병증을 일으킨다.

당뇨병성 신경병증은 당뇨병에서 가장 흔한 합병증이다. 신경병증의 주된 양상은(그림 1):

- 급성 감각신경병증: 대부분 비대칭적 단일 신경병증이며 일시적
- 만성 감각신경병증: 대부분 대칭적 다발 신경병증
- 급성 운동신경증: 흔하지 않다
- 자율신경병증: 가중 흔한 임상양상은 발기부전이다.

당뇨성 신경에서 초기의 기능 변화는 신경 전도 속도 지연이다. 초기의 조직학적 변화는 슈반세포손상에 의한 부분적 탈수초화이다. 초기 단계에 축삭이 보존되면 회복 가능성이 있으나, 후기 단계에는 비가역적 축삭변성이 일어난다.

만성 감각신경병증

만성 대칭성 감각 다발 신경병증은 가장 흔한 당뇨병성 신경병증의 형태이다. 초기 임상 징후는 발에서 진동각, 통각(표층 전에 심부), 온도각 소실이다. 후기 단계에 환자는 "솜 위를 걷는 것 같다"라는 느낌을 호소하고, 고유감각 소실에 의해 세수할 때나 어두운 곳을 걸을 때 균형을 잃게 된다. 손의 침범은 흔하지 않지만, "스타킹과 장갑" 형태의 감각 소실이 있다. 합병증으로 압력을 받는 부분에 자신도 모르는 상처가 생기며, 잘 맞지 않은 신발 또는 뜨거운 물병에 의해 먼저 물집으로 시작하고 나중에 궤양으로 진행한다. 불균형한 장굴근의 견인은 특징적인 발 모양을 만들어 아치가 높아지고 발가락이 갈고리 형태가 된다. 이것은 압력 분포에 이상을 주어 첫 번째 중족골 골두나 발가락 끝에 굳은살을 만들고 이어서 천공성 신경병적 궤양을 일으킨다(그림 2). 신경병적 관절병증(Charcot 관절)은 발목관절을 흔히 침범하나 어느 관절에서나 발생할 수 있다. 신경병증이 있는 발이 갑자기 부으면 관절병증을 생각해야 한다. 샤르코 관절병증은 발 구조의 해체가 진행되어 결국 절단하게 될 위험이 높은 중증 합병증이다. 방사선 소견에서 뼈의 해체가 있으며, 일단 재구성되어 변형된 발은 흔들의자 바닥 변형 또는 부은 무릎 형태의 변형이 된다(그림 3).

급성 감각신경병증

급성 감각신경병증은, ① 광범위한 통증성이거나 ② 국소적이며, 어느쪽에서나 대부분 일시적이다. 광범위한 통증성 신경병증은 흔하지 않다. 환자는 발, 종아리, 대퇴부 앞에서 타는 것 같거나 찌르는 듯한 통증을 호소하며 다리 근육 경련을 일으킨다. 모든 증상은 전형적으로 밤에 악화되며, 침구의 압력도 참을 수 없다(무해자극통이라고 한다). 통증성 신경병증이 당뇨병 진단시 있거나 혈당 조절이 갑자기 개선된 후에 나타나기도 한다. 이러한 신경병증은 대부분 3개월 후에 저절로 좋아지며, 2년째에 90%가 소실된다. 만성형은 당뇨병 경과중 후기에 발생하며 때로 모든 종류의 치료에 반응을 보이지 않는

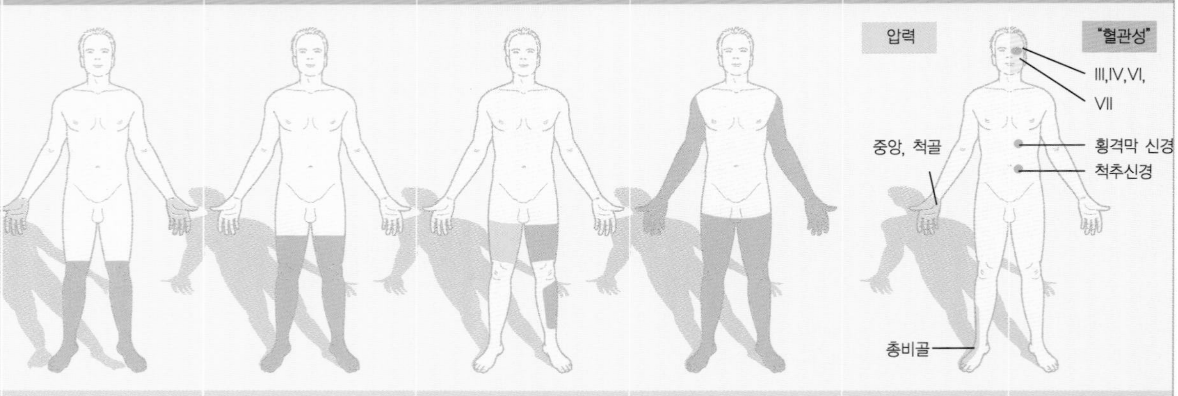

증후군	만성 점진성 감각 신경병증	급성 통증성 신경병증	근위 운동성 근육병증	미만성 운동신경병증	국소 신경 마비	
경향					압력 / 중앙, 척골 / 총비골	"혈관성" / III,IV,VI,VII / 횡격막 신경 / 척추신경
감각 소실	+→++	+	0	0→+	++	++
통증	0→+++	+++	+→+++	0	++	0→++
건 반사	↓	↓	↓	↓	+	+
근소모와 약화	0→++	+→+++	+++	++→+++	+→+++	0→++
자율신경 특징	+→++	존재할 수 있음	존재할 수 있음	존재할 수 있음	존재할 수 있음	존재할 수 있음
유병율과 혈당과의 관계	흔함; 대개 혈당과 관계없음	대개 드묾; 시작은 주로 고혈당동안 발생함	대개 드묾; 시작은 주로 고혈당동안 발생함	대개 드묾; 일반적으로 고혈당과 관계없음	대개 드묾; 일반적으로 고혈당과 관계없음	대개 드묾; 때때로 고혈당과 관계있음

그림 1. **당뇨병성 말초신경병증의 임상 양상**

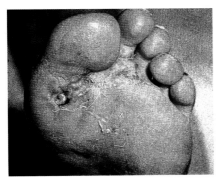

그림 2. **발의 신경병증 궤양**

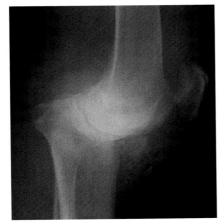

그림 3. **무릎 Charcot 관절병증 방사선 소견**

다. 진단적인 검사가 없어 다른 진단, 예를 들어 비타민 B12 결핍, 알콜성, HIV관련, 약제성(INH, nitrofurantoin), 포르피리아, 암 관련 신경병증 등을 제외해야 한다. 근육 쇠약은 명확하지 않으며 객관적 징후도 거의 없다.

국소성 단일 신경염 및 다발성 단일 신경염은 체내 어느 신경에서나 발생할 수 있다. 전형적인 경우는 갑작기 시작하고 때로 통증을 동반한다. 신경근병증(척수 신경근 침범)도 발생할 수 있다. 외안근을 지배하는 제 3, 6 뇌신경 마비는 당뇨병에서 흔하다. 당뇨병의 제 3 뇌신경 병변에서 특징적인 소견은 동공운동 신경섬유가 보존되어 동공 반사가 유지된다는 것과, 신경병증에 통증이 없다는 점이다. 대부분의 단일 신경염은 저절로 완전 회복된다. 단일 신경염 병변은 외부 압력으로 마비가 오거나 또는 신경 포착이 일어나는(예, 수근관 내 정중신경) 장소에서 발생하기 쉽다. 수근관증후군은 당뇨병 환자의 손에서 감각 증상을 일으키는 흔한 원인이다.

급성 운동신경병증

당뇨병성 근위축증은 드문 운동 신경병증이며 노인에서 흔하다. 임상적으로 체중 감소, 보통 대퇴사두근의 비대칭적 위축성 통증과 함몰로 나타난다. 때로 함몰은 매우 심하며 체중 증가에 따라 회복된다. 근육 위축이 현저하여 무릎 반사가 감소하거나 없어질 수 있다. 이환된 부위에 자주 압통이 있다. 족배신근 반응이 때로 나타나며, 뇌척수액의 단백이 증가 한다. 당뇨병성 근위축증은 대부분 혈당 조절 불량 기간과 관계가 있으나, 당뇨병으로 진단 당시에 나타날 수도 있다. 급성 감각신경병증과 같은 치료로 호전된다. 척수 병변과 같은 비당뇨성 근위축을 제외해야 한다.

자율신경병증

많은 환자에서 증상이 없는 자율신경 변화를 검사에 의해 발견할 수 있으며, 증상이 심한 자율신경병증은 드물다. 자율신경병증은 교감신경과 부교감신경을 모두 침범하여 기능을 손상시킨다. 중증 자율신경병증 환자는 심폐정지에 의한 사망률이 증가하며 이러한 경향이 심전도에서 QTc 간격이 현저히 지연된 경우에 나타난다.

심혈관계 미주신경 병증은 휴식시 빈맥과 동성 부정맥 소실을 일으킨다. 발살바 조작 등에서 심혈관 반사가 손상된다. 말초 소동맥 교감신경의 긴장상태가 소실되어 기립성 저혈압이 나타난다. 말초 혈관이 확장되어 발이 따듯하고 맥박이 강하게 느껴진다.

위장관계 미주신경병증으로 위마비가 나타나며, 대부분 무증상이나 때로 치료하기 어려운 구토를 일으킨다. 밤에 설사가 나타나며 때로는 실금과 긴급이 동반된다. 정체된 장에서 세균 과잉 증식은 설사와 지방변을 일으킨다.

방광 미주신경병증으로 방광 정체, 긴장성 손실, 불완전한 소변 배출(감염의 소인이 된다)을 일으키며 결과적으로 소변 저류가 된다.

발기부전 당뇨병에서 흔한 합병증이며, 자율신경병증이나 혈관 질환 또는 양자의 혼합이 원인이다. 어떤 원인이든 급성 질환은 일시적으로 발기불능을 일으킬 수 있다. 성기능 이상은 여성에서도 나타날 수 있으나 아직 명확한 치료가 없다. 불완전한 발기는 당뇨병 환자에서 흔히 나타난다. 다른 증상으로 사정 소실이 있으며 이것은 자율신경병증 환자에서 역행성 사정에 의한다. 당뇨병 환자에서 발기부전의 원인은 매우 다양하여, 불안, 우울증, 과다 음주, 약물, 일차성 또는 이차성 성선 기능부전, 갑상선 기증저하증이 있으며, 연령 증가에 따라 더 흔하게 된다(표 1). 병력과 진찰에서 앞에서 나열한 원인에 초점을 두어야 한다.

표 1. 발기 부전의 원인: 심인성과 기질성

심인성 원인	기질성 원인
갑작기 발생, 생활 사건과 관련	점진적으로 발생
특정 상황에서 발생(간헐적)	모든 상황에서 발생
야간과 아침 발기는 정상	야간과 아침 발기의 저하나 변화
동반된 문제 존재	정상 성욕과 사정(성선 기능저하증에 의한 기능 이상이 없으면)
성 발달기의 문제 존재	정상 성적 발달

당뇨병성 신경병증

- 당뇨병성 신경병증은 급성 또는 만성이다.
- 급성 신경병증은 흔히 통증이 동반되며, 비대칭적이고 대부분 일시적이다.
- 만성 신경병증은 대부분 통증이 없으며, 대칭적이고 만성적이다.
- 자율신경병증은 흔하지 않으나 다양한 작용을 나타낸다.
- 발기부전은 당뇨병에서 흔한 치료 가능한 문제이다.

당뇨병 검진의 원칙

당뇨병 환자의 임상 검사는 다음과 같은 "3의 법칙"을 따른다:

- 이차성 당뇨병의 원인 질환에 대한 3가지 측면: ① 내분비질환(갑상선, 부신, 뇌하수체 질환), ② 간 질환, ③ 당뇨병이 임상 표현형으로 나타나는 드문 증후군.
- 당뇨병의 3가지 측면: ① 합병증의 위험 인자, ② 당뇨병 합병증, ③ 치료에 의한 합병증.
- 합병증 위험인자의 3가지 측면: ① 혈압, ② 지질 축적, ③ 체질량지수(BMI).
- 대혈관 합병증의 3가지 측면: ① 뇌혈관 질환, ② 심혈관 질환, ③ 말초혈관 질환.
- 미세혈관 합병증의 3가지 측면: ① 망막병증, ② 신병증, ③ 신경병증.
- 치료에 의한 합병증의 3가지 측면: ① 인슐린 주사부위의 지방 과다 증식, ② 치료에 의한 간과 신장 질환, ③ 스타틴에 의한 근육염.

매년 검사

모든 당뇨병 환자는 적어도 일년에 한번은 종합병원, 당뇨병 센터(병원에 별도로 설치된), 개원의 또는 이들 3곳을 조합하여 방문해야 한다. 당뇨병 환자에게 일상적으로 진료 받는 병원이 아닌 당뇨병 센터에서 조언을 받을 수 있도록 하는 접근 가능성이 중요하다. 당뇨병 센터의 목적은:

- 환자 교육
- 치료 목표 결정(예, 혈압과 혈당)
- 당뇨병 합병증의 선별검사
- 발생된 합병증의 치료

치료에서 감시 대상:

- 체중(BMI, kg/m²)
- 키(특히 소아에서 성장 백분율 표를 이용하여)
- 소변 케톤, 알부민과 가능하면 미세알부민뇨
- 당화혈색소, 혈당, 지질 조성, 크레아티닌
- 혈압
- 흡연

일반 검사

외모를 관찰하여 내분비나 간질환 또는 드문 증후군의 가능성을 고려해야 한다. 신체 각 부위를 진찰하고(그림 1), 특히 발을 조사해야 한다(표 1).

일상적인 검사실 평가
일상 검사에 포함되는 항목은:

- 당화혈색소(최근 혈당 수준 측정)
- 혈중 지질 조성
- 혈청 크레아티닌
- 단백뇨

고려할 사항은:

- 간기능 검사
- FT4 와 TSH

- 자가항체: 갑상선, gliadin, endomysial, 부신, 위벽세포
- 당뇨병 관련 자가항체: 글루탐산 탈탄산 효소 또는 췌도에 대한 항체
- 소변의 미세알부민뇨

당뇨병 합병증 검사

미세혈관 합병증

눈

시력을 항상 먼저 측정한다. 그리고 검안경 검사 30분 전에 0.5% tropicamide 산동

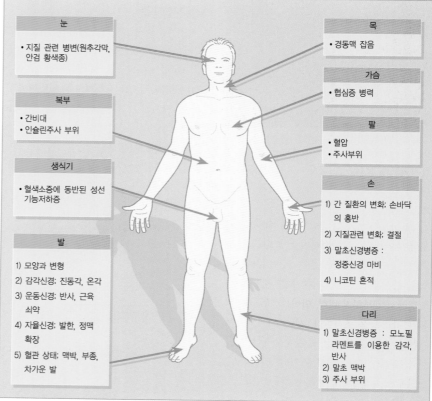

그림 1. **당뇨병 환자의 진찰**

표 1. **당뇨병 환자의 발 진찰**		
부위	임상 검사	객관적 검사
모양과 변형	중족골두 돌출, 발가락 변형, Charcot 변형, 외반무지, 굳은살	발의 방사선 소견, 발 압력 검사
감각 기능	진동(128Hz), 온도각, 고유감각 Semmes–Weinstein 필라멘트	온도역치검사, 진동각 검사
운동 기능	위축, 쇠약, 발목 반사	신경생리학 검사
자율신경 기능	발한 감소, 굳은살, 따뜻한 발, 발등 혈관 확장	발한 정량검사, 피부온도 측정 검사
혈관 상태	발의 맥박, 창백함, 차가운 발, 부종	비침습적 도플러와 경피 동맥 산소검사

제를 이용하여 산동 시킨다. 녹내장의 병력이 환자에서는 안과의사의 조언을 받아 산동제를 사용한다. 안과 검사는 팔길이만큼의 거리에서 시작한다. 이 거리에서 백내장은 망막의 적색 반사에 대한 윤곽으로 보인다. 검안경을 망막에 초점이 맞을 때까지 앞으로 진행한다. 검사는 시신경판에서부터 시작하여 각각의 사분면으로 진행하고 황반에서 끝내며(이 방법이 환자에게 불편이 가장 적다), 검사 동안 환자는 불빛을 주시하고 있도록 한다. 다음에 검안경을 조절하여 각막, 전방, 수정체를 검사 한다. 안구 운동도 검사 한다.

망막병증이 있는 모든 환자는 당뇨병 전문의나 안과의사의 정기적인 검사를 받아야 한다. 안과의에게 조기 의뢰해야 하는 경우는:

- 시력 감퇴
- 황반을 잠식한 경성 백반
- 증식성 변화(면화반이나 염주 모양 정맥)
- 신생혈관 형성

신장

소변 검사지를 이용하여 단백뇨를 검사 한다. 신선한 소변을 이용한 검사에서 흔적으로 나온 결과는 단백뇨 양성이 아니다. 미세알부민뇨는 특정 소변검사 장치를 이용하거나 수시 소변 샘플에서 미세알부민/크레아틴 비로 검사한다. 혈청 크레아티닌은 매년 검사 한다. 혈청 크레아티닌이 1.7 mg/dL 에 도달하면 신장전문의에게 의뢰한다.

발

발에서 해부학적 변형, 압박 받는 부위, 상처와 궤양 등을 조사한다. 신발과 양말도 조사한다. 말초동맥 맥박과 말초 신경도 평가한다(표 1). 궤양이 없어도 족부 전문의에게 조기에 의뢰하면 예방이 가능하다.

발기부전

환자에게 발기, 아침의 발기, 삽입, 사정 등에 문제가 있는지 구체적으로 물어야 한다. 단순하게 환자에게 성관계를 하는지 물어서 얻은 반응은 도움이 되지 않는다.

대혈관 합병증

협심증에 대해 묻지만(계단을 오를 때 가

슴에 불편감이 있습니까?) 당뇨병 환자에서 심장 통증이 흔히 비전형적인 것을 기억해야 한다. 발기부전에 대해 묻는다. 혈압, 맥박, 부정맥을 확인하며, 경동맥의 잡음을 듣고, 모든 말초 맥박을 촉진한다. 의심이 되면 안정시 심전도를 검사하고 심장전문의에게 의뢰하는 것이 현명하다.

피부와 관절

당뇨병 환자에서는 흔히 피부 병변이 발생되나 이러한 변화를 미세혈관 질환이나 대혈관 질환으로 인식하지 않는다. 당뇨병과 관련된 피부 병변에는 당뇨병성 지방괴사증(necrobiosis lipidoidica diabeticorum)(그림 2)과 환상육아종(granuloma annulare)(그림 3)이 있다. 인슐린 주사에 의해 피부에 지방 증식증이나 지방위축이 나타날 수 있다. 다른 피부 변화는 이차성 당뇨병을 일으

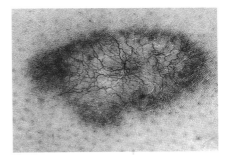
그림 3. **환상육아종**

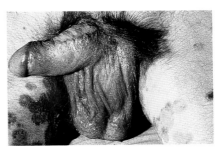
그림 4. **글루카곤종의 발적 소견**

킨 원인과 관련이 있으며, 혈색소증에서 '청동색 피부' 또는 글루카곤종과 관련된 홍반(그림 4), 쿠싱증후군 및 말단비대증의 피부 소견이 그 예이다.

손의 인대 비후는 방아쇠 손가락이나 Dupuytren 구축을 만들며, 당뇨병 환자에서 흔하다. 손등쪽 손가락 피부가 양초 모양으로 두꺼워질 수 있다. 이러한 양상은 콜라겐 당화에 의해 일어나며 진행되지는 않는다. 이러한 소견을 당뇨병성 손관절증(diabetic cheiroarthropathy) 이라고 부른다. 손 관절의 구축은 소아 당뇨병 환자나 혈당 조절이 잘 되지 않은 환자에서 흔하다. 이런 징후는 기도하는 모양으로 손을 모으게 하면 알 수 있으며, 중수 수지 그리고 수지간 관절이 서로 맞닿지 않는다.

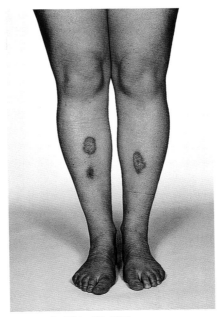
그림 2. **당뇨병성 지방괴사증**

> ### 당뇨병 검진의 원칙
> – 당뇨병 환자에서 포괄적 검진이 필요하다.
> – 매년 검사에서 합병증을 확인하고 미세혈관 및 대혈관 합병증의 위험인자에 주목해야 한다.
> – 망막 검사는 숙련된 훈련이 필요하나, 신병증의 소변검사는 그렇지 않다.

신경병증과 감염 관리

당뇨성 신경병증

급성 감각신경병증

신경병증의 치료에서 먼저 비당뇨성 원인의 제외가 필요하다. 당뇨병이 원인일 경우에 중요한 4가지 사항은:

■ 수개월 내에 완화될 수 있다고 안심시킨다.
■ 혈당과 통증 조절이 어려우면 인슐린을 도입하여 당뇨병을 치료한다.
■ 신경염에 의한 통증 인식의 감소: 삼환계 항우울제, 가바펜틴, 카르바마제핀, 캅사이신 연고 등이 도움이 된다. 만성적으로 호전되지 않는 통증에 경막외 차단을 시행할 수 있다.
■ 명확한 증거는 없으나 비타민 B가 포함된 종합비타민을 사용할 수 있다.

국소성 감각 단일신경병증

수개월 내에 호전될 수 있다고 재차 안심시키는 것이 중요하다. 인슐린 치료를 고려한다. 대증요법으로, 복시에 안대를 사용하고, 수근관 증후군에 팔목 부목을 사용한다. 수근관 증후군이나 신경근병증에서 병변의 감압 수술을 고려한다.

급성 운동 신경병증

급성 운동 신경병증의 치료는 급성 단일신경병증과 비슷하다. 근육 쇠약이 심하면 침상 안정 등의 전신적 관리가 필요하다.

만성 감각 다발성 신경병증

족부 궤양 위험이 있는 발 관리는 80 페이지에서 설명한다. 샤르코 관절증(Charcot's arthropathy)은 특별한 문제가 있다. 이에 대한 관리는:

■ 고정
■ 맞춤 신발
■ 재건(불안정한 관절의 재배열 포함)
■ 비스포스포네이트 정맥 주사(조골세포 활성 억제)

자율 신경병증

치료는 침범된 장기에 따라 다르다:

■ 심혈관계: 심한 저혈압에 midodrine, fludrocortisone, erythropoietin이 도움이 된다.
■ 위장계: 정체된 장운동에 의한 세균 증식은 설사와 지방변을 일으키며, 광범위 항생제를 사용하여 극적으로 좋아질 수 있다.
■ 방광 병변: 소변 저류는 도뇨관이 필요하며 감염은 항생제로 치료한다.

감염

당뇨병 환자에서 일어나기 쉬운 감염에는 세균, 진균, 요로 감염, 피부감염, 결핵이 있다. 고혈당은 선천적인 면역 반응에 영향을 주며, 혈류 공급과 피부 표면 구조 유지에도 영향을 주어 광범위한 감염 위험이 된다. 감염은 또한 혈당 조절을 나쁘게 하여 케토산혈증의 흔한 원인이 된다. 인슐린으로 치료하던 환자에서 감염이 생기면 인슐린 용량을 올려야 하며, 인슐린을 사용하지 않던 환자도 감염이 생기면 인슐린 치료가 필요하다.

당뇨병에서 일어나는 감염은:

■ 포도구균 감염(종기, 농양, 큰 종기)
■ 진균 감염(구강, 손톱, 피부 주름)
■ 점막피부 칸디다증
■ 만성 치주염
■ 요로 감염
■ 신우신염
■ 폐렴구균 폐렴
■ 결핵

당뇨병에서 생명에 위협이 되는 감염과 이에 대한 치료는 표 1과 같다.

표 1. 당뇨병에서 생명에 위협이되는 감염

형태	원인	치료	사망률(%)
악성 외이도염	Psuedomonas aeruginosa	Carbenicillin	10~20
비대뇌성 모균증	Mucorales속 진균	Amphotericin B	34
기종성 담낭염	Clostridia sp. 또는 E. coli	Ampicillin/Clindamycin	15
기종성 신우신염	E.coli 기타	Cephalosporin	10~37
괴사 근막염/연부조직염	호기성균주 혼합	Imipenem, 데브리멍, 고압 산소요법	20
비클로스트리움 가스괴저	호기성균주 혼합	Imipenem, 데브리멍, 고압 산소요법	25~50

신경병증과 감염 관리

- 급성 감각 신경병증은 적극적인 치료로 호전된다.
- 만성 감각 신경병증은 구조적 손상의 제한이 치료 목표이다.
- 자율신경병증의 특정 증상은 치료될 수 있다.
- 당뇨병에 흔한 감염이 있다.

발기부전 치료

발기부전이 있는 모든 환자는 원인과 관계없이 상담이 필요하다. 조기 사정과 역행 사정은 상담으로 관리 한다. 발기부전의 비약물적 치료에 진공 장치가 도움이 될 수 있다. 음경 기저부에 고정한 플라스틱 튜브와 진공 펌프를 이용하여 음경안에 혈류를 증가 시켜 발기를 만든다. 음경 기저부에 고무줄을 끼고 튜브를 빼면 성교 동안 발기가 유지된다.

약물 치료

몇가지 약제가 발기부전에 사용된다:

포스포디에스테라제 5형 억제제

포스포디에스테라제 5형 억제제로 sildenafil (Viagra)이나 tadalafil이 사용된다. 이러한 약제는 평활근에서 산화질소의 작용을 높여 음경의 혈류를 증가시킨다. 이 약제는 협심증이 없거나 심근경색의 병력이 없는 대부분의 당뇨병 환자에서 사용할 수 있다(nitrate와 병용은 금기). 환자의 약 60%에서 효과적이다(그림 1). 부작용으로 두통, 시력 변화가 드물지 않다. 자신감이 회복되어 일단 성공하면 약제를 사용하지 않는 시도가 가능하다. 때로 약제의 도움 없이 강도가 지속된다.

프로스타글란딘 E1 제제

이 제제는 요도에 국소적으로 주입하거나 해면체에 주사하여 음경의 혈류를 증가 시킨다. 소형 alprostadil 제제를 충분히 훈련하여 요도에 주입하는 방법은 비침습적이지만 해면체 주사보다 성공률이 낮다. 배우자가 임신 중에는 장벽 피임법을 사용하여 프로스타글란딘이 태아에 도달하지 않도록 해야 한다. 환자에게 alprostadil이나 papaverine (평활근 이완제) 때로 phentolamine과 moxisylyte(α-아드레날린 수용체 차단제) 주사를 교육할 수 있다. 투여 용량은 만족한 반응을 얻을 수 있을때까지 서서히 올린다.

부작용으로 국소 반응(불편감, 혈종, 섬유화)과 지속 발기증이 있다. 환자에게 3시간 이상 발기가 지속될 경우 응급치료에 대한 세부사항을 알려주어야 한다. 지속 발기증의 치료는 팽창이 감소될 때까지 나비 바늘을 해면체에 찔러 큰 주사기로 혈액을 뽑는 것이다.

수술

혈관 질환이 있는 일부 환자는 이상의 치료에 효과가 없다. 이런 경우 반강체 플라스틱 봉을 음경에 넣어 삽입이 가능하게 만드는 수술을 할 수 있다(그림 2).

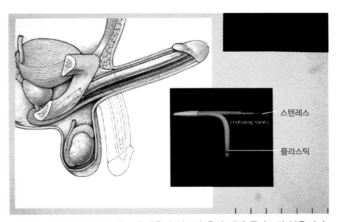

그림 2. **발기부전이 다른 치료에 반응이 없으면 음경 내에 플라스틱 봉을 수술해서 넣는다. 필요시에 조작하여 발기를 일으키는 보다 정교한 장치도 있다.**

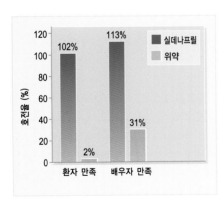

그림 1. **발기부전 환자에서 sildenafil의 반응**

발기부전 치료

– 발기부전이 있는 모든 환자에서 상담이 필요하다.
– 조기 사정과 역행사정은 상담으로 치료할 수 있다.
– 포스포디에스테라제 억제제와 프로스타글란딘 E 제제가 효과적이다.
– 비약물요법으로 진공 기구와 플라스틱 봉 수술이 있다.

당뇨병 발

당뇨병 발은 당뇨병 입원의 약 50%를 차지하며, 당뇨병 환자의 10~15%는 일생 중 언젠가 발궤양이 나타난다. 전체 하지 절단에서 반은 당뇨병 환자에서 시행된다. 당뇨병에서 절단 위험은 15배 증가한다. 당뇨성 발에 관여되는 3가지 요인은:

- 말초 신경병증
- 말초혈관 질환
- 상처나 궤양에 2차 감염

이상의 요인이 공존할 수 있으며, 신경병증 궤양은 잘 치료되나 허혈성 발궤양(그림 1)은 그렇지 않기 때문에 허혈성 발과 신경병증 발의 구분이 중요하다(표 1).

당뇨병 환자의 발에 있는 위험은:

- 신경병증
- 허혈
- 해부학적 이상(예, 외반 무지)
- 절단 또는 궤양 병력
- 운동 장애(예, 노화, 뇌졸중, 관절염)
- 발 관리 부족

당뇨성 발 관리

다음 소견이 있는 당뇨병 환자는 족부 클리닉에 의뢰 한다:

- 굳은살, 티눈, 감입 발톱
- 궤양
- 현저한 허혈
- 해부학적 이상
- 절단 또는 궤양의 병력
- 샤르코 관절증(Box 1)

당뇨성 발 문제는 많은 사람에서 나타나지만 예방 가능하기 때문에 발관리의 원칙은

그림 1. **허혈성 궤양**

표 1. **당뇨병 환자의 발 질환에서 감별 소견**		
특징	신경병증 발	허혈성 발
감각 손실	예	아니오
맥박	유	무
발의 구조	중족골 골두 탈구	구조 보존
가골/궤양	압박 부위에 과도한 굳은살 형성	압력 부위 이외의 궤양
방사선 소견	혈관 석회화	

Box 1 샤르코 관절증

신경병성 관절증은 어느 관절에서나 나타날 수 있으나 대부분 발목에서 생기며, 신경병성 발이 갑자기 부어오르면 의심해야 한다. 샤르코 관절증은 족부 구조의 해체를 일으켜 절단 위험이 매우 높은 심각한 합병증이다. 방사선 소견에서 뼈의 해체는 흔들의자 바닥변형이나 무릎의 해체 종창과 같은 발의 변형을 나타낸다. 치료는 안정, 고정, 발 보조구, 재건 수술(전문가에 의한), 비스포스포네이트 투여 등이다.

Box 2 발 관리 규칙

- 신발을 세심하게 맞추어 선택한다.
- 편상화나 가죽제 운동화를 사용한다
- 신을 신기 전에 이물질을 확인한다.
- 매일 발을 씻고 특히 발가락 사이를 잘 말린다.
- 규칙적으로 조심하여 발톱을 자른다.
- 매일 발 특히 발바닥을 관찰한다.
- 굳은살이나 균열에 습윤크림을 사용한다
- 필요시 족부 전문가를 방문한다.

중요하다(Box 2). 발의 피부와 피하조직에 대한 4가지 위협은:

- 감염
- 허혈
- 비정상 압력
- 오염

내과 의사, 발 전문가, 혈관외과 의사가 팀으로 치료해야 한다.

감염

감염은 초기부터 적극적으로 치료해야 한

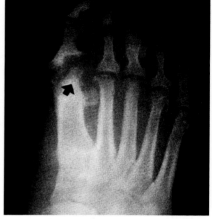

그림 2. **당뇨병성 신경병증 발에서 감염에 의한 골수염(화살표) 소견**

다. Streptococcus pyognes, Staphylococcus aureus, 혐기성균 감염이 흔하다. 치료는:

- 궤양의 죽은조직 제거
- 굳은살 제거
- 압력 부위 보호
- 항생제

광범위 항생제를 고용량으로 장기간 때로 1개월 이상 감염이 회복될 때까지 사용 한다. 깊고 만성적인 감염은 골수염을 제외하기 위해 발의 방사선 사진을 찍는다(그림 2). 골수염은 장기간의 항생제로 치료할 수 있으나 감염된 뼈는 제거해야 한다.

Box 3 발 감염의 방사선 소견

감염된 발의 방사선 소견에서 클로스트리아 감염에 의한 가스의 확인과 골수염의 증거를 찾는다.

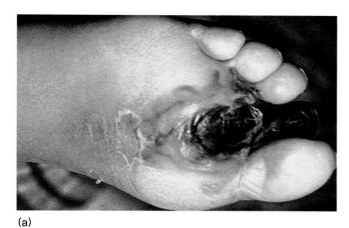

(a)

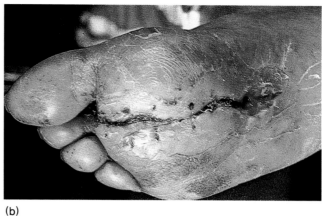

(b)

그림 3. **궤사된 발가락.** (a) 절단 전; (b) 방사상 절제에 의한 절단 후

표 2. 감염 발궤양의 항생제 사용	
Penicillin-cloxacillin 복합	발 감염에는 포도구균과 연쇄구균이 많아 penicillin-cloxacillin 복합이나 cephalosporin 또는 quinolone 정맥 주사가 필요하다. Fusidic acid는 조직 침투성이 좋아(뼈를 포함하여) 포도구균 치료에 추가할 수 있다.
Metronidazole	혐기성 감염에 metronidazole이 필요하다는 증거가 있다. 미국에서는 호기성균에도 효과가 있는 clindamycin을 추가한다.
Cephalosporin	Pseudomonas aeruginosa를 제외한 호기성 그람 음성균에는 cefotaxime, cefuroxime 또는 aminoglycoside나 quinolone 정맥 주사에 감수성이 있다.
Vancomycin	Vancomycin은 페니실린 저항성 연쇄구균에 필요하다. Ciprofloxacin, ofloxacin은 대부분의 호기성 균에 작용하나 혐기성균에는 효과가 없으며, imipenem은 혐기성균을 포함하여 광범위하게 작용한다.
주사 치료	중증 감염에서 수술이 필요하면 입원 치료가 필요하고 항생제를 정맥 주사로 투여한다. 심하지 않고 뼈를 침범하지 않았으며 환자의 순응도가 좋으면 경구 항생제를 투여하여 외래 치료할 수 있다.

째, 3번째, 4번째 발가락과 중족골의 방사상 절개이며(그림 3), 근치 절단은 무릎 위 또는 아래 절단이다. 절단하면 보조기로 걷기에는 많은 노력이 필요하며 고령자는 견딜 수 없어 휠체어에 의존하게 된다. 절단 후 체중 이동은 반대쪽 다리에 궤양을 만든다.

허혈

발의 혈류는 임상에서 도플러 초음파로 측정하나, 수술을 고려하면 대퇴동맥 혈관조영술을 시행한다. 동맥 석회화가 있으면 혈류가 빨라져 도플러 판독이 잘못될 수 있다. 혈관 조영술에서 국소 폐색이 있으면 우회수술, 스텐트, 혈관성형술을 시행하고, 절단은 마지막 수단이다.

비정상 압력

발 관리에서 굳은살 제거, 궤양 부위의 안정과 부하 제거가 필수적이며, 족부 전문가의 권고를 받고 습윤 크림 사용이 도움이 된다. 깊은 구두와 깔창을 제작하여 위험한 부위의 압력을 분산시키며, 공기 신발이나 깁스를 사용하는 경우도 있다. 특별히 제작된 구두로 점차 체중을 지탱하는 것이 권고되며, 다른 방법처럼 만족스럽지 않지만 스포츠용 운동화를 사용할 수 있다.

상처 환경

삼출물을 흡수하고 수분을 유지하는 재료로 드레싱하며, 오염으로부터 상처를 보호해야 한다. 만성 궤양 치료를 촉진하는 새로운 방법이 도입되고 있다. 이들은 고가이나 역할이 확립되지 않은 상태이다. 이러한 치료에 혈소판 유래 성장인자와 배양 진피가 있다. 배양 진피는 신생아의 섬유아세포를 합성 기질에 넣어 만든 피부의 이식이다.

절단

절단은 마지막 수단이다. 국소 절단은 2번

당뇨병 발

- 당뇨병 발은 말초 신경병증과 동맥 질환에 의해 일어나며, 외상이나 궤양에 2차 감염으로 생긴다.
- 해부학적 이상이나 부적합 신발은 굳은살과 궤양을 만든다.
- 감염은 초기부터 적극적으로 치료 한다.
- 절단은 마지막 수단이다.

당뇨성 안구 질환

당뇨병 환자의 안구 질환 위험은:

- 당뇨성 망막병증: 과거에 환자의 5%가 당뇨병으로 진단되고 30년 후에 실명하였으며, 현재 65세까지 가장 흔한 실명의 원인은 당뇨병이다.
- 백내장: 급성 고혈당 상태의 환자에서 렌즈는 가역적 삼투압 변화의 영향으로 시력이 나빠진다. 당뇨병 환자에서는 노인성 백내장이 당뇨병이 없는 사람보다 10년 빨리 생긴다. 이러한 위험은 혈당 조절로 감소될 수 있다.
- 녹내장: 당뇨병에서 홍채에 새로운 혈관이 생겨(rubeosis iridis) 녹내장이 흔하다.
- 안구 신경 마비: 외안근 마비, 특히 외전신경 마비가 흔하다. 다른 단일 신경염의 원인처럼 이러한 마비는 급성이고 일시적이며, 대부분 4개월 내에 회복되고 2년 내에는 모두 회복된다.

망막병증의 자연사

1형 당뇨병에서 20년 후 대부분의 환자가 망막병증을 가지며, 60%는 시력에 위협이 되는 증식성 망막병증으로 진행한다. 2형 당뇨병에서는 새로 진단된 20%에서 이미 당뇨성 망막병증이 있으며, 대부분 지속적으로 상태가 진행한다. 치료하지 않으면 증식성 망막병증의 50%는 5년 내에 실명한다.

당뇨성 망막병증의 분류는:

- 배경성 망막병증
- 전 증식성 망막병증
- 증식성 망막병증
- 진행된 당뇨병성 안질환
- 황반증

이러한 분류를 명확하게 하기 위한 세부 내용은 그림 1과 같으며 각각의 예는 그림 2~5와 같다.

배경성 망막병증

당뇨병에서는 말초혈관 기저막 두께가 증가되고 망막 모세혈관 투과도가 증가된다. 일부 혈관은 동맥류가 되어 확장되고 다른 혈관은 폐색된다. 이러한 변화는 형광 혈관 조영술에 의해 조기에 발견할 수 있다. 형광색소를 팔 정맥을 통해 주사하고 망막 혈관 통과를 사진으로 찍는다. 임상적으로 초기 변화는 검안경으로 모세관의 미세동맥류가 점상 출혈을 보인다. 망막의 심층으로 혈액이 흘러 들어가면 반상 출혈을 일으키고, 지질과 단백질이 풍부한 액체가 삼출되면 경성 백반을 만든다. 경성 백반은 밝은 황백색이며 불규칙한 모양이고 경계가 명확하다.

당뇨병이 20년 이상 경과하면 거의 모든 안저에서 검안경으로 미세동맥류를 볼 수 있다. 배경성망막병증 자체는 시력에 위협이 되지 않지만, 두가지 다른 형태의 망막병증인 증식성이나 황반성으로 진행할 수 있다. 이들은 모두 망막 허혈을 일으킨 망막 혈관 손상의 결과이다.

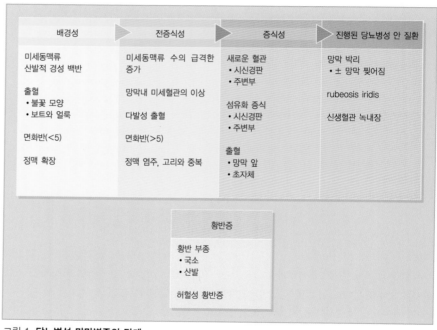

배경성	전증식성	증식성	진행된 당뇨병성 안 질환
미세동맥류 산발적 경성 백반 출혈 • 불꽃 모양 • 보트와 얼룩 면화반(<5) 정맥 확장	미세동맥류 수의 급격한 증가 망막내 미세혈관의 이상 다발성 출혈 면화반(>5) 정맥 염주, 고리와 중복	새로운 혈관 • 시신경판 • 주변부 섬유화 증식 • 시신경판 • 주변부 출혈 • 망막 앞 • 초자체	망막 박리 • ± 망막 찢어짐 rubeosis iridis 신생혈관 녹내장

황반증
황반 부종 • 국소 • 산발 허혈성 황반증

그림 1. **당뇨병성 망막병증의 단계**

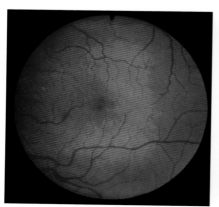

그림 2. **경도의 배경성 망막병증**

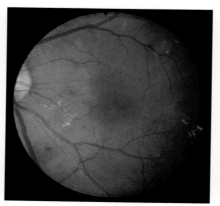

그림 3. **중등도의 배경성 망막병증**

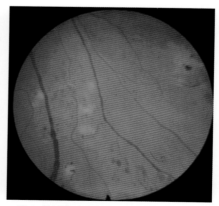

그림 4. **증식성 망막병증**

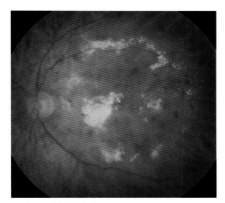

그림 5. **삼출성 황반증**

표 1. **망막병증의 치료**	
	관리
배경성 망막증	경험있는 임상의사가 매년 검사
전증식성 망막증	전문가에게 의뢰
당뇨성 황반증	전문가에게 의뢰
증식성 망막증	신속히 전문가에게 의뢰
당뇨성 황반증	원인이 없는 시력 변화나 시신경판 2개 거리이내에 경성 백반이 있으면 전문가에게 의뢰
백내장	생활에 지장을 주는 시력 손실이 있으면 백내장 수술을 위해 전문가에게 의뢰

전증식성 망막병증

망막 허혈의 진행은 시력에 위협이 되는 전증식성 망막병증으로 진행될 수 있다. 초기 징후는 '면화 반'의 출현이며 망막 경색에 의한 부종의 결과이고, 고혈압성 망막병증에서도 볼 수 있다. 면화반은 경성 백반과 달리 회백색이고 경계가 불분명하다. 다른 변화는 정맥 고리, 염주화, 동맥초 형성, 망막내 미세혈관 이상(intraretinal microvascular abnormality)이다. 이러한 소견은 증식성 망막병증으로 진행될 위험이 있다.

증식성 망막병증

신생 혈관이 망막 표변이나 초자체 안쪽으로 자라난다. 신생 혈관은 반복하여 갈라지며, 매우 약하여 쉽게 출혈되고 섬유화 조직 반응을 일으킨다. 망막 앞이나 초자체 속으로 출혈된다. 초자체 출혈은 시력을 잃게 하고 검안경에서 회색으로 흐릿하게 보인다. 혈액이 흡수되면 부분적으로 시력이 회복되나 출혈이 재발된다.

신생 혈관과 섬유화 증식은 망막을 변형시켜 시력을 저하시킨다. 이러한 섬유화 조직의 수축은 망막박리를 일으킨다.

당뇨병성 황반증

2형 당뇨병에서 황반증이 나타날 수 있다. 황반증의 3가지 형태는:
- 삼출형
- 부종형
- 허혈형

부종형은 검안경으로 보기 어려우며, 허혈형은 레이저 치료에 반응하지 않는다. 황반부종은 황반증의 초기 소견이며, 조기 치료하지 않으면 영구적인 황반 손상을 일으킨다. 시력 변화는 현저한 망막병증을 의미하나 검안경으로 변화를 볼 수 없는 경우도 있다. 당뇨병 환자에서 정기적인 시력 변화 검사가 필요하다.

백내장

백내장은 시력을 감소시켜 바늘 구멍으로 보이며 회복될 수 없다. 근긴장성 이양증과 스테로이드 치료는 당뇨병의 위험을 증가시키며 백내장과도 관련이 있다. 조절되지 않은 당뇨병에서 나타나는 눈송이 백내장은 드물지만 광범위하고 빠르게 진행한다.

당뇨성 안구 질환의 치료

당뇨성 안구 질환의 치료에 내과 팀과 안과의사 사이에 긴밀한 연락이 필요하다(표 1). 당뇨성 안구 질환의 발생과 진행을 저지하기 위한 내과 치료는 엄격한 혈당 조절과 혈압 조절이다. 현재 배경성 망막증에 특별한 내과 치료는 없다. 흡연은 망막병증 진행을 악화시킨다. 안지오텐신 전환효소 억제제가 고혈압이 있는 망막병증에 효과적이라는 일부 증거가 있으며 이런 약제를 시작하는 경향이 있다. 급격한 혈당 조절, 임신, 신병증에서 망막병증이 발생하거나 진행이 가속화될 수 있어 이러한 환자에서 빈번한 감시가 필요하다.

안과의사에게 조기 의뢰가 필요한 경우는:
- 시력 악화
- 황반을 침범한 경성 백반
- 증식성 변화(면화 반이나 염주 모양 정맥)
- 혈관 신생

안과의사는 진행 정도 평가를 위해 형광혈관 조영술을 시행한다. 황반병증과 증식성 망막병증은 망막의 레이저 광응고에 의해 치료하며, 증식성 망막병증은 초기의 효과적인 치료에 의해 약 50%의 실명 위험을 줄인다. 시신경판 주위의 신생혈관은 범망막 광응고로 치료한다. 초자체 출혈후 시력 보존과 진행된 망막병증에서 견인성 망막박리는 수술로 치료한다. 백내장 수술은 성공적이나 활성도가 높은 망막병증의 악화에 주의해야 일부에서는 레이저 치료를 동시에 시행한다.

당뇨성 안구질환
- 대부분의 당뇨병 환자에서 장기적으로 망막병증이 진행되며, 60%에서는 시력에 위협이 되는 증식성 망막병증으로 진행한다.
- 황반증은 2형 당뇨병에서 주로 나타난다.
- 안구 진환의 발생과 진행을 방지하기 위한 내과 치료는 혈당과 혈압의 엄격한 조절이다.
- 초기에 효과적인 치료는 실명 위험을 50% 감소시킨다.

당뇨성 신장

당뇨병에서 신장의 3가지 형태 손상은:
- 사구체 손상
- 수입과 수출동맥 증식 증식에 의한 허혈
- 상행 감염

임상적 신병증은 당뇨병으로 진단된 후 15~25년에 발생되며, 30년 후에 나타나는 경우는 드물다. 신병증은 30세 이전에 당뇨병으로 진단된 환자의 25~35%에서 나타나며, 유럽에서 신부전의 가장 흔한 원인이고, 신대체요법 원인의 30% 이상을 차지한다. 인종에 따라 당뇨병 신병증의 위험이 다르며 미국 흑인과 남아시아인에서 흔하다. 2형 당뇨병에서는 1형 당뇨병 보다 신병증 발생이 적다. 단백뇨와 당뇨성 신병증은 모두 대혈관 합병증 위험 증가와 관계가 있다. 신병증에는 강한 유전적 소인이 있다.

자연사

말기 신부전으로 진행하는 당뇨성 신병증에는 5단계가 있으며, 신부전이 심해질 때까지 증상이 없다.

1단계: 기능적 변화 발생
사구체 여과율과 분획이 증가된다.

2단계: 구조적 변화 시작
처음에 사구체 기저막이 두꺼워진다. 신장 손상에 따라 수입 세동맥이 수출 세동맥 보다 확장된다. 그 결과 사구체 여과압이 증가하여 사구체 모세혈관이 더욱 손상된다. 증가된 사구체압은 전단력을 증가시키고, 세포 밖으로 메산지움 기질 물질 분비를 증가시킨다. 이러한 과정으로 사구체는 증식되고 경화된다(그림 1).

3단계: 미세알부민뇨 출현
단백질 연결의 파괴는 사구체 여과를 변화시켜 큰 분자가 점차 소변으로 빠져나가게 된다. 소량의 알부민을 소변에서 검출할 수 있으며, 24시간 소변에서 측정하거나 실제로는 아침 첫 소변에서 알부민/크레아티닌 비로 계산한다(Box 1). 미세알부민뇨는 방사선 면역측정법이나 고감도 시험지법으로 검사한다. 이것은 1형 당뇨병 환자에서 신병증으

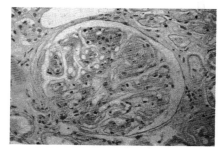

그림 1. **당뇨병성 신병증 사구체에서 메산지움 증식(분홍색 염색)**

로 진행하는 예측 지표와 2형 당뇨병에서 심혈관질환 위험 증가 지표로 사용할 수 있다.

4단계: 현성 신병증
사구체 여과율 저하에 따라 혈압, 혈장 크레아티닌과 단백뇨가 증가한다(그러나 신증후군 정도로 심하지는 않다). 광학현미경으로 사구체경화 변화가 나타나는데, 미만성과 결절성이 있으며 후자는 Kimmelstiel-

Box 1 미세알부민뇨의 정의
24시간 소변: 30~300 mg
알부민/크레아티닌 비 > 2.5mg/mmol(남성), >3.5mg/mmol(여성)

Wilson 병변으로 알려져 있다.

5단계: 말기 신부전
신병증 환자에서 전형적인 소견은:
① 빈혈(정색소성 정적혈구성 빈혈)
② 칼슘대사 변화(칼슘 저하 인 증가)
③ 이상지질혈증
④ 고혈압

진단

단백뇨는 당뇨병성 신병증의 특징이다(그림 2). 모든 당뇨병 환자의 소변에서 매년 단백뇨를 검사해야 한다. 많은 센터에서 젊은

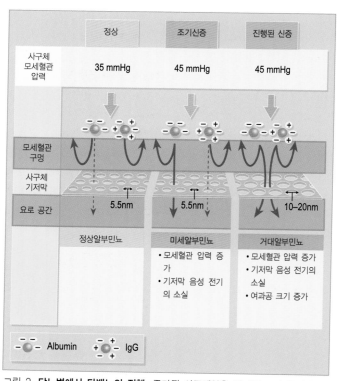

그림 2. **당뇨병에서 단백뇨의 진행.** 증가된 사구체압은 여과공 크기 증가와 사구체 기저막에서 음성 전기 소실을 일으킨다. 그 결과 정상적으로는 통과되지 않는 알부민 및 IgG 같은 혈중 단백질이 빠져나간다.

환자나, 당뇨병으로 진단되고 30년이 안된 환자에서 미세알부민뇨를 검사한다. 이 단계에서 혈당을 잘 조절하고, 초기에 항고혈압제 치료와 안지오텐신전환 효소 억제제를 사용하면 신부전으로 진행을 늦출 수 있다. 당뇨성 신병증에서 신생검을 포함하여 특이적인 검사가 없기 때문에 다른 원인을 제외해야 한다. 신생검을 시행할 수도 있지만, 실제 임상에서 거의 필요 없고 도움도 되지 않는다. 신병증의 다른 원인에 대한 검사를 시행한다.

당뇨병 이외의 원인에 의한 신병증 검사는:
- 소변의 현미경 검사에서 원주와 적혈구, 소변 배양
- 혈장 단백 전기영동
- 혈장 칼슘, 인, 알칼리 포스파타제, 요산염
- 항핵인자를 포함한 혈청 자가항체
- 신장 초음파

감염

요로 감염은 당뇨병에서 흔하다. 방광의 자율신경병증에 의해 요정체가 있으면 감염이 일어난다. 당뇨병 환자에서 감염을 치료하지 않으면 신유두 괴사를 일으킬 수 있으며, 때로 괴사된 신유두가 소변으로 떨어져 나오며 신기능이 악화 된다.

치료

당뇨성 신병증의 치료는 다른 원인에 의한 신부전과 비슷하다. 신질환을 가진 당뇨병 환자에서는 특히 대혈관 질환의 위험인자과 합병증에 주의해야 하며 신경병증과 망막병증 위험에도 조심해야 한다.

혈당

치료 목표는 당화혈색소 7.0% 이하의 도달이다. 크레아티닌이 1.7 mg/dL 까지 오르면 메트포르민을 사용해서는 안되며 다른 약제의 용량도 조심스럽게 확인해야 한다. 크레아티닌이 2.3 mg/dL 까지 오르면 인슐린 치료를 해야 한다.

혈압

혈압의 적극적인 치료(목표 130/80 mmHg)는 신부전 악화 속도를 감소시킨다.

안지오텐신 전환효소 억제제는 모든 단계에서 선택되며, 지속적 미세알부민뇨가 있는 혈압이 정상인 환자에서도 사용된다. 안지오텐신 II 수용체 차단제는 안지오텐신 전환효소 억제제를 사용할 수 없을 때 유용하다. 안지오텐신 전환효소 억제제와 안지오텐신 II 수용체 차단제의 병용은 혈압 조절에 좋다. 신병증이 명확해지면 티아자이드보다는 헨레고리 이뇨제를 사용한다. 혈압 조절 목표 도달을 위해 흔히 여러 약제의 병용이 필요하다.

기타 치료

지질이상 단백뇨가 나타나면 대혈관 질환의 위험이 있으므로 스타틴을 사용한다. 신부전에서 사이클로스포린과 스타틴 또는 피브레이트를 병용하면 근염의 위험이 증가한다.

흡연 흡연은 당뇨성 신병증의 유발인자 이며 대혈관질환 위험이 있으므로 신병증이 발생되면 반드시 금연해야 한다.

단백질 제한 1일 0.7g/kg으로 식이 단백질 감소가 권고되나 아직 논란이 있다.

일반적 치료

신장 이상이 생겼을 때 필요한 치료는:
- 탄산 칼슘 등의 인 결합제
- 부갑상선 호르몬 증가에 비타민 D 유사체
- 혈색소의 유의한 감소에 erythropoietin
- 종합 비타민
- 라니티딘 등의 제산제

말기 신부전

당뇨병 환자의 말기 신부전 치료는 당뇨병에 의한 다른 합병증으로 실명, 자율신경병증, 말초혈관 질환이 동반되어 관리가 어렵다. 크레아티닌이 5.7 mg/dL 이상이면 신대체요법이 고려되며, 특히 증상이 있는 경우에 그렇다. 시간에 따른 크레아티닌 변동을 추적해보면 신기능 이상 진행 정도를 알 수 있으며 미리 신대체요법을 계획할 수 있다. 신대체요법의 3가지 형태는:
- 지속적 복막투석(continuous ambulatory peritoneal dialysis, CAPD)
- 혈액투석
- 신이식

일반적인 초기 치료는 CAPD이다. 이것은 다른 신대체요법에 비해 비용이 저렴하며, 심장 질환이나 자율신경병증이 있는 환자에서 문제가 되는 혈액 용량의 변동을 피할 수 있다. 또한 혈관 접근로가 필요하지 않으며, 당뇨병 환자에서 혈관 션트의 석회화를 우려할 필요가 없어 좋다. 혈액투석은 혈관 접근로가 필요하며 저혈압을 일으키기 쉽다. 손가락 괴사가 문제 된다. 신이식은 가장 좋은 치료이고, 사체 또는 생체 공여자의 신장을 이용한다. 당뇨병에서는 환자의 생존율과 이식편의 생존율이 약간 떨어진다. 대혈관 합병증과 같은 생명에 제한이 되는 동반 질환의 제외를 위한 환자의 평가가 이식 전에 중요하다. 췌장 부분 이식을 때로는 신이식과 동시에 시행한다. 이식된 췌장의 섬유화가 진행되어, 환자는 1년 이나 그 이상 제한적으로 인슐린 주사에서 이탈할 수 있다.

당뇨성 신장

- 단백뇨는 당뇨성 신병증의 근거이며 심혈관 질환 위험의 표지이다.
- 미세알부민뇨는 1형 당뇨병에서 신병증 진행의 표지이며, 2형 당뇨병에서는 심혈관 질환 위험 증가의 표지이다.
- 신부전 치료는 다른 원인에 의한 신부전 치료와 비슷하다.
- 혈당과 혈압은 엄격하게 조절해야 한다.
- 말기 신부전의 치료는 당뇨병의 다른 합병증이 동반되어 보다 어려우며, 신이식 후에도 이식편과 환자의 생존율이 좋지 않다.

당뇨병의 응급

당뇨병에서 응급 상황은 매우 흔하며, 적절하게 치료하지 않으면 치명적이다. 의식 수준의 변화나 혼수 상태가 흔히 일어난다.

당뇨병에서 혼수의 원인은:

- 저혈당
- 당뇨병 케토산증
- 고삼투압성 비케토성 고혈당
- 젖산 산혈증
- 요독증
- 비당뇨성 원인

케토산증

당뇨병 케토산증의 흔한 원인은:

- 진단되지 않은 당뇨병
- 인슐린 치료 중단
- 병발 질환

병원에 도착한 대부분의 환자는 조기에 진단하여 중증 케토산혈증을 예방할 수 있다. 잘못이 일어나는 주된 원인은 의사소통, 교육, 치료가 잘 되지 않는 경우이다. 약 25%의 환자는 메스꺼움이나 구토가 있으면 먹지 않기 때문에 인슐린을 줄이거나 중단한다. 이런 경우에 인슐린 요구량은 감소하지 않고 오히려 증가한다. 인슐린을 의학적 권고 없이 중단해서 안된다.

발병기전

케토산증은 인슐린 부족과 관련된 조절되지 않는 이화대사에 의해 일어난다. 간에서 케톤 생성을 억제하기 위해서는 소량의 인슐린만 필요하므로 일단 케토산증이 발생되면 매우 심한 인슐린 부족 상태이다. 인슐린 부족은 간에서 당 생산을 증가시키고, 근육 등의 말초조직에서 당 유입을 감소시키며, 지방분해를 증가시킨다. 둘째로 중요한 소견은 수분 부족이며, 이것은 고혈당에 동반된 삼투성 이뇨로 일어난다. 혈당은 대부분 10~20 mmol/L(180~ 360 mg/dL) 이지만 일부 환자, 특히 소아에서는 20 mmol/L(360 mg/dL) 이상에 이른다.

급속한 지방 분해는 순환 혈액의 유리 지방산을 증가시킨다. 인슐린 길항 호르몬의 증가는 인슐린 부족을 악화시키고, 이 둘은 간의 미토콘드리아에서 케톤체를 더욱 증가시키는 작용을 일으킨다. 케톤체 축적으로 대사성 산혈증이 일어난다. 과도한 케토산은 소변으로 배출되며, 호흡으로도 나와 아세톤과 비슷한 특이한 냄새가 난다. 산혈증에 대한 호흡성 보상으로 과호흡을 일으킨다. 구토는 체액과 전해질 소실을 악화시킨다. 탈수의 진행은 신장으로 수소 이온과 케톤을 배출시키지 못해 산혈증이 악화된다. pH가 7.0 이하로 떨어지면([H$^+$] > 100 nmol/L) 많은 세포에서 pH 의존효소 작용이 정지된다. 치료하지 않은 중증 케토산증은 치명적이다.

증상과 징후

케토산증의 임상 증상은:

- 구토(70%)
- 갈증(55%)
- 다뇨(40%)
- 체중 감소(20%)
- 복통(15%)

임상 징후는:

- 탈수
- 빈맥
- 저혈압
- 따뜻하고 건조한 피부
- 과호흡(Kussmaul 호흡)
- 호흡에서 아세톤 냄새
- 혼미, 혼수

검사

케토산증에 대한 검사는:

- 혈당, 크레아티닌, 전해질, 케톤
- 혈액 검사
- pH를 포함한 동맥혈 가스
- 소변 검사지를 이용한 케톤, 농뇨, 혈액, 단백질 검사
- 세균 검사: 혈액, 소변 배양, 감염 부위의 배양
- 심전도에서 T파 증가(고칼륨혈증), T파 평탄(저칼륨혈증), 부정맥이나 심근경색
- 흉부 방사선 사진에서 감염이나 심부전
- 대뇌 부종이 의심되거나 혼수 원인이 불명할 때 CT나 MRI
- 복부 초음파
- 당뇨병 케토산증 이외 원인에 의한 혼수: 뇌졸중, 경련 발작 후, 대뇌 외상, 알코올 중독, 약물 과량

치료

치료 원칙은 다음과 같다

인슐린 부족 보충 수용성 인슐린(6~10 U/h)을 정맥주사하거나 매시간 근육 주사한다. 쇼크 환자에서는 피하 혈류가 감소되어 인슐린 작용이 느려지기 때문에 인슐린을 피하 주사하지 않는다.

체액 소실 보충 생리식염수를 투여하며 대략 5L가 부족하다고 추정한다. 심혈관 질환의 위험이 있거나 심장과 신기능 이상이 있는 환자의 치료에 주의한다.

전해질 소실 보충 칼륨 수준을 혈액 검사와 심전도로 감시한다. 체내 총 칼륨은 부족되어도 혈액 칼륨치는 높을 수 있으므로 혈청 칼륨을 확인하고 보충을 시작한다. 혈청 칼륨이 정상 범위에 있으면 칼륨 정맥주사를 40 mmol/L로 시작한다. 혈청 칼륨이 정상 범위 이하로

떨어질 때까지 기다려서는 안된다.

산염기 균형 회복 체액 보충과 인슐린 치료는 산염기 불균형을 회복시킨다. 중탄산염 투여에 대해서는 논란이 있으며, 대부분 필요하지 않지만 pH < 7.0에서 고려되며 등장성용액(1.26%)으로 투여한다.

기저질환 찾기 진찰과 소변 검사에서 감염의 원인을 찾을 수 있다. 감염이 있어도 열이 없는 것에 주의할 필요가 있다. 감염이 없어도 백혈구는 증가할 수 있다. 케토산증을 일으킨 무증상 심근경색을 배제하기 위해 심전도 검사를 시행한다.

치료의 문제

혼수 원인 규명에 (당뇨병성과 비당뇨병성) 일반적 원칙을 따른다. 위마비에 의한 위배출 지연이 흔하므로 흡인성 폐렴을 예방하기 위해 비위관을 넣는다.

뇌부종 드문 합병증이지만 소아와 젊은 사람에서 많다. 사망률이 높다.

저혈압 저혈압은 신전 신부전을 일으킨다. 따라서 수축기 혈압 < 80 mmHg에서 혈장 확장제(또는 전혈)를 투여한다. 중심정맥압 측정관 삽입을 고려 한다. 2시간 이내에 소변이 나오지 않으면 도뇨관을 삽입하나 일반적으로 필요한 것은 아니다.

저체온 중심체온이 33 ℃ 이하의 심한 저체온이 될 수 있으나 직장체온을 측정하지 않으면 간과할 수 있다.

후기 합병증 흡인성 폐렴과 심부정맥 혈전증이 있으며, 특히 혼수나 고령 환자에서 많다. 항응고 치료를 고려 한다.

치료의 합병증 저혈당, 저칼륨혈증이 나타날 수 있으며 과도한 체액 보충은 심장 기능 이상을 일으킨다.

추가 치료

혈당이 10 mmol/L(180 mg/dL)까지 떨어지면 환자가 먹을 수 있을 때까지 포도당과 인슐린(3U/h) 정맥주사를 시작한다. 이 단계에서 레귤러 인슐린 피하주사를 시작할 수 있다. 인슐린 정맥주입은 중단하고 식전에 수용성 인슐린을 피하 주사하고, 밤에 중간형 인슐린을 투여한다.

인슐린의 슬라이딩 스케일 투여는 인슐린 용량과 유사성이 없으며 안정된 혈당 수치 도달이 지연될 수 있다. 마지막으로 케토산증의 원인을 병력과 검사 소견으로 확인하여 환자에게 재발 방지를 교육한다.

고삼투압성 비케토성 고혈당

중증 고혈당이 케톤증 없이 나타날 수 있다. 이러한 환자는 2형 당뇨병이며, 대부분 성인이고 전에 당뇨병으로 진단되지 않은 경우도 있다. 흔한 유발요인은 당분이 많은 음료수 섭취, 티아자이드 이뇨제나 스테로이드와 같은 약제 복용, 병발 질환 등이다. 비케토성 혼수와 케토산증은 같은 병태의 양단이며, 별도의 질환이 아니다. 양자에서 생화학적 차이를 일으키는 원인은:

- 나이: 비케토성 혼수의 심한 탈수는 노인에서 갈증을 느끼지 못하고 신기능 이상이 심하여 일어난다.
- 인슐린 부족: 2형 당뇨병에서 약간의 인슐린 부족은 간의 케톤 생산을 억제할 정도로 충분하나 당 생산은 증가된다.

임상 소견

전형적인 환자는 심한 탈수와 혼수를 나타내는 2형 당뇨병 성인이다. 의식 소실은 고삼투압 정도와 관계가 있다. 당뇨병 케토산증에서처럼 기저 질환을 찾아야 한다. 이러한 환자에서 특히 동맥 혈전이 많으며, 뇌줄중, 심근경색이나 하지의 동맥부전이 일어나기 쉽다.

치료

치료는 몇가지 차이가 있으나 케토산증과 비슷하다. 그 차이는:

삼투압 조절 혈장 삼투압이 때로 매우 높으며 검사하여 감시한다 (정상 범위 275~300 mmol/kg)

체액 보충 생리식염수가 체액 보충의 기본이다. 반생리식염수 (0.45%)는 혈액을 빨리 희석시켜 중증 대뇌 손상을 일으킬 수 있어 사용하지 않는다.

인슐린 투여에 주의 많은 환자는 인슐린에 매우 민감하여 혈당이 급격히 떨어져 대뇌 부종을 일으킨다. 혈당이 떨어지면 소량의 인슐린(6 U/h가 아니라 3 U/h)으로 충분하다.

예방적 항응고제 많은 환자에서 동맥 혈전 경향이 있어 이러한 치료가 중요하다.

예후

고삼투압성 비케토성 고혈당의 사망률은 고령자에서 20~30%에 달한다. 대부분의 환자에서 일단 회복되면 경구 혈당강하제와 식이요법 또는 식이만으로 조절될 수 있다.

당뇨병의 응급

응급 상황은 매우 흔하며, 적절하게 치료하지 않으면 급격히 치명적이다.

케토산혈증
- 케토산혈증은 인슐린 결핍과 관련이 있다.
- 다뇨, 갈증, 체중 감소, 쇠약이 주요 증상이고, 기면과 혼수가 나타난다.
- 결핍된 인슐린을 보충하고 수액과 전해질 소실을 교정 한다.

고삼투압성 비케토성 고혈당
- 성인 환자에서 심한 탈수가 있고, 혼미나 혼수로 나타난다.
- 치료는 케토산혈증과 비슷하며, 뇌 손상을 피하기 위해 삼투압, 수액과 인슐린 치료에 대한 주의가 필요하다.
- 동맥 혈전 경향이 있어 예방적 항응고제가 필요하다.

치료 원칙

당뇨병은 가장 흔한 내분비적 질환이며, 장기적으로 조직 손상을 일으켜 임상적으로 합병증이 나타난다. 효과적인 치료는 환자가 자신의 관리에 책임감을 갖게 하는 것이며, 따라서 교육과 지원이 중요하다. 치료 목표에서 위험인자의 충분한 조절과 합병증의 조기발견에 초점을 두어야 한다. 광범위한 접근에 교육, 식이요법, 운동, 약물요법과 일부 선택적인 경우에 인슐린 치료 등을 포함한다.

치료의 구성

이상적인 치료 목표는 표 1과 같다.

치료의 단계적 접근

당뇨병 치료를 위한 고혈당 관리는 단계적으로 이루어진다. 당화혈색소 또는 공복 혈당 목표에 도달하지 못하면 다음 단계로 넘어간다.

1. 식이요법과 운동
2. 식이요법, 운동 및 경구혈당강하제
3. 식이요법, 운동 및 복합 경구혈당강하제
4. 식이요법, 운동, 복합 경구혈당강하제와 인슐린 또는
5. 식이요법, 운동 및 인슐린

당뇨병 환자의 생활

당뇨병 환자는 일상생활의 어떤 특정한 면에서 불편함을 가질 수 있으며, 그런 면이 있으면 치료 결정에 영향을 받는다(표 2). 임신한 여성과 같은 특정 위험과 관련된 문제는 나중에 설명한다.

직업

대부분의 직업은 당뇨병 환자에게 가능하나 일부에서는 인슐린 치료에 따른 저혈당 위험으로 제한될 수 있다(표 3).

재정

생명보험 및 자동차보험 회사는 인슐린 치료를 시작하기 전에 당뇨병 진단 통보를 요구한다. 일부 보험사는 이러한 환자에게 별도의 약정을 제시한다. 이러한 별도의 약정은 보험의 종류, 치료 형태, 저혈당 위험, 합병증 유무에 따라 다르다. 운전 적합성을 결정하기 위해 시력과 시야를 검사한다. 영국에서는 당뇨병 환자에게 처방료가 면제되며, 주치의가 SP92 양식에 면제 요청 서명 한다. 미국 환자는 캐나다에서 보다 더 싼 가격으로 약을 구입할 수 있다(인터넷을 이용할 수 있다).

스포츠

당뇨병 환자는 대부분의 스포츠를 즐길 수 있다. 스쿠버 다이빙, 자동차 경주, 권투 등의 경쟁 종목에서는 인슐린 치료를 받는 환자의 참여에 제한이 된다. 운동 강도가 강한 스포츠는 저혈당 위험이 크므로:
① 운동 전 혈당 측정,
② 운동 중 45분 간격으로 20 g의 탄수화물 섭취,
③ 저혈당 증상을 느꼈을 때 복용하여 빠르게 작용할 수 있는 당분(유럽에서는 덱스트로솔, dextrosol)을 휴대해야 한다.

표 1. 이상적 치료 목표

지표	권장 목표
체중: BMI	<25
허리/엉덩이 비	
남성	<0.95
여성	<0.8
혈당	
공복 혈당	<6.0 mmol/L(108 mg/dL)
식후 혈당	<6.7 mmol/L(120 mg/dL)
당화혈색소	<7.0%
지질지표[a]	
콜레스테롤	<4.8 mmol/L(185 mg/dL)
LDL-콜레스테롤	3.0 mmol/L(100mg/dL)
중성지방	<2.2 mmol/L(200 mg/dL)
혈압	130/85 mmHg
흡연	금연

[a] 미국 당뇨병학회와 유럽 당뇨병 지침 사이에 차이가 있을 수 있다. 후자는 공복 중성지방을 <1.7 mmol/L(150 mg/dL)로 정하고 있다.

표 2. 당뇨병 환자에서 생활에 미치는 문제에 의한 치료 방법 결정의 영향

분야	예
직업	교대 근무
	장시간 근무(이른 아침식사, 늦은 저녁식사)
	점심을 거르거나, 빈번한 점심 모임
	해외 여행
식습관	국가 간 차이(예, 영국은 전통적으로 아침식사를 많이 하나, 대부분의 국가는 점심식사를 많이 하고, 국가 간 식이 구성에 차이가 있다)
	개인적 차이(취향, 기호, 선호도, 외식)
여행	장거리 비행기 여행
	출장, 장시간의 보행
활동	스포츠맨
	앉아서 일하는 사람
	노동자
여가	취미의 강도, 정원일, 스포츠, 등.

표 3. 영국에서 인슐린 치료 당뇨병 환자에게 제한되는 직업

직업	예
직업적 운전	대형 화물 트럭, 승객 운반용 차량, 지하철 또는 기차, 전문적 운전(자가용 운전자), 택시 운전자(지역의 정책에 따라 다르다)
항공	상업 조종사, 항공 기술사, 항공기 승무원, 항공 통제사
공무원 및 응급 직종	군인(육군, 해군, 공군), 경찰, 소방관 또는 응급구조사, 상선 선원, 감옥 또는 보안 서비스
위험 직종	근해 석유 굴착 사업, 기계 운반, 소각로, 철강 분야, 철도 작업
고공 작업	전신 가설공, 기중기 운전사, 비계/고가 사다리 또는 고대

④ 혼자 수영을 하는 등의 위험 상황을 피해야 한다.

휴가와 여행

당뇨병 환자의 여행 전 준비는:
- 인슐린, 인슐린 주사기, 혈당 측정기; 분실을 대비하여 여분의 인슐린과 주사기
- 당뇨병을 입증해 줄 수 있는 증명서 또는 기내에 주사기를 반입한다는 진단서(미국 교통안전국은 이런 진단서를 인정하지 않으며, 라벨이 부착된 인슐린 병이나 바늘이 부착된 주입기를 요구한다
- 저혈당에 대한 포도당 정제
- 의료보험

필요 시 예방접종을 맞으며, 당뇨병이 있다고 특별한 예방접종이 필요한 것은 아니다.

장시간 여행하는 날 환자는:
- 평소보다 약간 높은 혈당을 유지한다. 저혈당이 불편할 수 있다.
- 자주 혈당을 측정 한다.
- 동쪽으로 여행하면 시간이 단축되는 것을 알고 있어야 한다. 따라서 인슐린 용량이 너무 많을 수 있으며 여분의 간식이 필요할 수 있다.
- 서쪽으로 여행하면 시간이 지연되는 것을 알고 있어야 야한다. 추가 인슐린 주사가 필요할 수도 있다. 이때 속효성 인슐린을 사용하며 혈당을 자주 측정 한다.
- 여행 시간이 길어져 도중 하차하면 인슐린 처방 변경을 고려하며 식전 수용성 인슐린을 사용할 수 있다.

운전

당뇨병 환자가 운전을 하고 있거나 운전할 계획이 있으면:
- 진단 받고 빠른 시일 내에 자동차 보험회사에 통보한다. 그렇지 않으면 보상을 받을 수 없는 경우가 있다.
- 당뇨병으로 진단되어 혜택을 받을 수 있는 다른 보험회사가 있는지 알아본다.
- 경구 혈당강하제나 인슐린 치료 허가에 대해 알아본다.

영국 교통국은 당뇨병 환자가 인슐린 치료를 받을 때 자신의 의학적 상태를 의사가 공개하는 것을 허락하는 서명을 요구 한다. 인슐린 치료를 받는 환자에게 면허는 1, 2년 또

는 3년으로 제한된다.

저혈당을 피하기 위해 환자는(특히 인슐린 투여를 받는 경우):
- 저혈당의 본질 및 치료에 대해 교육 받는다.
- 운행을 계획하고 지연대책을 세운다.
- 운전하기 전에 혈당을 측정 한다.
- 2시간 이상 운전하지 않는다. 장거리 운행 중에는 규칙적으로 휴식하고 피로하지 않게 한다.
- 항상 차 안에 포도당을 준비 한다.
- 규칙적으로 식사와 간식을 섭취하고, 식사를 미루지 않는다.
- 저혈당 증상이 나타나는 의심이 들면 운전을 바로 중지하고 시동을 끄며, 자동차 열쇠를 뽑고 차에서 떠나야 한다.
- 항상 인증카드와 팔찌를 가지고 다닌다.
- 운전 전에 절대 금주해야 한다.

당뇨병 운전자에서 운전 중단

대부분의 당뇨병 환자는 운전 면허를 받을 수 있다. 당뇨병 조절 이상, 저혈당, 시력저하로 면허가 거부될 수 있다. 당뇨병 환자에서 운전할 수 없는 경우는:
- 새로 진단된 당뇨병에서 혈당이 조절되고 시력이 정상으로 될 때까지
- 인슐린 치료의 시작
- 반복된 저혈당
- 혈당 조절 이상을 인지하지 못하거나 저혈당 인식의 어려움
- 안경으로 교정되지 않는 시력 저하
- 중증 말초 감각 신경병증
- 중증 말초혈관 질환

수술

당뇨병 환자는 심장 질환의 빈도가 높아 수술 후 사망 위험이 약간 증가한다. 혈당 조절의 초점은 수술 후 혈당 관리에 집중되며, 접근 방법은 환자의 치료 방법에 따라 다양

> **Box 1** 식이요법 또는 약물요법 중인 당뇨병 환자의 수술
> - 수술 당일 속효성 경구혈당강하제(예, 설폰요소제)는 중단.
> - 지속성 경구혈당강하제(예, 글리벤클라미드) 수술 48시간 전 중단.
> - 소수술에서 포도당 또는 유당 함유 수액 제한.
> - 메트포르민은 수술 전후 또는 조영제 사용 전후에 중단.
> - 모든 대수술에서 인슐린 사용 필요성을 고려.

> **Box 2** 인슐린 치료 중인 당뇨병 환자의 수술
> - 수술 전 하루 중간형 또는 지속형 인슐린 사용 중단.
> - 10% 포도당 용액을 정맥주사하고(100mL/hr로 500mL 주입), 수술 중에는 수용성 인슐린(1~3U/hr)과 칼륨을 주사한다(500mL에 10mmol/L).
> - 수술 후 환자가 경구 섭취 전까지 수액 공급 계속. 다른 수액은 별도의 경로로 투여.
> - 혈당과 칼륨을 측정하여 투여량 조절.

하다(Box 1, 2). 혈당과 전해질 교정은 감염 위험을 줄이고, 수술과 마취에 의한 대사 균형을 유지하게 한다.

수술에 대한 일반적 원칙은:
- 수술은 팀으로 이루어지며, 당뇨팀과 마취의가 긴밀하게 협조한다.
- 수술 전 대사 조절이 최적화 되어야 한다. 응급수술에서 대사 이상을 세심하게 치료한다.
- 저혈당을 피한다. 의심되면 인슐린을 사용한다.
- 수술 당일 당뇨병 환자의 수술을 먼저 시행한다.
- 가능하면 전해질 이상은 수술 전에 교정되어야 한다.

> **치료 원칙**
> - 치료 목표를 정하고 도달에 노력한다.
> - 목표 도달을 위해 환자를 교육한다.
> - 직업, 재정, 스포츠, 휴가, 운전 등에 대한 잠재적 문제를 해결한다.
> - 당뇨병과 관련된 생활 속의 문제에 대해 교육 한다.

비약물적 치료

일부 환자는 당뇨병의 효과적인 조절을 위해 혈당강하제나 인슐린 치료가 필요하며, 일부 환자는 식이요법과 운동만으로 혈당 조절이 가능하다. 그러나:

- 식이요법 및 운동은 모든 당뇨병 치료에서 필수적이다.
- 유산소운동은 인슐린 감수성을 증가시킨다.
- 유산소운동은 심혈관질환 위험을 감소시킨다.

식이요법 및 생활습관 개선은 2형 당뇨병 치료의 성공에 핵심이다. 이런 방법으로 만족스러운 대사 조절이 가능하면 약물치료는 필요하지 않다.

식이요법

당뇨병 환자의 식이요법은 일부 정제된 당의 제한은 제외하고, 일반인에서 건강을 위한 식이요법과 원칙적으로 크게 차이나지 않는다. 특별히 주의해야 할 것은 총 칼로리와 탄수화물 및 지방질의 비율이다(그림 1).

칼로리

칼로리는 개인에 따라 결정되며, 일반적으로 총 칼로리 구성은:

- 탄수화물 50~55%
- 지방질 30~35%
- 단백질 15%

탄수화물 비율이 많고 지방질 비율은 적은 권고도 있다. 비만한 환자(체질량지수 25~30 kg/m²)의 식이요법은 섭취 칼로리를 줄여 하루 4~6 MJ(1000~1600 kcal)로 시작한다. 마른 환자는 기존의 섭취 칼로리와 같은 식이요법을 한다. 일반 식사에서 2100-4200 KJ의 칼로리를 줄이면 처음에는 2 kg 정도의 체중이 줄고, 전체적으로 3개월 간에 5~15 kg 정도의 체중이 감소 된다. 당뇨병을 치료하지 않아 체중이 감소된 환자에게는 추가 칼로리가 필요하다.

탄수화물

당뇨병의 식이 계획에는 정제되지 않은 탄수화물이 포함되며 자당과 같은 단순당은 제한한다. 정제된 당을 섭취하면 혈당이 즉시 상승하나, 섬유질이 많은 식품으로 섭취되는 탄수화물은 천천히 흡수된다. 예를 들어, 사과를 먹으면 혈당 최고치가 평평하게 올라가나 같은 양의 탄수화물을 사과 주스를 먹으면 혈당이 급격히 올라가는 것을 볼 수 있다. 단순당을 섭취한 후 증가된 혈당의 곡선하 면적에 비해 식품을 섭취하여 증가하는 혈당의 곡선하 면적의 비율을 당질지수(glycemic index)라고 한다. 당질지수가 낮은 식품의 선택이 좋다. 인슐린 치료 환자에서는 탄수화물 비율과 당질지수는 인슐린 요구량 예측에 유용하다.

지방질

대혈관질환 발생에 콜레스테롤의 중요성이 알려져 식사의 지방질 함량에 대한 태도가 과거보다 더 엄격해지고 있다. 그러나 일반적으로 저지방 식이는 혈청 콜레스테롤에 큰 영향을 주지 못한다. 그렇지만 혈청 중성지방 증가 제한에는 효과가 있다. 포화지방산 비율은 하루 총 칼로리의 10% 미만으로 제한해야 한다. 완전히 제외할 수는 없으나 제한해야 할 식품은, 낙농제품, 초콜릿, 아이스크림, 새우를 비롯한 어패류, 지방으로 싸인 육류, 특히 돼지고기나 양고기, 튀긴 음식, 코코넛 오일, 아보카도, 술 등이다.

식이 처방

대부분의 사람이 자신의 식단 변경을 원하지 않는다는 것을 인정해야 한다. 식사력을 파악하여, 생활습관에 크게 장애가 되지 않는 식이 처방을 해야 한다. 경구혈당강하제나 인슐린 치료 중인 환자는 매일 같은 시간에 같은 양을 먹도록 권고한다. 인슐린을 사용하는 환자는 주사한 인슐린이 혈중에 남아있는 시간인 식간과 취침 전에 간식을 먹도록 한다. 술을 완전히 금지하지는 않지만 칼로리 계산에 포함되어야 한다. 허용되는 양은 남성에서 주 28단위 이하, 여성에서 주 21단위 이하이다. 인슐린을 사용하는 사람은 폭주를 피해야 하며, 이것

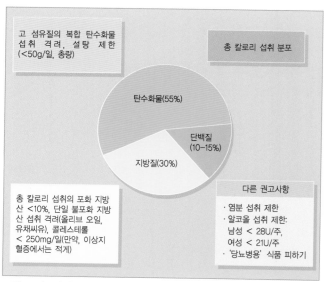

그림 1. 당뇨병 환자의 식이 권고

> **Box 1 식이요법**
>
> **인공 감미료**
> 인공 감미료는 널리 사용되며 해롭다는 근거는 없다. 당분이 없어 영양가 없이 단맛을 내며 설탕 대신 음료나 케이크에 넣는다. 아스파르탐, 사카린, 아세설팜 K 등이 있다.
>
> **당뇨병용 식품**
> 당뇨병용 식품에는 단맛을 내기위해 소르비톨이나 과당이 들어 있다. 이들을 대량 섭취하면 부작용으로 설사를 일으킬 수 있으며, 혈당을 증가시킬 수 있어 권고되지 않는다.
>
> **술**
> 일반인에서처럼 적당 양의 알코올은 허용된다. 알코올은 칼로리 공급원이 된다.
> 과도한 알코올은 저혈당을 은폐할 위험이 있다.

표 1. 1형 당뇨병에서 급성 운동에 의한 혈당 반응 결정 요인

혈당	상태
감소	운동 중에 고인슐린혈증 존재
	장시간(30~60 분 이상) 운동이나 심한 운동
	마지막 식사 후 3시간 이상 경과
	운동 전 또는 운동 중에 간식 중단
	일반적인 사항 불변
간단한 운동	혈장 인슐린 농도 정상
	운동 전이나 운동 중 적절한 간식 섭취
증가	운동 중 저인슐린혈증 존재
	강력한 운동
	운동 전이나 운동 중 다량 탄수화물 섭취

선한다. 가장 중요한 것은 심혈관계 질환 위험의 감소이다. 따라서 운동은 당뇨병 치료의 초석이 된다. 운동이 혈당에 미치는 영향은 표 1과 같다.

운동요법 계획에서 중요한 점은:

■ 운동 금기와 제한을 평가
■ 현실적으로: 사람들은 운동을 즐길 수 있어야 지속
■ 운동양은 단계적으로 증진
■ 저혈당 위험에 대해 조언
■ 어떤 운동도 전혀하지 않는 것 보다 낫다.

간단한 조언도 도움이 되며 여기에는, 계단 이용하기, 엘리베이터 또는 에스컬레이터 피하기, 버스에서 한 정류장 먼저 내리기, 빨리 걷기, 개 사기 등이다.

장기간에 걸친 생활습관 개선이 2형 당뇨병 발생을 예방한다는 근거가 있다(p 65). 생활습관 개선이 2형 당뇨병 발생의 병태생리적 기전, 특히 인슐린 저항성 원인 인자에 초점이 맞추어 겼기 때문이다. 이론적으로 정상 체중 유지와 일상 생활에서 규칙적인 신체 활동은 2형 당뇨병 위험이 증가되어 있는 사람에서 발생을 70%까지 예방할 수 있다.

Box 2는 1형 당뇨병에서 운동 지침이다.

은 중증 저혈당을 일으킬 수 있기 때문이다. 고혈압 위험을 줄이기 위해 소금은 하루 최대 2.3 g까지 권고한다. 인공 감미료는 당을 대체할 수 있으며, 암의 원인이라는 문제는 아직 확정되지 않았다.

운동

운동 부족은 당뇨발생의 주된 원인이 된다. 당뇨병으로 진행 억제 효과가 있어 운동이 권장된다.운동은 인슐린 감수성을 증가시켜 혈당 조절을 좋게한다. 또한 체중과 혈압을 내리고 이상지질혈증을 개

Box 2 1형 당뇨병에서 운동 지침

일반적인 권고
■ 규칙적으로 운동한다. 걷기도 대사에 도움
■ 개인적 요구와 신체 적합도에 따른 맞춤 운동
■ 운동 중 저혈당 예방
  – 운동 전과 운동 한시간마다 20~40g 탄수화물 추가
  – 인슐린 주사 후 최대 작용 시간대에 과도한 운동을 피한다
  – 움직이지 않는 부위에 인슐린 주사
  – 필요시 인슐린 30~50%만 주사

주의
■ 심혈관 질환이 있으면 조심
■ 말초 신경병증에서 발 손상 가능성

금기
■ 인슐린 사용자에서 저혈당을 일으킬 수 있는 스포츠(예, 다이빙, 등산, 항해, 자동차 경주)
■ 증식성 망막병증에서 격렬한 운동(출혈 위험)

비약물적 치료

식이요법
– 식이에는 이상적으로 정제된 당이 없어야 하고 당뇨병용 식품은 사용하지 않는다.
– 소량의 잦은 식사도 좋다.
– 칼로리, 지방질, 염분 섭취를 제한한다.
– 알코올 섭취는 적당해야 한다.

운동
– 운동은 인슐린 감수성을 증가시켜 혈당을 조절한다.
– 또한 체중, 혈압, 이상지질혈증 및 심혈관질환 위험을 감소시킨다.

약물요법 I

2형 당뇨병의 경구 약물요법

경구 혈당강하제를 식이요법과 생활습관 개선으로 대사장애가 조절되지 않으면 사용한다. 경구 혈당강하제 시작에 엄격한 법칙은 없으나, 개인의 특성, 약제의 작용 기전, 치료에서 위험/이익의 비, 고혈당의 정도 등을 고려하여 선택한다. 당화혈색소가 9%인 환자는 경구 혈당강하제 한 종류로 혈당 조절 목표에 도달할 수 없으며, 초기부터 경구 혈당강하제 병용 대상이 된다. 경구 약제에 충분한 반응이 없는 환자는 다음 단계를 따른다: 선택 약제의 저용량 사용, 용량 증가, 두세 가지 약제의 병용, 메트포르민과 병용하여 인슐린 투여. 2형 당뇨병의 자연사에서 점진적인 인슐린 분비능 감소가 알려졌으며, 진단되고 적어도 6년 후에는 분비능이 소실된다. 따라서 혈당 증가에 따라 경구 약제의 변화가 필요하다.

메트포르민

메트포르민은 비구아니드제로 비만과 인슐린 저항성에서 선호되는 약제이다. 당뇨병 환자에서 혈관 질환 위험도 감소시킨다. 메트포르민은 5~10%의 체중을 감소시킨다. 메트포르민의 작용 기전은 불명하나, 당신생성을 억제하여 간에서 당방출이 감소되어 공복 혈당이 저하된다(그림 1). 메트포르민은 또한 골격근에서 인슐린 자극에 의한 당 유입을 증가시킨다. 공복 혈당이 높은 환자에서 메트포르민 단일 요법은

효과적이다. 인슐린으로 치료하는 2형 당뇨병 환자에서 메트포르민 추가는 당화혈색소를 약 1% 낮춘다.

부작용

주된 부작용은 위장 장애, 구역질, 설사이다. 이러한 문제는 특이체질에서 나타나지만, 초기 용량을 적게 하고 점차 증량하면 극복할 수 있다. 치료는 1일 250~500 mg의 저용량으로 시작하고 점차 증량하여 1일 500 mg 3회 복용한다. 저혈당 문제는 드물다. 메트포르민을 포함한 비구아니드의 드문 부작용의 하나로는 젖산 산혈증이며, 치명적일 수 있는 심한 부작용이다. 젖산 산혈증의 위험이 증가되는 신기능이나 간기능 장애가 있는 환자에서는 사용 금기이다. 실제로 혈청 크레아티닌 1.7 mg/dL 이상이면 사용해서는 안된다. 방사선 조영제 사용이나 수술 전 후 48시간 동안은 메트포르민을 중지한다. 중증 질환에서도 중지한다.

설폰요소제

설폰요소제는 췌장 베타세포에서 인슐린 분비를 증가시키며, 이것은 ATP-감수성 포타슘(KATP) 채널(그림 2)을 닫아 베타세포 표면 막을 탈분극 시키며 세포 내 칼슘 농도 증가에 의해 일어난다. 설폰요소제는 인슐린 분비 부족에서 효과가 있으나, 인슐린 저항성이 주된 병인이면 효과가 없다. 공복 혈당과 식후 고혈당을 감소시키는 작용이 있다(그림 3). 소아에서 드물게 나타나는 신생아 당뇨병에는 인슐린 분비에 관여하는

KATP 채널 유전자 변이가 있으며 설폰요소제에 반응한다. 당뇨병 환자의 약 20%는 혈당 반응이 적거나 없으며, 장기적 치료 실패율은 30%로 높다. 톨부타마이드는 작용 시간이 짧고, 효과가 약하여 노인에서 안전하게 사용할 수 있으나 정제가 크다. 최근에 개발된 설폰요소제인 글리메피라이드는 다른 약제와 비슷한 강도이며, 지속적으로 작용하는 글리클라지드처럼 하루 한번 복용할 수 있는 장점이 있다.

중요 사항: 노인에서 설폰요소제 사용에 주의한다.

약물 상호작용과 부작용

설폰요소제는 혈중 알부민과 결합하며, 결합 부위에 경쟁하는 다른 약제(예, 와파린)로 대체될 수 있다. 부작용은 용량 의존성이거나 비의존성이다. 용량 의존성으로 가장 흔하고 위험한 부작용은 저혈당이며, 식후 시간이 경과된 경우나 취침 전에 나타난다. 설폰요소제는 24시간 이상 작용이 지속되므로 저혈당이 재발되거나 지연될 수 있으며 입원 치료가 권고된다. 용량 비의존성 부작용으로 피부 발진과 체중 증가가 중요하다. 설폰요소제는 신장이나 간 질환 환자에서는 조심스럽게 사용해야 하며, 간에서 대사되는 글리클라지드는 신기능이 좋지 않은 환자에서 사용 가능하다. 중증 저혈당의 위험이 있는 노인에서는 사용에 주의해야 한다. 혈청 크레아티닌 1.7 mg/dL 이상에서는 설폰요소제 사용을 피한다.

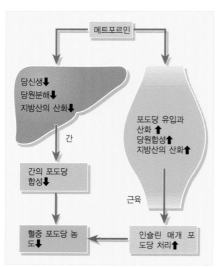

그림 1. **메트포르민의 작용 기전**

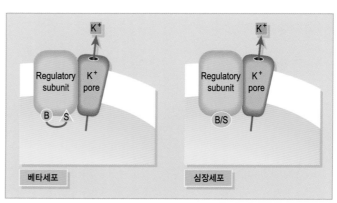

그림 2. **ATP-감수성 포타슘채널에서 sulphonylurea와 meglitinide의 작용.** 심장 세포는 두 약제에 작용하는 수용체를 가지고 있다.

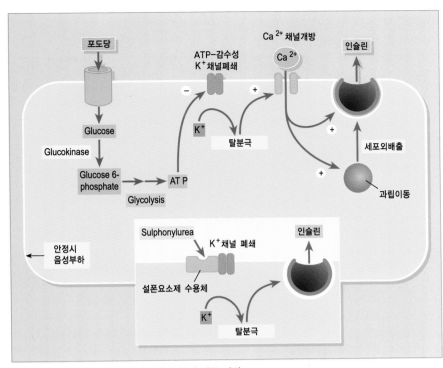

그림 3. **포도당과 설폰 요소제의 인슐린 분비 자극 기전**

여 빠르게 자극하여 혈당 의존적으로 인슐린을 분비하고, 혈당이 저하되면 신속히 역전된다(그림 2). 이 계열 약제의 심혈관 질환과 관련된 사망률에 대한 영향은 아직 불명하다.

부작용

메글리티나이드도 식사 후 늦은 시간에 저혈당을 일으킬 수 있다.

메글리티나이드

당뇨병 초기에 단일요법 또는 메트포르민과 병용요법으로 사용 가능한 새로운 계열의 약이다. 설폰요소제처럼 베타세포 표면의 KATP 채널을 닫아 인슐린 분비를 증가시킨다. 설폰요소제 보다 작용 발현 시간이 빠르고 지속 시간도 짧아 식사 직전에 복용하여 식후 고혈당을 감소시킨다. 이 계열의 첫 번째 약으로 레파글리나이드가 있으며, 반감기가 짧아 공복 혈당 조절에는 제한이 있다. 설폰요소제와 비교한 연구는 많지 않으나 체중 증가가 적다. 나테글리나이드는 아미노산인 D-페닐알라닌에서 유도된 새로운 약이다. 췌장 베타세포에 직접 작용하

Box 1 UKPDS 초기와 후기 연구

UKPDS의 초기 연구에서는 다양한 방법의 혈당 조절(설폰요소제, 메트포르민, 인슐린)도 2형 당뇨병에서 미세혈관 합병증 위험을 감소시켰으나 대혈관성 합병증에는 효과가 없었으나, 장기간의 연구 결과인 나중의 연구에서는 대혈관 합병의 위험도 줄일 수 있었다.

약물요법 I

- 메트포르민은 비만과 인슐린 저항성이 있을 때 선호되는 약이다. 방사선 조영제 사용이나 수술 전과 후 48시간 동안은 중단 한다.
- 설폰요소제는 인슐린 저항성 보다 인슐린 분비 장애가 있을 때 효과적이다. 공복 혈당과 식후 고혈당을 감소시킨다. 모든 환자가 설폰요소제에 반응하지는 않으며, 노인 및 신, 간기능 질환이 있으면 저혈당 가능이 있어 사용에 주의한다.
- 메글리티나이드는 설폰요소제와 비슷하게 작용하여 인슐린 분비를 자극하나, 작용 발현 시간이 빠르고 지속 시간이 짧다. 식사 직전에 복용하고, 식후 고혈당을 감소시키지만, 식사 후 지연 저혈당의 위험이 있다. 메글리티나이드는 설폰요소제에 대해 알레르기가 있거나 과민성이 있는 환자에게 유용하다.

약물요법 II

식이요법과 생활습관 변화는 2형 당뇨병의 성공적인 치료에 열쇠가 된다. 만약 이러한 방법으로 만족스러운 대사 조절이 이루어지면 약제 사용은 필요없다. 식이요법과 생활습관 변화만으로 대사 조절이 되지 않으면 약물요법을 시작한다. 경구 혈당강하제 도입에 대한 엄격한 법칙은 없으나, 개개 환자의 특성, 약제의 작용 기전, 치료의 위험/이득의 비, 고혈당 정도 등에 의해 선택된다. 2형 당뇨병에서 일반적으로 사용되는 약제는 메트포르민과 설폰요소제이다. 최근 새로운 계열의 약제가 도입 되고 있다. 여기에는 인슐린 작용 증진제(티아졸리디네디온), 식품 흡수 억제제(당 흡수를 억제하는 알파-글루코시다제 억제제와 지방 흡수를 억제하는 올리스타트)가 있다. 이러한 약제의 내당능 장애에 대한 역할은 아직 불명하다. 예비 연구에 의하면 티아졸리디네디온과 아카르보스가 내당능 장애에서 당뇨병으로의 진행을 억제하였다. 이러한 약제의 당뇨병에서의 역할도 아직 명확하지 않다. 당뇨병에서 체중 증가는 병의 진행에 중요한 역할을 하므로 체중을 감소 시키는 올리스타트는 당뇨병 치료에 사용할 수 있다.

티아졸리디네디온(글리타존)

티아졸리디네디온(보통 글리타존으로 알려져 있다)은 peroxisome proliferator-activated receptor(PPAR), 특히 PPAR-γ에 작용한다. 이것은 지질대사에 관여하는 DNA의 유전자 발현을 조절하는 핵내 수용체이다(그림 1). 말초조직에서 인슐린 감수성을 증가시키는 기전은 불명하다. 티아졸리디네디온은 인슐린 저항성이 있는 환자에서 혈당 조절 개선에 효과가 있으며, 단독요법이나 다른 당뇨병 약제와 병용요법으로 쓰인다(표 2). 글리타존은 메트포르민과 상승작용이 있으므로 서로 다른 기전으로 작용할 것으로 생각된다. 단독요법으로 혈당 강하 작용은 다른 경구 혈당강하제와 비슷하며, 미국에서는 단독요법으로 사용된다. 인슐린을 사용하는 2형 당뇨병 환자에서 글리

표 1. 약제 부작용	
작용	예
용량 의존성	혈당 강하 작용에 의한 저혈당
용량 비의존성	대부분의 약제에서 피부 발진
약제 투여	메트포르민의 위장 장애, 인슐린의 국소 피부 알레르기
약제 대사	티아졸리디네디온의 간기능 장애
원인 불명	예측 불가, 인슐린, 설폰요소제, 티아졸리디네디온에서 체중 증가

타존 병용은 당화혈색소를 1% 더 감소시킬 수 있으나, 체액 저류에 주의해야 하고 영국에서는 병용요법을 권고하지 않는다.

중요사항: 인슐린 치료와 티아졸리디네디온 병용은 주의가 필요하다

티아졸리디네디온은 비만하거나 비만하지 않은 환자에서 단독요법이나 병용요법으로 사용할 수 있다. 유럽에서는 1차 치료로 메트포르민을 선택하고, 이에 대한 효과가 없으면 티아졸리디네디온을 사용한다. 티아졸리디네디온은 인슐린 감수성과 분비능을 호전시키며, 메트포르민이나 설폰요소제와 병용이 가능하다. 동물 실험에서 알려진 티아졸리디네디온의 인슐린 분비능 유지 작용은 아직 불명하다. 약제 사용 원칙은 다른 약에서처럼 저용량으로 시작하여 부작용을 감시하며 점진적으로 증량한다.

간 효소 검사는 특히 중요하다. 티아졸리디네디온이 혈당 강하 작용을 나타내기 위해서는 적절한 인슐린이 필요하며, 인슐린 감수성 증가만으로는 저혈당 위험 증가는 없다.

티아졸리디네디온은 경도의 신기능 이상, 고령자, 다낭성 난소증후군에서 사용할 수 있다. 임신에서는 사용 금기이다.

부작용

임상에서 처음 사용되었던 티아졸리디네디온인 트로글리타존은 드문 간독성 증례로 금지되었다. 따라서 이 계열 약제를 사용하면 정기적 간기능 검사가 권고되나, 간독성은 트로글리타존에 유일하며, 이 계열 약제가 간기능에 영향을 준다는 근거가 없다. 티아졸리디네디온

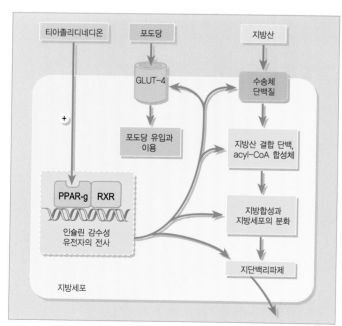

그림 1. **티아졸리디네디온의 작용 기전.** 포도당 수송체(GLUT); PPAR, peroxisome proliferator-activated receptor; RXR, Retinoid X receptor.

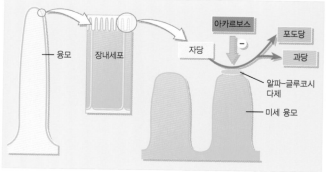

그림 2. **장 표면에서 알파-글루코시다제 억제제(예, 아카르보스)의 작용**

표 2. **티아졸리네디온의 대사 작용**		
근육	지방	간
당 유입 증가	당 유입 증가	당 신생 감소
당 분해 증가	지방산 유입 증가	글리코겐분해 감소
당 산화 증가	지방 합성 증가	지방 합성 증가

은 체중 증가 및 체액 저류를 유발하며, 심부전을 악화시킬 수 있는데, 특히 인슐린 치료 환자에서 그렇다. 약간의 빈혈도 나타날 수 있다(표 1). 이 계열 약제의 하나인 로시글리타존은 구미에서 심혈관 질환에 의한 사망률 증가와 관련되어 사용이 금지되었다.

알파-글루코시다제 억제제

알파-글루코시다제 억제제(예, 아카르보스)는 식후 고혈당을 감소시킨다. 이것은 소장에서 복합 탄수화물의 소화율을 낮추며(그림 2), 따라서 단순당을 너무 많이 먹거나 너무 적게 먹으면 효과가 없다. 당화혈색소 감소는 다른 경구 약제에 비해 적다.

알파-글루코시다제 억제제는 단독요법 또는 다른 경구 혈당강하제나 인슐린과 병용한다. 고혈당이 심하지 않거나, 다른 약제에 의해 저혈당이 있는 경우에 유용하며, 내당능 장애에서 당뇨병으로 진행 억제에 성공적으로 사용되었다. 치료 시작 전에 복합 탄수화물이 많은 식품을 먹어 효과가 있는 것에 대한 평가도 중요하다. 다른 당뇨병 치료에서처럼 초기에는 저용량으로 시작하여 서서히 증량한다. 환자의 위장관 부작용 정도에 따라 최대 용량이 제한될 수 있다.

부작용

소화 안된 전분이 대장에 들어가면 발효에 의해 분해되어 복부 불편감, 방귀, 설사를 일으킨다. 알파-글루코시다아제 억제제의 용량은 이러한 부작용을 고려하여 조심스럽게

결정하며, 이것이 임상적 이용성에 크게 제한이 된다. 아카르보스는 체내로 거의 흡수되지 않아(주로 장 안에서 불활성화 된다), 고용량에서 드물게 일어나는 간 기능 장애 이외의 다른 부작용은 없다.

항비만제

2형 당뇨병의 주된 병인은 생활습관 변화이므로 치료 역시 생활습관을 변화시켜야 한다. 식이 및 운동과 별개로 체중 감소가 바람직하다. 초기의 체중 감소는 일반적인 치료에 더하여 매우 유용하다. 체중 감소를 위해 많은 약제가 사용되나, 시판되는 것은 올리스타트이고 시부트라민은 최근 금지되었다.

올리스타트

올리스타트는 장의 리파제 효소의 작용을 억제하여 지방 흡수 저하를 일으킨다. 따라서 섭취한 지방의 30% 정도를 감소시키는 효과가 있다. 올리스타트는 식이요법을 성공적으로 유지하고 있는 환자에서 체중을 감소시킨다. 이러한 효과의 일부는 지방 섭취를 줄일 수 없는 환자에서 지방변을 유발하여 나타난다. 당뇨병 치료에서 이 역할은 아직 불명하다.

젠도스 연구(Xendos trial)에서는 비만한 내당능 장애에서 2형 당뇨병으로의 진행을 감소시키는 결과를 얻었다.

부작용

지방변, 심한 경우 변실금은 올리스타트의 복약 순응도에 제한이 된다.

시부트라민

시부트라민은 포만감을 증가시킨다. 이 작용은 세로토닌이나 노르아드레날린 재흡수 억제 기전으로 나타난다. 올리스타트처럼 시부트라민은 체중을 감소시키며, 식이와 운동에 보조적으로 사용할수 있다. 시부트라민은 조절되지 않은 고혈압 환자에게는 권고되지 않는다.

부작용

시부트라민은 중독성이 없으며, 다른 체중 감량제와 달리 심장 판막에 영향을 주지 않는다. 혈압과 맥박이 약간 증가할 수 있어 조절되지 않은 고혈압 환자에게는 권고되지 않는다. 최근 심혈관 질환에 의한 사망 증가와의 관련성으로 판매가 중지되었다.

약물요법 II

- 티아졸리네디온은 말초조직에서 인슐린 감수성을 증가시켜 인슐린 저항성이 있는 환자에서 혈당 조절 개선에 효과가 있다. 인슐린 치료 환자에서는 사용에 주의가 필요하다. 체중 증가와 체액저류를 일으키며 때로 심부전이 나타난다

- 알파-글루코시다제 억제제는 소장에서 복합 탄수화물의 소화율을 낮추어 식후 고혈당을 감소시킨다. 내당능 장애에서 당뇨병으로의 진행 억제에 유용성이 있다.

인슐린 치료 I

인슐린은 모든 척추동물에서 발견된다. 인슐린 분자의 활성은 종에 따라 약간 차이가 있다. 소의 인슐린은 사람과 3개의 아미노산 구조가 달라 쉽게 항체를 만들며, 돼지의 인슐린은 하나의 아미노산 구조에 차이가 있어 상대적으로 면역 반응이 적다. 사람의 인슐린은 면역반응을 거의 일으키지 않는다. 인슐린 치료 목적은 상대적이나 절대적으로 인슐린이 부족한 환자에게 인슐린 유사작용의 제공이다.

인슐린 치료 적응증은:
- 1형 당뇨병
- 2형 당뇨병에서
  - 경구 혈당강하제 무효
  - 질병 병발
  - 급성 심근경색
- 임신 중 식이요법 이외의 치료가 필요한 경우

인슐린 치료 결정 후 고려할 요인은:
- 인슐린 종류
- 주사 시간
- 인슐린 용량
- 인슐린 용량 조절 교육
- 도움의 필요성
- 혈당 측정
- 저혈당 교육
- 포도당 휴대 필요성

인슐린 주사

인슐린은 위장관에서 분해되므로 반드시 비경구 투여하며, 대부분 피하주사나 어떤 경우에는 정맥이나 근육주사 한다. 주된 문제는 혈중 인슐린 농도와 혈당의 큰 변동의 방지이다. 인슐린은 다양한 부위에 주사할

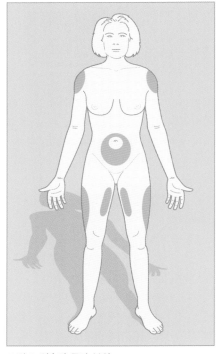

그림 1. **인슐린 주사 부위**

수 있다(그림 1). 지방 과다증식을 피하기 위해 주사 부위를 바꾼다. 복부에서 빨리 흡수되며(수용성이나 속효성 인슐린 주사에 좋다), 허벅지에서 느리다. 엉덩이에 주사하는 경우도 있다(특히 지속성 인슐린).

잘못된 인슐린 주사 방법

인슐린 주사에서 나타날 수 있는 문제는:
- 잘못된 용량이나 시간
- 주사기 내 공기
- 잘못된 주사 기법
- 잘못된 부위에 주사(가장 흔하다),(예, 지방 과증식 부위 주사 또는 피내나 근육내 주사)

인슐린 제제의 종류

주된 문제는 혈중 인슐린과 혈당의 과도한 변동을 피하는 것이다. 따라서 발현 시간과 작용 시간이 다른 다양한 조성의 인슐린이 개발되었다(표 1, 그림 2, 3). 피하주사 후 인슐린 흡수율은 다양하다. 조성에 따라:
- 수용성, 속효성, 단시간 작용성
- 속효성: 신속히 흡수되고 대사되는 유사제
- 지속적 작용: 흡수 지연을 위해 단백질이나 아연 추가
- 느린 방출: 피하조직 pH에 의해 침전된 유사체는 생리적으로 식후 방출되는 인슐린과 비슷하게 작용

수용성 인슐린

동물 인슐린은 개발도상국에서는 아직 사용되고 있으나, 선진국에서는 생합성 사람 인슐린으로 대체되었다. 사람 인슐린은 배양된 효모나 세균 DNA에 프로인슐린 염기서열을 삽입하여 생산한다. 프로인슐린은 효소에 의해 인슐린으로 분해 된다. 수용성 인슐린과 동물 인슐린의 약리역동은 비슷하며 순환계로 서서히 들어가 주사 후 60~90분에 최대치에 도달하고, 지속적으로 작용하여 수 시간 후에 저혈당을 일으킬 수 있다. 이러한 작용 양상은 단량체인 천연 인슐린과 다르다(그림 2).

속효성 인슐린 유사체

인슐린 유사체는 약동학을 변화시키기 위해 인슐린 분자 구조를 변화시켜 제조한 것이다(그림 4)

지속성 인슐린

인슐린 제제의 결정 촉진을 위해 사람이나 동물 인슐린에 단백질이나 아연을 첨가한다.

표 1. **생리적 인슐린 치료를 위한 인슐린 조제**			
	작용 발현(분)	최대 작용(시간)	작용 기간(시간)
식전 인슐린			
수용성	= 30~60	= 2~3	= 6~8
속효성(리스프로, 아스파르트)	= 20~30	= 1~2	= 3~4
기저 인슐린			
중간형 인슐린(예, NPH)	= 30~90	4~6	8~16
지속적 인슐린 피하주사	= 20~60	최대점 없음	필요에 따라
인슐린 글라진	= 40~100	최대점 없음	16~24

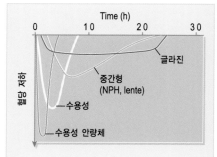

그림 2. **피하주사 인슐린 제제의 작용 시간**

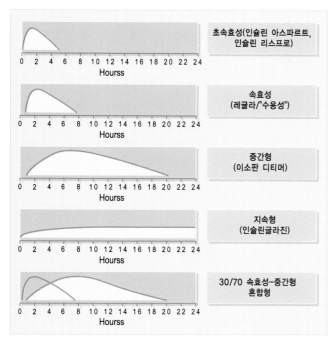

그림 3. **피하주사 후 인슐린 작용 시간과 적정 시간.** 디머는 이소판 인슐린보다 작용 최대점이 덜하다.

결정은 서서히 용해되며 이러한 인슐린은 불투명하다. 이소판 인슐린이라고 부르는 이소판이나 NPH(neutral protamine Hagedorn) 인슐린은 프로타민을 수용성 인슐린에 섞어 안정된 혼합물을 만든다. 혼합 비율은 다양하나 30%의 수용성과 70%의 이소판의 혼합이 가장 많이 사용된다.

아연 인슐린은 과량의 아연으로 인슐린 결정을 침전시켜 제조하며 결정 크기에 따라 흡수가 지연되어 작용 지속 시간이 길어진다. 과량의 아연이 혼합된 인슐린은 수용성 인슐린과 혼합하지 않는다.

인슐린 글라진은 생리적 pH에서 용해도를 낮추기 위해 구조를 변화시켰으며 작용 시간이 길다(그림 4). 이 제제는 약 산성(pH 4) 용액으로 주사되어 피하에 침착 된다. 침착된 인슐린 결정은 주사 부위에서 서서히 방출되며, 다른 지속형 인슐린에 비해 장시간 작용하며 혈중 농도 최고점이 없다.

다른 인슐린 전달 체계

인슐린 펌프를 이용한 지속적 피하 인슐린 주사(CSII, 그림 5)를 사용하는 이유는:
- 고혈당에 의한 대사 조절 불량
- 저혈당에 의한 대사 조절 불량
- 고혈당과 저혈당의 반복으로 대사 조절 불안정

실험 단계에 있는 다른 인슐린 전달 체계는:
- 피내 인슐린
- 흡입 인슐린
- 구강 점막 흡수 인슐린
- 경비 인슐린
- 혈관이나 복강내로 인슐린을 공급하는 이식용 인슐린 펌프

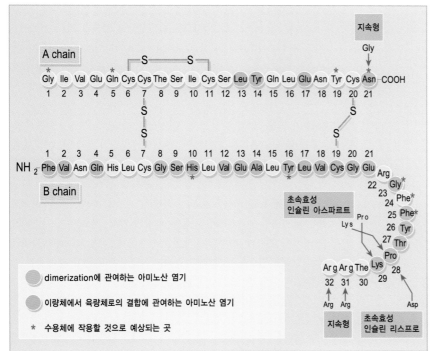

그림 4. **속효성(인슐린 리스프로, Humalog와 인슐린 아스파르트, Novorapid)) 또는 지속성(인슐린 글라진) 유사체의 인슐린 구조 변화**

그림 5. **인슐린 펌프**

인슐린 치료 I

– 인슐린 치료는 생리적 환경을 모방 할 수 없기 때문에 당뇨병을 완전히 치료할 수는 없다.
– 인슐린 치료는 다양한 주사 빈도에 따라 다양한 방법으로 시행한다.
– 잘못된 인슐린 주사 기법은 혈당 조절 악화의 흔한 원인이다.
– 인슐린 유사체, 인슐린 펌프, 새로운 인슐린 전달 체계는 고식적 인슐린 치료의 문제로 개발되고 있다.

인슐린 치료 II

인슐린 제제와 용량은 환자에 따라 개별화해야 한다. 최상의 제제와 최상의 용량에 대한 법칙은 없다. 몇 가지 방법은 Box 1과 같다.

특별한 환자(예, 소아(p 104), 노인(p 106), 임산부(p 102))에서는 다른 치료가 필요하다. 다회주사가 당화혈색소 개선에 효과적이라는 증거는 없지만, 이런 방법은 유연성이 좋고 저혈당 위험이 감소된다.

2형 당뇨병에서 인슐린 치료 방법

혈당 조절이 잘되지 않는 2형 당뇨병에서 경구 혈당강하제에 인슐린 추가가 필요하다. 처음에 경구 혈당강하제와 병용하여 소량의 중간형 인슐린, 예를 들어 인슐라타드 인슐린을 취침 전에 투약할 수 있다. 취침 전 인슐린은 밤 동안 간의 당 신생을 억제하여 당화혈색소를 감소시키고, 체중 증가나 저혈당 위험이 없다. 글라진과 같은 지속형 인슐린을 대신 투여할 수도 있다. 취침 전 인슐린으로 충분하지 않으면 하루 두 번 또는 더 자주 주사하는 인슐린으로 바꿀 수 있으며, 이때 사용하던 메트포르민을 유지하면 좋은 효과를 기대할 수 있다.

인슐린의 가용성

많은 요인이 인슐린 흡수에 영향을 주며, 표적 조직에 도달과 대사에 따라 다르다(그림 1). 대사 불안정을 일으키는 요인은(그림 2):

- 인슐린 약동학의 변화(드물다)
  - 인슐린 항체와 결합
  - 인슐린 제거 증가
- 인슐린 작용 변화
  - 인슐린 수용체 결함
  - 인슐린 수용체 후 이상(예, 비만, 2형 당뇨병)
- 약제
- 길항호르몬의 방해

불안정 당뇨병

불안정 당뇨병은 흔히 반복된 케토산증 및 반복된 저혈당 혼수가 있는 환자를 표현하기 위해 사용하나 명확한 정의는 없다. 대부분의 환자는 반복적으로 심한 저혈당을 경험한다. 발생 원인이 밝혀져 혈당이 개선되기 시작하면 정신사회적 문제에 초점을 맞추어야한다.

재발성 중증 저혈당

인슐린을 사용하는 환자에서 매년 약 10%는 다른 사람의 도움이 필요한 심한 저혈당이 나타난다. 1형 당뇨병 환자의 약 1~3%는 재발성 중증 저혈당을 경험한다. 재발되는 지속적 문제가 있는 성인 환자의 대부분은 10년 이상의 당뇨병 병력이 있으며, C-펩티드 측정에서 내인성 인슐린 부족을 알 수 있다. 췌장의 알파-세포 수는 감소되지 않고 남아 있지만, 저혈당에 대한 글루카곤 반응이 소실되며 카테콜라민 반응도 결여된다. 이러한 환자는 저혈당에 대한 주된 호르몬 방어가 없다(그림 2). 재발성 저혈당의 소인은:

- 과도한 인슐린 치료
- 2주 내의 빈번한 저혈당으로 저혈당 재발에 대한 반응 소실 (그림 3)
- 빈번한 저혈당으로 증상이 출현하는 혈당치 저하
- 내분비 원인으로 뇌하수체 부전, 부신 부전, 월경전 인슐린 감수성 증가
- 위장관 원인으로 췌장 외분비 부전, 당뇨병성 위마비
- 신부전: 신장은 인슐린 및 설폰요소제와 같은 경구 혈당강하제 배설에 중요
- 환자: 치료 조작이나 이해 잘못

재발성 케토산증

재발성 케토산증은 청소년이나 젊은 성인, 주로 여성에서 볼 수 있

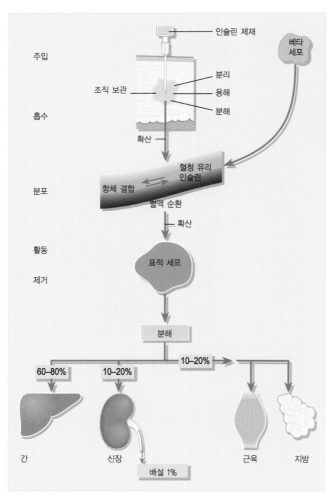

주입

흡수

분포

활동

제거

인슐린 제재

베타 세포

분리

조직 보관

용해

분해

확산

혈청 유리 인슐린

항체 결합

혈액 순환

확산

표적 세포

분해

60~80%   10~20%   10~20%

간   신장   근육   지방

배설 1%

그림 1. **인슐린 가용성에 영향을 주는 과정**

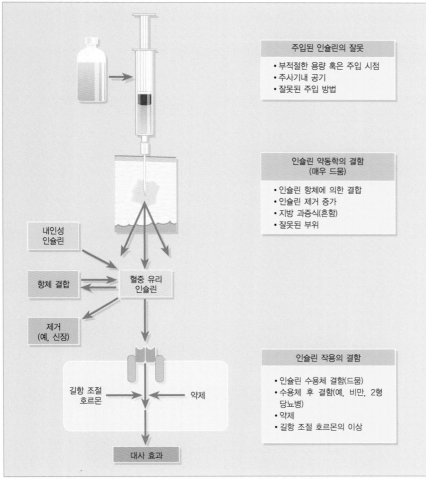

그림 2. **인슐린 치료 환자에서 대사 불안정의 원인**

인슐린 용량

인슐린 용량은 대부분 개별적이며, 일반적인 법칙이 있을 뿐이다. 케토산증에 대한 인슐린 치료는 84 페이지에서 설명되었다.

수용성 인슐린의 정맥주사는 케토산증에서 투여하며 6 U/h(소아는 체중 kg 당 0.1 U/h)를 주사하고, 감염이 있으면 더 많이 투여하고, 혈당이 조절되면 적은 용량(약 0.5~1 U/h)이 필요하다(p 86). 인슐린 피하주사는 하루 0.5~1.5 U/kg을 나누어 투여하고, 처음에 저용량을 투여하여 저혈당 위험을 줄인다. 동반 질환이 있으면 매일 2 U/kg 이상의 용량이 필요하다.

인슐린 치료의 부작용

인슐린 치료의 부작용은:

- 알레르기(국소적이나 전신적): 순환하는 인슐린 항체가 인슐린 작용에 영향을 줄 수 있다.
- 용량 의존성 작용
  - 저혈당
  - 체중 증가(인슐린의 동화작용에 의해)
- 용량 비의존성 작용
  - 지방 증식(같은 부위의 반복 주사에 의해)
  - 지방 위축(정제 인슐린 사용으로 최근에는 드물다)
  - 인슐린 부종(특히 인슐린을 처음 사용하는 경우)

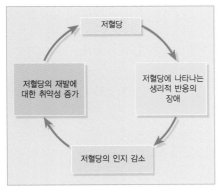

그림 3. **재발성 저혈당의 악순환**

삶에서 상당한 부분을 섭취 조절에 신경쓰며 지내야 한다는 것은 놀라운 일은 아니다.

- 의인성: 부적절한 인슐린 혼합은 혈당 조절 변동의 원인이 된다(예, 하루 한번 인슐린 주사 방법에서 오후나 저녁 전에 저혈당이 나타날 수 있으며, 인슐린 부족으로 아침 식사 전에 고혈당이 나타난다).
- 동반 질환: 요로 감염이나 결핵 같은 예상치 못한 감염 질환이 있을 수 있다. 갑상선 중독증은 불안정한 혈당 조절을 일으킬 수 있다.

다. 대사 이상이 신속하게 진행된다. 무절제한 음식의 섭취와 의식적이거나 무의식적으로 불규칙한 인슐린 주사의 복합이 이 문제의 주된 원인으로 생각되고 있다. 또한 상당한 정신사회 문제, 특히 섭식장애의 형태로 나타난다. 따라서 반복하여 케토산증이 발생하는 모든 환자에서 조심스러운 동정적 접근이 필요하다. 여성 당뇨병 환자의 30%는 한번쯤은 섭식장애의 특징을 가지며, 평생의

인슐린 치료 II

- 인슐린 치료는 정해진 용법이 없으며, 개인에 맞추어야 한다.
- 올바른 인슐린 용법은 불편 없이 혈당을 조절한다.
- 복약 순응도는 치료에 중요하며 인슐린 치료에서 특히 주의해야 한다.
- 인슐린 치료는 부작용이 있지만 생리적 호르몬처럼 작용하여, 경구 약제에서는 나타나지 않는 작용을 보일 수 있다.

치료에 의한 저혈당

저혈당은 인슐린 치료에서 가장 흔한 합병증이며, 인슐린 치료 목표 달성에 제한이 된다. 이것은 환자와 보호자에게 불안의 주된 원인이다. 증상은 혈당 치가 수분 내에 3 mmol/L(54 mg/dL) 가까이 떨어지면 나타나며, 대부분의 환자은 '아드레날린' 증상으로 발한, 떨림, 두근거림을 경험한다(표 1, 그림 1). 중증 저혈당을 방지하기 위한 몇 가지 생리적 방어가 있으며(그림 2) 이들은 글루카곤이나 카테콜라민 방출에 의한 반응이고, 당뇨병 병력이 긴 환자(10년 이상)에서는 결핍될 수 있다. 이러한 환자는 저혈당을 방지하는 주된 호르몬이 없다.

증상과 징후

신체 징후로 창백과 식은땀이 있다. 장기적으로 인슐린 치료를 받은 많은 환자에서 이러한 경고 증상이 소실되어 더 심한 저혈당이 되기도 한다. 이런 환자는 창백하고 멍하며 지쳐보이고, 이 징후는 보호자가 즉시 알아차린다. 행동은 느리고, 부적절하나, 때로 과민하고 공격적이다. 신속하게 저혈당 혼수에 빠지는 경우도 있다. 간혹 저혈당 혼수에서 경련을 일으키며, 특히 밤에 나타난다. 저혈당이 빈번한 환자에서 뇌파 이상이 나타나며 원발성 경련과 혼동해서는 안된다. 다른 소견으로 반신마비가 있으며 포도당을 투여하면 수 분내에 호전된다. 저혈당은 인슐린 치료를 받는 환자들에서 흔한 문제이다. 거의 모든 환자에서 간헐적 증상을 경험하며, 환자의 1/3은 저혈당 혼수가 된다. 경도의 저혈당은 너무 많아 환자를 괴롭힌다. 저혈당은 환자의 정상 식사와 주사한 인슐린 또는 부적절한 경구 혈당강하제의 불균형 및 활동과 대사요구량에 의해 일어난다. 인슐린이 저혈당을 일으킬 위험이 있는 시간은, 식사 전, 취침 중, 오후에 설폰요소제 복용이다.

저혈당 불감증

대부분의 당뇨병 환자에서 저혈당 후에 당을 보상해주는 능력이 결여되어 있다. 글루카곤에 대한 반응이 특히 부족하다. 유병기간이 긴 당뇨병 환자에서는 아드레날린 반응도 저하되어 경고 증상이 나타나지 않는다. 재발되는 저혈당 자체도 저혈당 불감증을 일으킨다. 이 경우 저혈당 인식 능력은 몇 주간

표 1. 저혈당 증상과 징후 및 환자의 대책			
증상	생리적 기전	증상 발생시 혈당(mmol/L)	필요한 치료
공복감, 발한, 떨림, 두근거림	정상 이하 혈당에서 자율신경 반응	3.5 이하(64 mg/dL)	포도당이 많은 단 것, 음료나 식품
인지장애, 조화불능, 비전형적 행동, 발음장애, 졸림, 어지러움	저혈당성 신경증(뇌의 포도당 공급 저하)	2.8 이하(51 mg/dL)	포도당이 많은 단 것이나 음료, 도움 요청
오한, 두통, 구역, 의식 저하	중증 신경 저혈당	2.0 이하(36 mg/dL)	제 3자의 도움 필요
경련, 혼수	중증 신경 저혈당	1.5 이하(27 mg/dL)	의학적 치료 필요

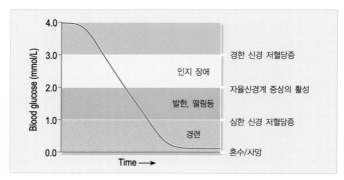

그림 1. **아드레날린 분비의 혈당 역치와 이에 따른 자율신경 작용과 신경 저혈당 증상.** 혈당이 역치 이하로 떨어지면 활성화된다. 저혈당 불감증 환자는 혈당 역치가 매우 낮다.

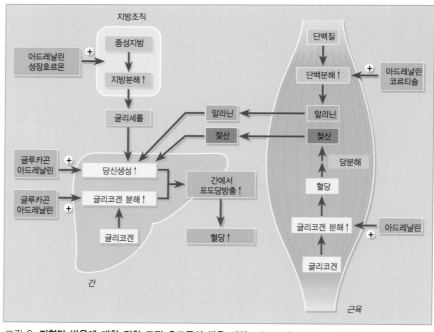

그림 2. **저혈당 반응에 대한 길항 조절 호르몬의 작용 기전.** 이 호르몬 중 아드레날린이 가장 중요하고, 이어서 글루카곤과 성장호르몬, 코르티솔이다. 아드레날린은 지방 분해와 당 신생성, 글리코겐 분해(간과 근육), 단백 분해 촉진으로 혈당을 올린다. 지방 분해와 단백 분해는 간의 당 신생을 촉진한다.

의 이완요법으로 회복 될 수 있다.

야간 저혈당

밤 동안에는 인슐린 기저 요구량이 줄어들지만, 새벽 4시 이후에는 증가하나 이때는 주사한 인슐린 수준은 저하되어 있다. 그 결과 환자가 아침에 깨었을 때는 혈당이 높다. 그러나 밤에 인슐린을 주사하면 이른 아침에 저혈당 위험을 증가시킬 수 있다. 이런 문제 해결의 도움은:

- 취침 전 간식 복용 조사
- 하루 2번 혼합형 인슐린 사용 환자에서 저녁 식사 전 중간형 인슐린을 취침 전으로 변경
- 작용이 밤까지 지속되는 저녁 식사 전 수용성 인슐린 감량
- 수용성 인슐린 다회 주사요법을 속효성 인슐린 유사체로 변경
- 밤 동안 일정한 수준을 유지하는 지속성 인슐린으로 변경

경도의 저혈당

빨리 흡수되는 어떤 탄수화물도 신속히 증상을 호전시키며, 저혈당을 자주 겪는 사람은 포도당이나 단 식품을 가지고 다니도록 한다. 의식이 저하된 환자는 탄수화물 용액을 마시게 한다(예, Lucozade). 모든 환자와 보호자는 저혈당 위험에 대한 교육을 받아야 한다. 이들에게 필요 이상의 탄수화물을 섭취하지 않도록 경고해야 하며, 반동성 고혈당을 일으키기 때문이다. 과음의 위험과 운전 중 저혈당에 대해 강조해야 한다.

중증 저혈당

의식 혼미나 혼수를 일으키는 중증 저혈당은 침상에서 혈당을 측정하여 임상적으로 간단히 진단할 수 있다. 의심스러우면 치료하기 전에 혈당을 측정하기 위해 채혈 한다. 환자는 자신의 당뇨병을 밝히기 위한 증명서를 휴대하거나, 팔지나 목걸이를 착용하며, 무의식 환자에서 이런 표식을 찾아본다.

의식이 없는 환자에게는 글루카곤을 근육 주사하거나(1 mg), 포도당을 정맥주사(25~50mL 50% 포도당 용액) 하며 생리식염수를 주사하여 정맥을 보호한다(50% 포도당 용액은 혈관을 자극한다). 글루카곤은 간의 글리코겐을 동원하여 신속하게 포도당으로 사용하게 한다. 이것은 집에서 보호자가 쉽게 주사할 수 있다. 장기간의 금식 후에는 효과가 없다. 환자가 의식을 회복 한 후 글리코겐 비축을 회복시키기 위해 충분한 당분을 준다.

저혈당은 인슐린을 이용한 혈당 강화요법에 장애가 된다. DCCT 연구에서 혈당 조절이 좋은 환자에서 중증 저혈당 경험 빈도가 증가하였다(그림 3). 따라서 인슐린으로 혈당을 조절하는 당뇨병 환자는 저혈당 위험과 당뇨병 합병증 위험 사이에서 타협해야 한다.

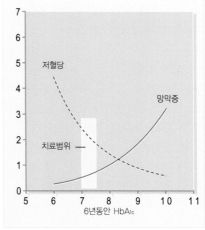

그림 3. **연간 중증 저혈당 위험은 좋은 혈당 조절 (낮은 당화혈색소)에서 높다.** DCCT는 연간 중증 저혈당 위험이 당화혈색소가 낮을수록 증가함을 보여주었다. 치료 범위는 환자에서 이론적인 당화혈색소의 목표이고, 이는 저혈당 위험과 합병증의 균형에서 이루어져야 한다.

치료에 의한 저혈당

- 저혈당은 인슐린 치료에서 가장 흔한 합병증이다. 증상은 수 분 내에 발생한다.
- 환자와 보호자는 저혈당 증상의 인식과 치료에 대해 알아야 한다. 치료는 저혈당 중증도에 따라 다르다.
- 중증 저혈당에서 의식 저하가 있으면 글루카곤 근육주사나 포도당 정맥주사가 필요하다.
- 혈당 조절이 잘 될수록 합병증 발생 위험은 낮아지지만, 중증 저혈당 빈도는 증가한다.

당뇨병과 임신

당뇨병 여성이 당뇨병 센터에서 임신 관리를 받게 되어 임신의 귀결이 당뇨병이 없는 여성과 비슷해졌다. 1960년대 이전까지 산모와 유아의 사망률과 유병률은 매우 높았다. 그 후의 전환은 임신 3분기 동안 엄격한 대사 조절과 내과 및 산과 관리의 전반적 개선에 의한다(그림 1).

당뇨병과 피임

당뇨병 환자의 임신은 계획되어야 하며 피임은 당뇨병 관리에 중요한 부분이다. 피임 방법은 당뇨병이 없는 사람과 비슷하다. 당뇨병과 관련된 하나의 중요한 요점은 에스트로겐에 의한 대사 부작용이나, 저용량 에스트로겐 제제의 영향은 적다. 따라서 저용량 에스트로겐 제제가 바람직하다. 그러나 대혈관 질환이나 위험을 가진 여성은 가능하면 에스트로겐-프로게스테론 복합제는 피하는 것이 좋다.

당뇨병 환자에서 임신의 금기

금기에는:
- 임상적 허혈성 심질환
- 진행된 신병증
- 활동성 증식성 망막증
- 심한 증상이 있는 자율신경병증

당뇨병 임신의 위험

산모의 위험은:
- 대사 악화
- 미세혈관 합병증 진행
- 대혈관 합병증
- 요로 감염 위험 증가
- 임신 중독 위험 증가
- 제왕절개 비율 증가

태아의 위험은:
- 선천성 기형(심장, 천골 발육 부전, 이분척추) 위험 증가
- 사산 비율 증가
- 주산기 사망률과 유병률 증가
- 신생아 합병증(태아 긴박, 황달, 저혈당) 증가
- 나중에 당뇨병 위험 증가

임신성 당뇨병

임신성 당뇨병은 내당능 장애가 임신 동안에 나타나고 출산 후에 호전되는 당뇨병의 특별한 한 종류이다. 임신성 당뇨병의 정의에 대해 아직 일치된 견해가 없다. 임신성 당뇨병은 임신시에 발생한 내당능 장애와 이미 존재하고 있었으나 진단되지 않은 내당능 장애나 당뇨병으로 분류한다. 보통 O'Sullivan 선별 검사에 의해 발견된다(Box 1). 표 1은 임신성 당뇨병 진단의 2가지 기준이다.

유럽 백인 임신의 약 2%에서 임신성 당뇨병이 발생한다. 위험이 특히 높은 여성은, 임신성 당뇨병의 병력, 나이가 많거나 과체중,

거대아 출산 병력, 특정 인종 등이다. 임신성 당뇨병은 다음 임신에서 임신성 당뇨병 위험이 높으며, 2형 당뇨병으로 진행될 수 있다. 일부에서는 당뇨병 관련 항체를 가지고 있으며 1형 당뇨병으로 진행한다.

임신성 당뇨병은 보통 증상이 없다. 치료는 식사요법이고, 거대아 위험 감소 이외에 중재를 지지하는 자료는 없다. 환자의 약 30%는 임신 기간 동안 인슐린 치료가 필요하다. 인슐린은 태반을 통과하지 않는다. 메트포르민과 2세대 설폰요소제 같은 경구 혈당강하제를 사용할 수 있으나 주의가 필요하며, 아직 2차 선택 치료이다. 임신성 당뇨병에서는 이미 당뇨병으로 진단된 환자에서와 같은 산과 문제와 신생아 문제가 있다. 예외는 임신성 당뇨병에서 선천성 기형 비율이 증가하지 않는다. 임신성 당뇨병에서 선천성 기형이 없는 것은 임신 후기에 당 내인장애가 일어나기 때문이며, 임신 초기의 당 내인성 장애에서 선천성 기형이 나타난다. 환자에게 증상이 있고, 케톤뇨나 심한 고혈당(> 15 mmol/L(270 mg/dL))이 있으면 입원이 필요하다.

임신시 당뇨병 관리

임신을 계획하면 선천성 기형(표 2)을 피하기 위해 수태 전에 최적의 대사 조절이 되어야 한다. 치료 방침은 3분기에 따라 다르다(표 3).

다음 8가지 요점은 치료 전략의 요약이다:
1. 최적 혈당 조절에 의한 선천성 기형 방지를 위한 임신전 상담.
2. 최적의 혈당 조절: 식후 혈당 4~7 mmol/L(70 ~126 mg/dL), 정상 범위의 당화혈색소(또는 fructosamine).

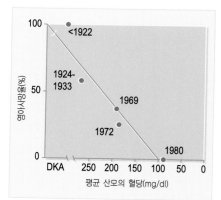

그림 3. **1922년부터 1980년까지 발표된 연구에서 산모의 평균 혈당과 영아 사망률의 상관관계.** 산모의 혈당이 정상화에 따라, 영아 사망률은 인슐린 이전 시대의 100%에서 1980년대에 당뇨병이 없는 임신부에 가까운 비율로 감소한다.

> **Box 1** O'Sullivan 선별 검사
>
> 50g 경구 당부하 60분에 혈장 포도당 ≥ 7.8 mmol/L(140 mg/dL)
> 임신 28주에 시행한 내당능 장애 진단 민감도와 특이도 > 80%

표 1. 경구 당부하 검사에 의한 임신성 당뇨병의 진단 기준

	혈장 혈당(mmol/L)(mg/dL)			
	공복	60분	120분	180분
National Diabetes Advisory Board(1979)[a]	>5.8 (105)	>10.6 (195)	>9.2 (165)	>8.1 (145)
World Health Organization Criteria(1998)[b]	>7.0[c] (126)	–	>7.8 (140)	

[a] 100g 당부하 검사 기준: 2가지 이상을 만족하면 진단
[b] 75g 당부하 검사 기준: 120분 값 증가에서 진단
[c] 임신 전 당뇨병을 시사

3. 혈당 조절 감시. 임신 중 케토산혈증은 태아 사망률이 50%에 이르며, 산모의 저혈당은 비교적 잘 견딘다.

4. 비만에서 칼로리 섭취 제한(30% 감소)과 정제된 탄수화물을 제한하는 식이 변화

5. 혈당이 목표치에 도달하지 않으면 인슐린 치료를 한다. 인슐린 유사체는 충분한 상의 후에 사용한다. 임신 2기와 3기에 인슐린 요구량이 점차 증가하면, 다회 주사 요법이나 인슐린 펌프를 사용한다.

6. 특별한 적응증이 없는 한 경구 혈당강하제는 사용하지 않는다.

7. 2주나 보다 짧은 간격으로 당뇨병 전문의, 간호사, 산과의사가 팀으로 구성된 출산전 당뇨병 클리닉에서 점검한다. 외래 관리의 목표는 만기에 자연분만이다. 망막병증과 신병증이 임신 중에 악화될 수 있다. 전문가의 안저검사와 단백뇨에 대한 소변 검사를 계획대로 진행하고, 임신 28주와 출산전에 시행한다.

8. 당뇨병과 관련된 산과 문제는, 사산, 거대아(임신 기간에 비해 큰)에 의한 산도의 기계적 장애, 양수 과다증, 임신 자간증 등이다. 병원에서 출산해야 한다. 임신 단계는 초음파을 이용하여 평가한다. 제왕절개술이 때로 필요하다.

임신 계획

당뇨병 임신에서 선천성 기형 위험이 있으며, 적절한 임신 계획에 의해 방지할 수 있다. 이상적으로는 관련된 전문 의료인이 참여한 복합 클리닉에서 시행되면 좋다. 포괄적인 계획은, 피임, 약물요법, 대사 조절, 흡연과 음주, 엽산 보충 등이다. 피임은 앞에서 설명하였으며, 고혈압과 심혈관 질환이 있는 환자는 특히 에스트로겐-프로게스테론 복합제 투여에 주위해야 한다. 안지오텐신 전환효소억제제와 스타틴은 중단하며, 고혈압에는 안정성이 확립된 메틸도파로 바꾼다. 흡연은 반드시 중단하고, 음주는 태아 위험을 줄이기 위해 제한한다. 풍진 면역력을 평가하고, 겸상적혈구 빈혈과 지중해빈혈에 대해 조사하고 양성이면 배우자도 검사 한다. 마지막으로, 임신 전 고용량의 엽산 보충은 신경관 손상에 의한 선천성 기형의 위험을 줄인다는 증거가 있다.

표 2. 처음 3분기의 당뇨병 조절

당화혈색소	주요 선천성 이상	총 출산
<8.5	2	58
>8.5	13	58

출처: Miller E: 당뇨병 산모에서 임신 초기의 당화혈색소 증가와 태아의 주요 선천성 기형. NEJM 304:1331, 1981.

표 3. 임신 3분기에 따른 당뇨병 조절 계획

3분기	관리
1기	엽산 보충(선천성 기형 위험 감소)
	금연, 음주 제한
	최적의 당뇨병 관리
	당뇨병 합병증 선별 검사
	초음파 검사(태아의 선천성 기형 발견)
2기	금연, 음주 제한
	최적의 당뇨병 관리(인슐린 용량 증가)
	당뇨병 합병증 선별 검사와 치료
	혈압 감시와 치료
	초음파 검사(태아의 선천성 기형 발견과 성장 평가)
3기	금연, 음주 제한
	최적의 당뇨병 관리(인슐린 용량을 34~36주까지 증량)
	당뇨병 합병증 선별 검사와 치료
	혈압 감시와 치료
	임신 중독증 검사(보통 2번)
	초음파 검사(태아의 선천 기형 발견과 성장 평가)
	출산 계획

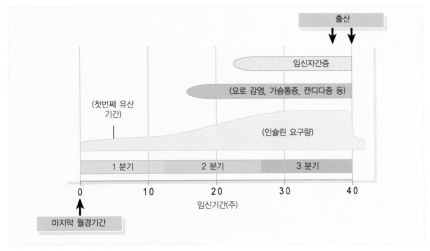

그림 2. 산모에 대한 당뇨병의 영향

당뇨병과 임신

- 당뇨병 여성에서 임신은 당뇨병 합병증 진행 위험이 증가된다.
- 엄격한 대사 관리가 임신 3분기 동안 필요하다.
- 태아의 선천성 기형은 처음 3개월의 당 내인성장애와 관련이 있다.
- 임신성 당뇨병은 대부분 무증상이며, 식사 조절로 치료한다.
- 임신성 당뇨병에서 선천성 기형의 증가는 없으나 기존의 당뇨병 환자 임신과 같은 산과적 및 주산기 문제가 있다.

신생아와 소아의 문제

태아와 신생아 문제

조절 되지 않은 산모의 당뇨병에서 거대 태아(그림 1)와 태아 성장의 가속(그림 2)이다. 당뇨병 산모의 유아는 비슷하게 성숙한 당뇨병이 없는 산모의 유아보다 초자막 질환(호흡 곤란을 일으키는 폐 실질막의 질환)과 선천성 기형에 취약하다. 이러한 이상은 주로 고혈당과 관련이 있으며, 선천성 기형은 대부분 처음 3개월 동안의 고혈당에 의해 결정된다(표 2, p 103).

당뇨병 산모의 유아에서 흔한 선천성 기형은:
- 심장 이상
  - 대혈관 기형
  - 심실 중격 결손
- 중추 신경
  - 무뇌증
  - 이분 척추
- 골격과 안면
  - 미골 퇴행 증후군(그림 3)
  - 구개 파열, 구개 구순열
  - 관절만곡증(그림 4)
- 비뇨생식기
  - 신장 무형성
  - 이중 요관

치료

당뇨병 산모의 치료는 주의깊은 계획이 필요하다(표 3, p 103). 초음파 검사는 각 분기에 시행하며, 1분기에는 선천성 기형 검사를, 2분기와 3분기에는 선천성 기형과 성장 속도를 평가한다.

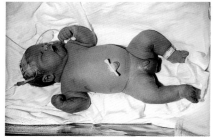

그림 1. **당뇨병 산모의 거대아**

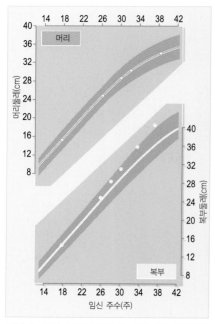

그림 2. **태아 성장의 가속화.** 선은 50 퍼센타일이고 회색 부분은 3~97 퍼센타일이다.

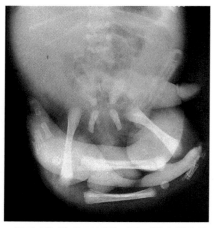

그림 3. **당뇨병 산모아이의 미골 퇴행과 천골 무형성**

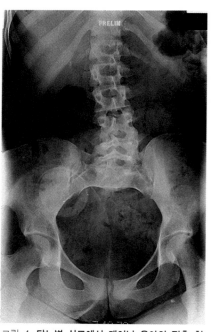

그림 4. **당뇨병 산모에서 태어난 유아의 편측 척추에 의한 척추 비틀림과 중심 선의 선천 이상**

진통과 출산

진통과 출산은 당뇨병 산모와 태아에 잠재적인 위험이다. 출산은 임신 기간 동안 태아의 상태에 따라 주의하여 계획되어야 한다. 제왕절개술의 필요성을 지속적으로 검토하며, 당뇨병 환자에서 더 흔하다. 제왕절개술에 의한 계획 출산 이유는:
- 이상 태위
- 태아와 산도의 부조화
- 자궁 내 태아 성장 지연
- 태아 곤란증
- 전자간증

당뇨병은 식이와 인슐린으로 조절한다. 진통기 동안 인슐린 요구량이 줄어들며 지속적 정맥 인슐린 주입(보통 속효성 인슐린 2~4 U/h)과 125 mL/h(즉, 매 8시간마다 1 리터)의 10% 포도당 주입을 정기적 혈당 감시(보통 모세혈관 채혈)와 함께 시행한다. 출산 후 인슐린 요구량은 임신 전 상태로 떨어지며, 인슐린 주입 속도는 처음 반으로 줄인다.

신생아 기간

신생아 저혈당이 당뇨병 산모에서 태어난 유아에서 나타날 수 있다. 신생아 저혈당은 산모의 혈당은 태반을 통과하나 인슐린은 통과하지 못하여, 태아의 췌도 세포가 모체에서 기원한 고혈당을 극복하기 위해 인슐린을 과량 분비하여 일어난다. 탯줄이 끊어지면, 신생아의 혈당은 저혈당 농도로 떨어진다. 신생아의 다른 문제는:
- 호흡곤란 증후군(현재는 드물다)
- 일시적 심근 비후증(초음파 검사로 30%에서 발견된다)
- 저칼슘혈증(50%)
- 저마그네슘혈증(80%)
- 적혈구 증가증(12%)
- 황달(60%)

소아

소아의 당뇨병은 대부분 1형 당뇨병이지만, 일부는 젊은 성인발생 당뇨병(maturity-onset diabetes of the young, MODY, 표 1, P 62)이다. 1형 당뇨병은 필히 인슐린으로 치료하며, MODY는 식이나 약으로 치료한다. 당뇨병의 가족력이 현저하면 MODY 가

표 1. 소아에서 당뇨병의 주요원인	
유형	**원인**
1형	자가면역(p. 60)
Maturity-onset diabetes of the young (MODY)	2형의 우세한 유전형을 가진 아형(p. 63)
2형	
이차성 당뇨.	
염색체 이상	다운 증후군 터너 증후군 클라인펠터 증후군
유전 질환	Prader-Willi syrdrome. Laurence-Moon-Biedl syndrome. DIDM DAD syndrure. Leprechaunism. Alaxia-Telongiectasia (Rabson) Mendenhall syndrome.
췌장질환과 연관된 유전 질환	낭포성 섬유증
췌장 절제후	Cystinosis, Thalassaemia

능성에 주의해야 한다. 소아 비만의 증가는 2형 당뇨병과 청년기 내당능 장애가 증가되는 원인이다(그림 5).

치료

소아 당뇨병의 치료는 성인과 다르지 않다. 그러나 소아에서는 특히 사회 자립성과 사회 의존성에 대한 관심이 필요하다. 이런 척도는 나이에 따라 다르며, 후자는 청소년기에 활발해지고, 전자는 아동기에 관련이 있다.

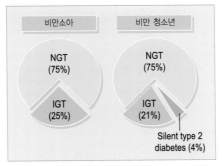

그림 5. **비만 소아와 청소년에서 2형 당뇨병과 내당능 장애의 유병율.** 정상 당 내성(NGT); 내당능 장애(IGT).

저혈당은 어른에서 나타나는 경고 증상과 달라 소아에서 특히 문제이다. 소아에서 저혈당에 의한 주요 증상은:

■ 야뇨증
■ 말썽
■ 눈물이 어림
■ 고약한 성질
■ 학업 부진

고혈당 조절 목표는 성인 환자와 같다(표 1, p 88). 저혈당에 대한 두려움으로 최적의 혈당 조절 도달이 제한될 수 있다. 최적의 혈당 조절이 어려워도 당화혈색소의 감소는 합병증 위험의 현저한 감소와 관련이 있다. 따라서 보다 나은 혈당 조절에 도달하려는 노력은 항상 지속되어야 한다.

Box 1은 소아 당뇨병에서 흔한 질문에 대한 목록이다.

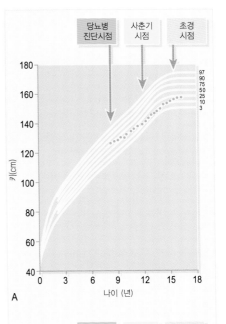

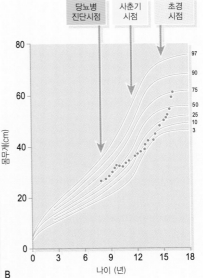

그림 6. **8세에 당뇨병으로 진단된 소녀에서 키 (a)와 몸무게(b)의 성장 곡선.** 사춘기와 초경이 다소 지연되었다.

Box 1 소아 당뇨병에서 흔한 질문

예방 접종. 프로그램은 당뇨병 소아에서 차이가 없다.

질병. 요로 감염은 흔하나 당뇨병 소아에게 질병이 더 흔하지는 않다.

야뇨증. 당뇨병 소아에게 더 흔하지 않지만, 야간 고혈당이나 저혈당에 의해 나타날 수 있다.

주사. 주사에 대한 저항은 호의적으로 다루어져야 하며, 바늘 없는 주사나 주입 기법에 대해 전문가의 조언을 구해야 한다.

저혈당. 소아에서 성인과 다르게 나타날 수 있다. 의심이 되면 혈당을 측정해야 한다. 소아 주의에 있는 사람은 아이에게 당뇨병이 있고, 저혈당 혼수가 있을 때 어떻게 대처해야 하는지 알고 있어야 한다.

식이. 다른 가족과 비슷하나 설탕을 줄인다. 규칙적인 식사 시간을 가능한 맞추어야 한다.

행동과 생활 습관. 당뇨병 소아는 모든 스포츠와 학교 활동에 참여하도록 하는 것이 당연하다. 선생님은 당뇨병이 활동 조정에 훌륭한 기회라는 것을 충고할 필요가 있다. 우리는 모든 것을 할 수 있으며, 당뇨병이 있다고 다른 생활을 하는 것은 변명이 되지 않는다. 말썽, 눈물, 고약한 성질, 학업 부진은 저혈당과 관련될 수 있다.

성장. 평균적으로, 당뇨병 환자에서 성장이 약간 감소된다. 이러한 감소는 특히 조절이 잘 되지 않는 매우 어린 아이에서 생길 수 있다. 사춘기가 2년 정도 늦어질 수 있거나 정체된다(그림 6). 이들을 추적하여 관찰하며, 만약 변화가 있으면 전문가에게 의뢰하여 다른 원인(예, 갑상선 저하증)을 제외하고, 치료가 필요한 지 알아야 한다.

신생아와 소아의 문제점

태아와 신생아

- 당뇨병 산모의 태아는 거대아가 될 수 있고, 태아 성장이 가속화되며, 선천 기형과 초자막 질환에 잘 걸린다.

- 태아 문제은 주로 고혈당과 관련이 있다.

- 당뇨병 치료는 임신 전 계획기간과 산후 기간을 포함하여 모든 임신 기간동안 중요하다.

소아

- 소아 당뇨병의 대부분은 1형 당뇨병이지만, MODY와 2형 당뇨병도 있다.

- 비만은 내당능 장애와 당뇨병 위험을 증가시킨다.

- 소아의 저혈당은 성인과 다르게 나타날 수 있다.

노인과 인종적 문제

당뇨병이 있는 노인

당뇨병을 가진 노인 환자가 크게 증가하고 있다. 2025년이 되면 당뇨병 환자의 약 1/3이 75세 이상이 될 것이다. 이러한 집단은 특히, 당뇨병과 관련된 사망, 대혈관 합병증, 고혈압과 백내장의 고위험군이다. 당뇨병 빈도의 증가는 부분적으로 인슐린 분비와 인슐린 감수성 감소(그림 1)을 포함한 노화에 따른 당 대사 변화에 의해 일어난다. 합병증 예방과 치료는 젊은층에서처럼 적극적으로 이루어져야 한다. 고혈당은 대부분 2형 당뇨병에 의해 일어나지만, 노인에서도 1형 당뇨병이 생길 수 있다.

65세 이상 인구의 약 10%가 당뇨병으로 진단되며, 추가로 10%가 진단되지 않은 고혈당을 가지고 있다. 노인에서 임상 증상은 소아나 성인에서처럼 명확하게 나타나지 않을 수 있다. 노인의 체중 감소는 케토산혈증에 의해 일어날 수 있으나, 암이나 식욕 저하의 감별이 필요하다. 요실금, 활동 감소, 지능 저하도 당뇨병에 의해 나타날 수 있다.

치료

노인에서 여러가지 요인이 순응도에 지장이 되고 환자 관리를 복잡하게 한다. 많은 질병과 약물 치료는 약제 상호작용과 순응도을 나쁘게 한다. 특히 중요한 점은 약이 많아 질수록 순응도가 나빠진다는 것이다. 노인에서 약물은 젊은 사람처럼 효과적으로 대사되지 않는다. 따라서 약용량을 낮추거나 줄여야 할 필요가 있다. 요구되는 모든 치료를 시행하기 보다 치료에 가장 중요한 부분을 알아내는 것이 더 필요할 수 있다.

당뇨병 노인에서 관리해야 할 문제는:
- 독거, 가난, 부족한 식이: 나쁜 순응도
- 지능 저하, 우울증과 치매: 나쁜 순응도
- 시력과 손 놀림 저하: 혈당 측정과 자가 주사의 어려움
- 동반 질환과 약물: 혼동의 가능성과 약물 상호작용
- 다제 약물 치료: 나쁜 순응도
- 거동과 운동의 감소: 나쁜 생활습관

노인 당뇨병 환자에서 치료에 대한 좋은 접근은:
- 현재의 삶의 질과 예후를 결정
- 당뇨병과 다른 질환에서 치료 우선 순위 평가
- 저혈당 방지
- 개인적 조절 목표에 따라 당뇨병 치료
- 합병증 선별 검사 시행과 삶의 질 유지 치료
- 약물 용량과 인슐린 사용에 주의

노인에서 위험인자 관리

노인 환자의 치료는 소아에서와 다르지 않으며, 각자의 사회 자립성과 의존성에 대한 같은 관심이 필요하다.

저혈당은 경구 혈당강하제를 복용하는 노인에서 특히 문제가 된다. 특히, chlorpropamide나 glibenclamide와 같은 작용시간이 긴 설폰요소제는 배설 저하로 심한 저혈당을 일으킬 수 있다. 이러한 약제는 65세 이상 환자에서는 사용하지 않는다.

고혈당 치료 목표는 다른 환자와 같다(표 1, p 88). 최적의 조절이 어려워도 당화혈색소의 감소는 합병증 위험의 현저한 감소와 관련이 있다.

Repaglinide와 nateglinide와 같은 작용시간이 빠른 메글리티니드는 chlorpropamide나 glibenclamide보다는 저혈당을 덜 일으킨다. 메트포르민, 아카르보스 또는 티아졸리디네디온 같은 인슐린 분비를 촉진하지 않는 제재는 안전하며, 저혈당을 일으키지 않는다. 그러나 이런 약제는 각각 다른 부작용과 관련이 있다. 메트포르민은 매우 드문 젖산 산혈증을 일으키므로, 신기능이나 심기능 장애가 있으면 주의하여 사용 한다.

고립성 수축기 고혈압은 노인에서 흔하며, 64세 이상 성인의 70% 이상은 고혈압(수축기 혈압 ≥140mm Hg, 이완기 혈압 ≥90mm Hg)이다. 수축기 혈압은 이완기 혈압보다 심혈관 질환에 더 좋은 예측인자이고, 넓은 맥압은 각각의 혈압보다 더 나은 예측 인자이다. 노인 환자에서 고립성 수축기 혈압 치료는 심혈관 질환에 확실한 이득이 된다. 현재의 권고는 기립성 저혈압을 예방하기 위해 첫번 측정치에서 20 mmHg을 넘지 않는 범위의 수축기 혈압을 낮추도록 하고 있다. 노인에서 신혈관질환에 의한 약물 내성 위험이 있어 안지오텐신 전환 효소 억제제를 처음 시작할 때는 특히 주의가 필요하다.

모든 노인 환자는 대혈관 질환 위험이 높아 아스피린(저용량)과 스타틴을 이용한 치료의 대상이다. 아스피린의 금기는 출혈 병력이나 소화성 궤양이다. 당뇨병이 없는 환자의 근거는 70세 이상에서 스타틴 치료가 필요하고, 거의 모든 당뇨병 환자를 포함한 심혈관 질환 위험이 있는 환자는 65세 이상이다. 나이에 관계없이 모든 노인 당뇨병 환자에서 스타틴 도입에 대한 근거가 있다.

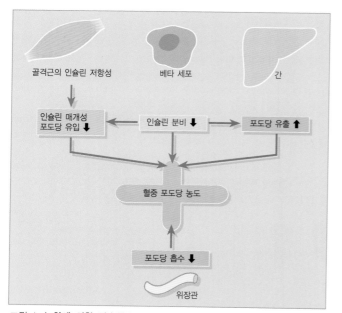

그림 1. **노화에 의한 탄수화물 대사 변화로 포도당 흡수 감소에도 불구하고 혈당이 상승된다.**

인종적 문제

역학

북미와 유럽에서는 1형 당뇨병이 흔하나, 2형 당뇨병은 최근 '서구식' 생활습관에 노출된 집단에서 유병률이 특히 높다. 그 중에서도 특징적인 것은 북미 인디언과 태평양섬 주민, 호주 원주민에서 빈도가 높으며, 유럽이나 북미로 이주한 인도인에서 높다. 전세계의 당뇨병 증가는 주로 2형 당뇨병 발생 증가와 관련이 있으며, 아시아, 중동과 중남미 지역에서 현저하다(p 62). 이러한 전세계적인 당뇨병 유병률 변화는 칼로리 과잉섭취와 운동 부족에 따른 에너지 소모 감소에 의한다. 특징적으로 특정 인구집단에서 질병 양상이 다르게 나타나며, 인슐린 저항성과 대혈관 질환의 관련성으로 인디언과 아랍인은 심장 질환이 많고, 미주 인디언 원주민은 그렇지 않다. 그 결과, 일부 인종에서는 혈압 저하나 지질 개선 등 조기부터 적극적으로 관리하는 1차 예방 전략이 필요하나, 이런 전략의 성공에 대한 근거는 아직 부족하다.

당뇨병 환자는 인종과 관계없이 동일하게 치료하며, 당뇨병의 종류와 위험인자 동반 정도에 따라 관리가 이루어져야 한다. 일부 인종에서 주의가 필요한 특정 상황은:

- 인종 별로 1형과 2형 당뇨병 발생률은 다양한 차이가 있다.
- 대혈관 질환은 특히 아시아 인디언과 같은 일부 인종에서 흔하다. 이들에게는 안지오텐신 전환효소 억제제나 칼슘 이온 통로 차단체와 같은 당대사에 중립적인 약제를 1차로 사용한다.
- 고삼투압성 비케톤 혼수는 유럽 인종보다는 아프리카계 미국인에서 흔하다.
- 아프리카 출신 인종의 고혈압은 레닌 저하와 관련이 있으며 안지오텐신 전환효소 억제제에 대한 반응이 좋지 않다. 베타아드레날린 수용체 차단제나 칼슘 이온 통로 차단제가 일차 치료 약제이다(이러한 전략의 성공에 대한 근거는 부족하다).

라마단

라마단(이슬람에서 낮 동안 금식을 하는 성서 주간)은 당뇨병 약제나 인슐린을 투약하는 환자에게 문제가 된다. 라마단 기간 동안 식사 패턴이 변화된다. 음식은 하루에 두 번 섭취하며, Suhur(일출)과 Iftar(일몰)에만 섭취하고 그 사이에는 금식을 유지한다. 당뇨병 환자는 일출 직전인 Suhur에 음식을 먹고, 그 외에는 엄격하게 단 음식을 먹는 것을 금지하고 대신 쌀이나 인도 빵을 섭취한다.

라마단 기간 동안 의학적 이유에서 음식을 먹는 것에 대한 동의를 구하는 것은 가능하고, 환자는 그들의 신앙심에 대해 상담을 받는다. 다른 방법은 낮 동안 설폰요소제나 인슐린을 투약하지 않는 방법도 있다. 이에 의한 저혈당이나 탈수는 중요한 문제가 된다. 저혈당 발생을 느끼면 금식을 중단해야 한다.

표 1. 30~64세 연령에서 인종 별 2형 당뇨병 유병률(WHO)		
	유병률(%)	위험 비
피마 인디언	50	12
아랍인종	25	6
아시아 인종	20	5
서부 아프리카 인종	12	3
북미 인종	7	2
북유럽 인종	4	1

노인과 인종적 문제

- 노인에서 당뇨병과 내당능 장애는 흔하다.
- 노인의 당뇨병 관리는 특히 유연한 접근이 필요하다.
- 인종 차이에 의해 합병증 발병 위험이 다르고 특정 치료에 따른 반응이 다르다.
- 이슬람에서 라마단은 낮 동안 저혈당 발생을 예방하기 위한 상담이 필요하다.

찾아보기